JN038497

図解 わか りやすい

給与計算と 社会保険

2024-
2025年版

税理士
関根俊輔／社会保険労務士 行政書士
関根圭一 監修

新星出版社

社保の加入義務企業が拡大

社会保険の加入する条件の一部が、従業員数101人以上から、51人以上に変更になりました。

従業員数51人以上の中小企業も対象に

社会保険料は従業員が負担する金額以上に、会社が負担しています。そのため、これまで中小企業ではパート・アルバイトが被保険者の対象となる条件（加入義務となる条件）が、大企業と比べてゆるめに設定され、その一部に**従業員数の基準**がありました。

その数が変更となり、これまでの対象企業は従業員数が101人以上でしたが、令和6（2024）年10月より、51人以上になりました。

中小企業にて、パート・アルバイトが被保険者となる要件

1週間の所定労働時間が
一般社員の**4分の3以上**

1か月の所定労働日数が
一般社員の**4分の3以上**

↓

両方とも該当するなら被保険者

↓

該当しなくても…

次の要件を**すべて**満たしたら被保険者となる

①週の所定労働時間が20時間以上
②雇用期間が2か月超見込まれる
③賃金の月額が8.8万円以上
④学生（夜間、通信、定時制の学生を除く）でない
⑤従業員数**51人以上**の企業

令和6（2024）年10月〜 ……▶ 対象となる企業が
一気に増える

パート・アルバイトの「年収の壁」

　社会保険に加入するかどうかは、会社側の理由だけでなく、働き手であるパート・アルバイト側の状況にも大きく影響します。たとえば、働いて稼いだために扶養家族から外れたり、社会保険料を徴収されたりすることで、総合的に見ると収入が減ってしまうケースです。

　これらは「年収の壁」と呼ばれています。以下に目安を表示しました。

■「年収の壁」早見表

年収	～100万円	100万円～	103万円～	106万円～	130万円～	201.6万円～
住民税	不要	発生 →→→→→→→→→→				
所得税		不要	発生 →→→→→→			
社会保険			不要	場合により発生（左ページ参照）	発生 →→→→	
配偶者（特別）控除	配偶者控除 →→→		配偶者特別控除 →→→→→→			控除ゼロ

「年収の壁」を支援する助成金

　「年収の壁」は働き手が減っている日本にとってマイナスであるため、「年収の壁・支援強化パッケージ」と銘打ち、助成金という形のサポートが用意されています。たとえば、賃金を上げた場合や労働時間を増やした場合などです。詳しくは 「年収の壁」「支援強化パッケージ」などのキーワードで検索してみましょう。

支援強化パッケージの例

賃金の**15％以上**を労働者に追加で支給 ▶ 6か月ごとに 10万円×2回

週の所定労働時間を**4時間以上**延長 ▶ 6か月で 30万円

建設業・運送業の時間外労働

例外として建設業やトラックドライバーは時間外労働の上限がありませんでしたが、例外措置の猶予期間が終わりました。

建設業：年720時間、トラック運転者：年960時間に

　人手不足のため、長時間労働が日常的になっていた建設業で働く人やトラックドライバーなどについては、残業時間の上限がありませんでした。特別条項付きの36協定を結んでいれば、何時間でも働いてもらうことができたのです。

　しかし、令和6（2024）年4月より、時間外労働の上限時間に制限が加えられ、建設業：年720時間、トラックドライバー：年960時間になりました。対象の業種の方は、給与計算だけでなく、36協定や就業規則も見直す必要があるでしょう。

建設業と運送業の労働時間の上限

建設業

トラック ドライバー

原則	法定労働時間（1日8時間、1週40時間）まで
36協定	法定労働時間＋時間外労働（月45時間、年360時間）

特別条項付 36協定	建設業	トラックドライバー
	法定労働時間 ＋ 時間外労働 （年720時間） ※月の上限時間もある	法定労働時間 ＋ 時間外労働 （年960時間）

「年720時間」は
一般的な業種と同じ

「月○時間」などの
他の条件はなし

労働条件の明示

労働者に労働条件を提示するときにあやふやだった部分について、より
はっきりと明示する項目が定められました。

就業場所や業務内容、無期転換などを明示

　令和6（2024）年4月より、労働契約を結ぶ際の労働条件を明示すると
きに、すべての労働者に対し雇入れ直後の就業場所・業務内容に加え、**配
置転換の範囲（就業場所・業務内容など）を示す**ことが必要になりました。

　また、有期契約の労働者に対して、更新回数・契約期間の上限の有無や、
無期転換の申込機会を明示しなければならなくなっています。

　さらに、専門スキルが必要な労働者に対して、「裁量労働制」を採用し
ている場合は、**本人の同意を得なければ**ならなくなりました。

労働条件の明示等が必要なケース

すべての労働者	有期契約の労働者	裁量労働制の対象者
雇い入れ直後の就業場所・業務内容、配置転換の有無や範囲（就業場所・業務内容等）の明示	更新回数・契約期間の上限の有無、無期転換の申込機会の明示 ※有期契約を5年超したときに無期転換できる	本人の同意が必要

裁量労働制の対象者

要確認

裁量労働制には、「専門業務型」と「企画業務型」があります。
「専門業務型」は、大手だけでなく中小企業でも採用している会社が少なく
ありません。対象労働者は、新商品の研究開発、記者・編集者、デザイナー、
ゲーム用ソフトウェア創作などの業務に従事する人です（77ページ図）。

定額減税と年末調整

デフレ脱却を確実にすることを目的とし、令和6（2024）年の6月以降の給与・賞与から所得税と住民税が減税されています。

一人当たり、所得税3万円、住民税1万円の減税

令和6（2024）年6月以降に支給する給与・賞与より、定額で**一人当たり、所得税3万円と住民税1万円が減税**されています。6月の給与で減税しきれないものは翌月以降に持ち越して減税されます。

減税された金額は、12月に行われる**年末調整にて組み込まなければなりません。**

年末調整額を計算するときの流れを以下に示します。

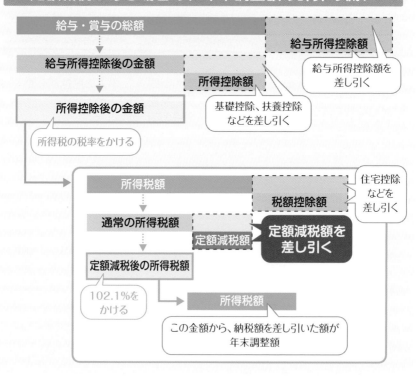

定額減税がある場合の、年末調整額の計算の流れ

給与・賞与の総額

給与所得控除後の金額

給与所得控除額

給与所得控除額を差し引く

所得控除後の金額

所得控除額

基礎控除、扶養控除などを差し引く

所得税の税率をかける

所得税額

税額控除額

住宅控除などを差し引く

通常の所得税額

定額減税額

定額減税額を差し引く

定額減税後の所得税額

102.1%をかける

所得税額

この金額から、納税額を差し引いた額が年末調整額

労災保険料率の変更

2024年4月より、一部の業種の労災保険料率が変更になりました。
年度更新のときは新しい料率で算出しましょう。

年度更新のときは新しい料率で計算

　令和6（2024）年4月より、製造業を中心にした一部の業種の労災保険料が変更になりました。

　労働保険料の申告・納付をする「年度更新」の際は、新しい料率で計算しなければなりません。

　以下に、労災保険料率の変更があった主な業種を挙げます。

■労災保険の料率に変更があった業種の例

（単位：1/1,000）

業　種	2023年度	2024年度
林業	60	52
定置網漁業又は海面魚類養殖業	38	37
石灰石鉱業又はドロマイト鉱業	16	13
採石業	49	37
水力発電施設、ずい道等新設事業	62	34
機械装置の組立て又は据付けの事業	6.5	6
食料品製造業	6	5.5
木材又は木製品製造業	14	13
パルプ又は紙製造業	6.5	7
陶磁器製品製造業	18	17
金属材料品製造業	5.5	5
金属製品製造業又は金属加工業	10	9
めっき業	7	6.5
電気機械器具製造業	2.5	3
貨物取扱事業	9	8.5
港湾荷役業	13	12
船舶所有者の事業	47	42
ビルメンテナンス業	5.5	6

本書の特色

給与計算や社会保険の手続きが初めての人が、迷ったり不安に感じるのは「わからないことの多さ」にあると思います。
「わからない」をなくしていって不安を払拭できるよう、本書は次のような工夫をこらしました。

初めての分野で基本用語がわからない

基礎からひとつひとつ解説するので大丈夫!

欄外の「WORD」(本文中の**太字**)や「POINT」、本文の「Check!」などで、単語や制度についてやさしい言葉で解説しています。また、「これはどういう意味だっけ?」と疑問をもったときに使える「索引」も充実させました。

申請書の書き方がわからない

豊富な記載例で安心!

実際に使用されている申請書を用いて、記載例をふんだんに掲載しました。

一体、どんな作業が必要なのかわからない

系統だてた構成で理解を深めます!

6章では社会保険・労働保険の個別のケースで必要な手続きを紹介しています。また、7章では入社・退社時の手続きをまとめました。関連する作業をひとつの章にまとめることで、系統だてて制度や手続きを理解できるように構成しました。

一緒にがんばりましょう!

関根俊輔

はじめに

　給与計算と社会保険の手続きは、社会保険・雇用保険・労働基準に関する法律、所得税、住民税など、さまざまな税と法の知識が求められます。

　さらに、ミスが許されないうえ期日も決まっているので、給与計算と社会保険の業務に携わることは大きな責任を負うことといえます。

　そして、それだけにやりがいのある業務です。

　この本は、給与計算や社会保険の業務に初めてチャレンジする方を対象にしています。

　全体像を把握できるよう基礎的な知識をていねいに解説し、実務面で活かせるように計算例、書類の書き方など個々の事例も豊富に掲載しています。専門用語が多い分野ですからやさしい表現を心がけ、「どういう意味だっけ？」と困ったときすぐに調べられる索引もつけました。

　「給与計算や社会保険の業務は外部に委ねている」「社内で進めているけど給与計算ソフトにお任せ」というケースもあるかもしれませんが、基礎的な知識がなければ本当に正しく業務が進んでいるか確信をもてません。

　やりがいのある業務に自信をもって取り組めるためには、本書に掲載している基本が役立つはずです。基本を身につけ、従業員がどんな質問をしてきても、教えてあげられる担当者として活躍いただけることを願っております。

税理士法人ゼニックス・コンサルティング
税理士
関根俊輔

1章 給与の基礎知識

2章 給与計算その1
～前準備と勤怠欄

3章 給与計算その2
～支給欄と控除欄

7章 入社・退社の手続き

[付録] スムーズな業務のためのチェック事項一覧

● デザイン・DTP　田中由美
● イラスト　MICANO
● 編集協力　名冨さおり、
　　　　　　㈲クラップス

本書は令和6（2024）年7月現在の
法令等をもとに解説しています。

給与の基礎知識

給与は労働に対して支払う

- 会社が労働者に支払う金銭は条件を満たさないと給与にはならない。
- 作業着や制服などが給与とみなされる場合もある。

「給与」は「労働の対価」

2〜4章では給与計算の手順を説明しますが、実務をスムーズに進めるためには給与に関する基礎知識を理解していただく必要があります。

そこで1章では**労働基準法**との関わりも含めて給与の基礎知識について説明していきます。この節では「そもそも給与とはなにか」を解説したいと思います。

給与は「賃金、給料、手当、報酬、賞与」など、さまざまな呼ばれかたがありますが、「従業員の労働に対して会社が支払う＝労働の対価」と定義されています。つまり、労働の対価ではなく支給されるものは給与ではないということです。**給与でなければ税金や保険料を計算するときの対象には含まれず**、その分、税金や保険料がかかりませんから、給与かそうでないかの線引きが重要なのです。

ちなみに、法律によって給与の呼び方は異なり、労働基準法では賃金、健康保険法と厚生年金保険法では報酬、または賞与と呼ばれています。

現物支給は給与になる？

労働基準法では、給与は労働者に全額通貨で支払わなければならないと規定していますので、原則的には現物支給は給与と認められません。

ただし、労働協約（会社と労働者全員（組合）による取り決め（17ページ））などに規定があれば、現物支給が給与として認められるケースもあります。

慶弔見舞金は給与になる？

社長がポケットマネーから従業員に慶弔見舞金を渡したら、これは私的な気持ちなので給与にはなりません。給与計算には関係してきませんし、

労働基準法：雇用契約、労働時間・休日・休憩、年次有給休暇、賃金といった労働条件の最低基準を定めた法律。国家公務員などをのぞき、日本国内すべての労働者に適用される。

所得税などの計算も不要です。

また、就業規則に慶弔見舞金について規定があり、その規定に則って支払われたら、それは給与となりません。従業員に公平に支給されるものなら、慶弔見舞金に課税されることはないのです。

では、慶弔見舞金がどのような場合に課税されるのでしょうか？　社会通念上、妥当な金額であれば課税しなくても問題ありません。しかし、妥当な金額を超えてしまうと課税対象となるので注意が必要です。

◆ 給与になるもの・ならないもの

	給与に**なる**場合	給与に**ならない**場合
作業着や制服	社名が入っていない、私用可能など、条件によって給与扱いになる。	私用しない（できない）、全員に支給するなどの条件を満たした場合。
慶弔見舞金	就業規則などで支給条件が決められていない場合。	就業規則で支給条件が定められている場合。ただしそれを超えたら課税。
退職金	一般的に給与に含めない。給与ではないのでその年の源泉徴収票（180ページ）の年収にも含まれない。	
心づけ・チップ	そもそも会社の利益であるため、従業員が収入にしてはならない。ただし、会社が承諾した場合、初めて給与となり課税される。	

Check! 慶弔見舞金の相場は？

慶弔見舞金の「社会通念上、妥当な金額」に明確な規定はありませんが、以下の金額であれば問題はないでしょう。

- 結婚祝い金／1〜3万円
- 入院見舞金／業務内の傷病3万円、業務外1万円
- 弔慰金／本人5〜10万円、配偶者・子ども・父母・義父母1〜5万円
- 災害見舞金／2〜10万円

相場を知っておくだけでは十分ではありません。会社として「慶弔見舞金規程」を作成し、各ケースにおける金額を明確にしたうえで、決められた金額を支払うようにします。

給与とは

給与明細書を知る

- 雇用形態に関わらず給与を支払う場合は給与明細書を発行する。
- 給与明細書の記載内容を埋めて支給額を導き出す。

「給与明細書」は給与とセット

　労働基準法では給与明細の形式についてとくに記載はありません。

　しかし、**所得税法**には「給与や退職手当、公的年金などの支払いをする場合、金額や必要事項を記載した支払明細書を交付しなくてはいけない」と、給与明細の発行を義務づける記載があります。正社員、パート、アルバイトなどの雇用形態のちがいや、日給・月給に関わらず、給与を支払う場合は給与明細書を発行する必要があります。

　とはいえ、給与明細書を発行しなかったからといって罰則があるわけではありません。

「罰則がないなら面倒だし給与明細書をつくらないでおこう」と思ってしまうかもしれませんが、給与計算に必要な項目がすべて記載されているのが給与明細書ですから、給与の支給額を計算する課程で給与明細書は作成

Check! 給与明細書を電子化するメリット・デメリット

給与明細書の電子化が認められています。ただし、電子化する場合、従業員の承諾が必要で、拒絶した従業員には紙の明細書を交付しなくてはいけません。電子化にあたってはセキュリティ対策のほか、給与計算・会計システムとの連動など、ソフト面の準備が必要です。一度データ化してしまえば、紙を印刷して配布する手間もなくなり、紛失・再発行の対応が不要になるほか、給与計算・会計作業のスリム化にもつながります。

 or

 所得税法：個人の所得に対する税金について定めた法律。所得とは税金を計算するときの基準となるもので、給与から必要経費（給与所得控除（172ページ欄外）など）を差し引いたもの。

されます。

　また、従業員にとって給与明細書は、自らの**労働の対価（給与）**を記載した大事な記録であり、各種保険料や税金の納付状況を示す証拠ともなるものです。責任をもって発行するようにしてください。

☞ 給与明細書は３ブロックで構成

　給与明細書に記載される内容は、勤怠欄（58ページ〜）、支給欄（82ページ〜）、控除欄（106ページ〜）の３ブロックに分類できます。

　勤怠欄→支給欄→控除欄の順に集計することで、最終的に実際の支給額を導き出すことができます。

　労働基準法で、給与は１か月に１回以上、期日を決めて支払うと定められていますので、支払日を延ばしたり、２か月分を１回で支払うなど会社の都合で変更することはできません。給与の「締め日」が来たら、給与を支払う従業員全員分の給与計算を速やかにおこない、遅滞のないよう支払日に給与を支払わなければならないのです。

◆ 給与明細書の例

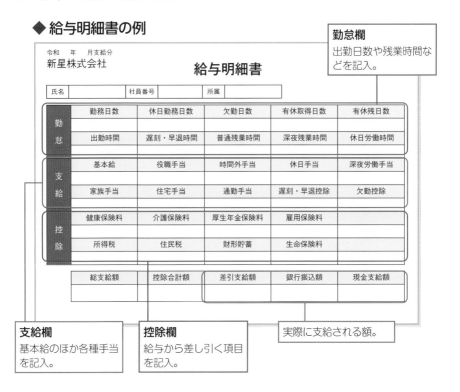

控除する社会保険や税金

- 会社は税金の徴収・納付作業を代行する。
- 給与から天引きする社会保険は、届出先、加入条件、金額等が異なる。

⇨ 給与計算は国や従業員の代行作業の側面も

給与明細書の控除欄には、国民の義務として納めるべき社会保険料と税金が記載されています。会社が従業員に給与を支払う際に、社会保険料や税金を給与から天引きするよう定められているからです。

会社が従業員に給与を支払うときには、関係機関に代わって税金等を徴収し、従業員に代わって関係機関に納付するといった大切な代行作業も担うことになっているのです。

⇨ 給与から天引きする社会保険

社会保険とは、健康保険、介護保険、厚生年金保険、雇用保険、労災保険（労働者災害補償保険）の総称ですが、健康保険、厚生年金保険、介護保険を「社会保険」、雇用保険と労災保険を「労働保険」と分類することもあります（健康保険、介護保険、厚生年金保険（108ページ）、雇用保険（112ページ）、労働保険（202ページ）でそれぞれ解説）。

このうち、**労災保険は会社のみの負担となるので、給与からの天引きはありません**。他の保険料は会社と従業員で負担を分けます。

⇨ 給与から天引きされる税金

給与から**控除**する税金は源泉所得税（114ページ）と住民税（118ページ）のふたつです。

所得税は国に納める税金で毎月の給与に応じて計算し、原則、翌月の10日までに会社の所在地の税務署に納付します。

住民税は都道府県と市区町村に納めるふたつの地方税（住民税ともいう）を合計したもので、社員の居住地の自治体に納付します。前年の1月1日

控除：金額などを差し引くという意味。給与明細では、勤怠欄で欠勤分を給与から差し引く場合の「欠勤控除」などのように、控除欄以外でも使用する。

～12月31日の1年間の所得で住民税額が決定しますが、所得税とちがい住民税の納付は翌年6月からになります。そのため、前年度の収入がない新卒の新入社員のほうが、2年目の社員よりも手取りが多くなるケースもあります。

　所得税と社会保険料は賞与からも控除する必要があります。

◆ 社会保険とその概要

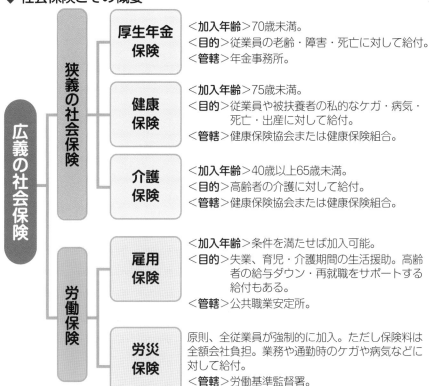

厚生年金
保険
<加入年齢>70歳未満。
<目的>従業員の老齢・障害・死亡に対して給付。
<管轄>年金事務所。

健康
保険
<加入年齢>75歳未満。
<目的>従業員や被扶養者の私的なケガ・病気・死亡・出産に対して給付。
<管轄>健康保険協会または健康保険組合。

介護
保険
<加入年齢>40歳以上65歳未満。
<目的>高齢者の介護に対して給付。
<管轄>健康保険協会または健康保険組合。

雇用
保険
<加入年齢>条件を満たせば加入可能。
<目的>失業、育児・介護期間の生活援助。高齢者の給与ダウン・再就職をサポートする給付もある。
<管轄>公共職業安定所。

労災
保険
原則、全従業員が強制的に加入。ただし保険料は全額会社負担。業務や通勤時のケガや病気などに対して給付。
<管轄>労働基準監督署。

狭義の社会保険 / 労働保険 / 広義の社会保険

Check! **住民税は「普通徴収」と「特別徴収」がある**

普通徴収は、6、8、10、1月の4回に分けて地方自治体に住民税を直接納付する方法です。おもに自営業者やフリーランスの人が対象となります。

　一方、特別徴収は毎月給与から住民税を差し引いて、会社が従業員の代わりに納付する制度です。原則、会社は特別徴収をしなければなりません。

労働基準法の基礎① 〜就業規則

- 従業員を雇ったら就業規則を作成する義務がある。
- 就業規則は従業員に周知しないと無効。

就業規則は会社の運営ルール

労働基準法で、常時10人以上の従業員がいる会社では就業規則を作成し、所轄の労働基準監督署に届け出るよう定められています。この場合の「従業員」は正社員・アルバイト・パートの合計人数で、正社員とアルバイト・パートで労働条件が大きく異なる場合は、それぞれに対応する就業規則をつくる必要があります。

正社員を想定して作成した就業規則しかない場合は、その内容がアルバイトやパートにも適用されることになります。例えば個別に労働契約をしていなければ賞与や福利厚生など、アルバイトやパートでも正社員と同等の待遇にしなくてはいけなくなるのです。

就業規則は原則的に会社単位ではなく事業場（支社、店舗、工場のように独立して業務をおこなう場所）ごとに作成することになっていますが、店舗Aは正社員3人とパート3人、店舗Bは正社員5人だけと各従業員が10人以下なら、就業規則の届出の必要はありません。万が一、就業規則を作成していない場合は、労働契約書や労働条件通知書などを作成して、さまざまな条件を定めておくべきです。

就業規則に盛りこまなければいけない事項

就業規則は職場の運用ルールを定めたものです。必ず記載しなければならない「絶対的必要記載事項」、制度がある場合は記載の必要がある「相対的必要記載事項」、記載してもしなくてもよい「任意的記載事項」で構成されています。

就業規則には労働時間や賃金、退職金など、安心して働ける環境を整えるために必要な情報を漏れなく入れる必要があります。

競業避止：在職中の副業、競合他社への転職、同業種での起業などを禁じること。ただし、職業選択の自由が憲法で保障されているので、転職・起業を必ずしも制限できない。

就業規則に記載すべき内容

絶対的必要記載事項

- ☐ 労働時間関係（始業・終業の時刻、休憩時間、休日、休暇等）
- ☐ 賃金関係（賃金の決定、計算、支払方法・時期、昇給等）
- ☐ 退職関係（解雇の事由、退職手続き、定年に関する事項）

相対的必要記載事項

- ☐ 退職手当関係（適用される従業員の範囲、手当の決定、計算、支払方法等）
- ☐ 臨時の賃金（賞与）、最低賃金関係
- ☐ 費用負担関係（作業用品代等）
- ☐ 安全衛生関係
- ☐ 職業訓練関係
- ☐ 災害補償、業務外の傷病扶助関係
- ☐ 表彰・制裁関係
- ☐ その他（労働者すべてに適用されるルールについて）

> 就業規則は
> 労務トラブルを
> 防ぐために必要な
> 会社のルールブック。

任意的記載事項

- ☐ 守秘義務　　☐ 配置転換、転勤、出向　　☐ 競業避止
- ☐ 特許・発明に関する事項　　☐ 福利厚生　　☐ 副業許可　　☐ その他

　就業規則は任意の用紙に事業所の名称、事業所の所在地、使用者氏名等を記載して届け出ることになります。定型の様式はないのですが、就業規則作成における注意点やひな形が掲載された『モデル就業規則』が、厚生労働省のサイトからダウンロードできるので参考にするとよいでしょう。

❯❯ 就業規則が無効になるとき～法令や労働協約に反する

　就業規則はいわば「社内の法律」です。

　しかし、次ページの図で示したように、就業規則の上位には法令や労働協約が存在します。これらに即していない内容の就業規則は、無効となることが労働基準法で定められています。

　最上位に位置する労働基準法、労働安全衛生法、民法などの法令は労働者の権利を守るためのものです。その次に位置する労働協約は、会社と従

業員全員（組合）による取り決めであり、相互の意思が反映されたものとなります。就業規則の下にある労働契約は、従業員と個別に結ぶものですが、上位3つの内容を踏まえたものでなくてはいけません。

◆ 法令、労働協約、就業規則、労働契約の関係

強

効力

法 令	労働基準法、労働組合法、民法など。
労働協約	会社と従業員全員（組合）との取り決め。
就業規則	会社が決める労働条件。
労働契約	会社と従業員との個別の取り決め。

弱

労働協約は法令に、就業規則は法令と労働協約に、労働契約は上位3つのいずれかに反する内容の場合、無効となる。就業規則をカバーするものとして「労使協定」（20ページ欄外）がある。

就業規則が無効になるとき〜周知の不十分

　法令や労働協約と矛盾しない就業規則を作成し、所轄の労働基準監督署に届出をしてあるからといって、就業規則が有効になるわけではありません。対象となる従業員がその存在を知らないようでは、就業規則は無効となってしまうのです。

　就業規則の内容を有効にするためにも、従業員に就業規則の存在を周知する必要があります。以下のいずれかの対策をとりましょう。

就業規則周知のための対策

□ 掲示または備えつけていつでも従業員が自由に読める状態にしておく。
□ 書面で交付する。
□ データ化してパソコンで閲覧可能にする。
□ 入社時に就業規則の内容を理解したという確認書を提出させる。

 POINT **就業規則と法律改正：**法令に含まれる、労働基準法、労働安全衛生法、民法などの改正があった場合は、必要に応じて就業規則も変更する。

　ちなみに、就業規則を届け出る際は「就業規則届」「従業員代表の意見書」「就業規則」の3つを提出します。

　就業規則作成から届出までの手順は次のようになります。

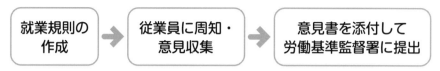

就業規則の作成 → 従業員に周知・意見収集 → 意見書を添付して労働基準監督署に提出

　意見収集の段階で在籍している従業員なら就業規則の内容を把握できますが、入社時期によっては中身をまったく知らない従業員もいます。そのため左ページのような周知対策が必要となってくるのです。

⟫ 就業規則と給与

　一般的な就業規則は、目的や適用範囲を定めた総則に始まり、採用・異動・出向・休職、服務規律、労働時間・休暇、そして「賃金」の章が設けられています。

　賃金の最初にあるのが、下図のような賃金の構成で、給与明細書の勤怠欄と支給欄に直結する部分です。

賃金は「基本給」「手当」「割増賃金」で構成される。

◆ 賃金の構成

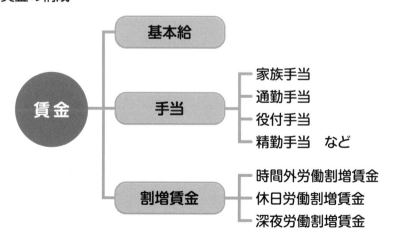

賃金
- 基本給
- 手当
  - 家族手当
  - 通勤手当
  - 役付手当
  - 精勤手当　など
- 割増賃金
  - 時間外労働割増賃金
  - 休日労働割増賃金
  - 深夜労働割増賃金

労働基準法の基礎②
～賃金支払いの五原則

- 給与（賃金）は、通貨で、全額を、直接、毎月1回以上、一定期日を定めて支払う。
- 労使協定で独自の控除項目を設定できる。

従業員の生活と信用を守る賃金支払いの五原則

　従業員にとって給与は生活の基盤ともいえるものであり、安定した生活を送るためには不可欠なものです。

　光熱費やカード・ローンの支払いに口座引落が利用される現在、給与の遅配が原因で引落処理ができなくなると、従業員によけいな手間をかけるだけでなく信用に傷をつけかねません。

　労働基準法では、従業員に確実に給与が支払われるように、次のような「賃金支払いの5原則」を定めています。

残高不足により引き落としができませんでした

督促状

原則❶	ただし
通貨で払う	**【例外】**
労働者に現金で直接支払う。現物支給（価格変動で労働者に不利益）、手形、小切手（確実性に欠けるため）での支払いは、不可。	労働者の同意を得たうえでの指定口座（銀行、証券に加えPayPayなどのデジタルマネー）への振り込みも可。

労使協定：労働者と会社間で決めたことを書面にしたもの。労働基準法を基本とする就業規則に例外が必要になったとき労使協定を結ぶ。代表的なものに36協定（34ページ）がある。

原則 ❷

全額払う

支給額全額を払わなくてはいけない。会社の都合で分割払いにしたり、原則、貸付金と相殺してはいけない。

➡

【例外】 ただし

社会保険料や税金は控除してもよい。

労使協定で定められた社宅費、福利厚生費なども控除してよい。

原則 ❸

直接払う

労働者本人に支払う。原則、代理人に支払ってはいけない。

➡

【例外】 ただし

本人が死亡、病気やケガなどで直接受けとれない場合は、配偶者や子ども、親に支払ってもよい。差し押さえの場合も本人以外に支払いができる。

原則 ❹

毎月1回以上払う

毎月決められた日に支払う。

※年俸制の場合は12分割して毎月1回支払う。

➡

【例外】 ただし

賞与や退職金など、臨時の給与は除く。

原則 ❺

一定期日で払う

「25日前後」「最終週の木曜日」等、期日が異なってはいけない。

➡

【例外】 ただし

「月末払い」という設定で、30日、31日、28・29日と変動するのはよい。振込の場合、支払日が金融機関の休日にあたるなら前もって支払う。

労働基準法の基礎③ ～法定三帳簿

- 労働基準法で従業員を雇った場合に作成・保管するよう義務づけられている。
- 給与計算に不可欠な情報が含まれている。

作成・保管を怠ると罰金

労働者名簿、賃金台帳、出勤簿の3つを法定三帳簿といい、労働基準法で作成と保管が義務づけられているもので、事業規模に関わりなく従業員を1人でも雇った場合は必ず作成する必要があります。

給与計算の実務とも関係してくる大事な書類なので、従業員の入退社、引っ越しや業務内容の変更などがあった場合は、速やかに書類に反映させましょう。

法定三帳簿は**労務トラブルが発生**したときに必ず提出を求められるので、作成しておくことで事実の証明が容易となります。また、**労働基準監督署の監査**が入った場合、提出を求められることもあります。法定三帳簿の作成や保管を怠った場合は30万円以下の罰金が科されますから、入退社も含めて「従業員に動きがあったら法定三帳簿」と記憶しておいてください。

従業員の基本情報を記載する「労働者名簿」

労働者名簿は事業場単位で作成する必要があるので、事業場が複数ある場合はそれぞれで作成することになります。すべての従業員について、氏名、生年月日、住所など定められた情報を記載しますが、日雇い労働者は作成不要です。

共通する記載事項が含まれているからといって、採用時に従業員が提出した履歴書を労働者名簿の代わりにすることはできません。

●労働者名簿に記入する内容

①氏名 ②性別 ③生年月日 ④現住所 ⑤雇入年月日
⑥従事する業務の種類（従業員30人未満は記入不要）

労働基準監督署の監査：定期的・計画的な「定期監査」と、従業員などの申告で実施される「申告監査」がある。定期監査に原則、立入検査はないが、申告監査にはある。

⑦履歴（社内での業務履歴）

⑧解雇・退職または死亡年月日／事由（退職の事由が解雇の場合はその理由を含む）

●労働者名簿の保存期間

　労働者名簿は、起算日（従業員の死亡、退職、解雇の日）から3年間保存しなくてはいけません。

　保存期間を把握できるように、起算日の年月日を正しく記入しておきましょう。

◆ 労働者名簿の例

労働者名簿			
様式第19号（第53条関係）			
フリガナ	シンセイ ハジメ		性別
氏名	新星　一		男
生年月日	昭和60年 7 月 30 日		
現住所	〒112―○○○○ 文京区○○―○		
雇入年月日	平成20年 4 月 1 日		
業務の種類	営業		
履歴	平成20年3月31日○○大学卒業		
解雇・退職 または死亡	年月日	年　　月　　日	
	事由		
備考	新卒入社		

➡ 給与計算の基本となる「賃金台帳」

　賃金台帳には、給与計算に関わる時間外労働（残業）時間数やその月の給与額等を、給与支払いのたびに記入しなくてはいけません。

　つまり、**毎月1回、必ず計算作業をおこなう**ことになり、それが紙であると膨大な量になるため、パソコン等で管理することが認められています。ただし、求められた場合にすぐにプリントアウトで対応できる状態であることが要件となっています。

　労働者名簿と同様、賃金台帳も各事業場ごとに作成しますが、労働者名簿では作成義務のない**日雇い労働者に対しても作成する**必要があります。

●賃金台帳に記入する事項

①氏名　　②性別　　③賃金計算期間　　④労働日数　　⑤労働時間数

⑥時間外労働、休日労働および深夜労働の時間数

⑦基本給、手当その他賃金の種類ごとにその金額

⑧労使協定により賃金の一部を控除した場合はその金額

●賃金台帳の保存期間

労働法では、最後に記入した日から5年間（当面の間3年）保存しますが、税務書類として源泉徴収簿（146ページ）を兼ねる場合は7年間保存が必要です。

◆ 賃金台帳の例

年　賃金台帳

生年月日	雇入年月日	所属	氏名	性別
昭和60年7月30日	平成20年3月31日	営業部	新星　一	男

賃金計算期間	1月	2月	3月	4月	5月	6月	7月	8月	9月	10月	11月	12月	賞与1	賞与2	合計
労働日数	20.0日														
労働時間数	100.0時間														
時間外労働	20.0時間														
休日労働	10.0時間														
深夜労働	10.0時間														
基　本　給															0
時間外労働手当															0
休日労働手当															0
深夜労働手当															0
課税合計															0
非課税合計															0
総支給額	0	0	0	0	0	0	0	0	0	0	0	0	0	0	0
健康保険料															0
介護保険料															0
厚生年金保険料															0
雇用保険料															0
社会保険料合計	0	0	0	0	0	0	0	0	0	0	0	0	0	0	0
課税対象額	0	0	0	0	0	0	0	0	0	0	0	0	0	0	0
所　得　税															0
住　民　税															0
															0
															0
控除額合計	0	0	0	0	0	0	0	0	0	0	0	0	0	0	0
差引支給額	0	0	0	0	0	0	0	0	0	0	0	0	0	0	0
領　収　印															

◉ 労働時間を把握する「出勤簿」

すべての従業員について、出勤した日、勤務時間、残業時間などを把握し、給与計算の基本となる情報を記録するものです。

労働者名簿や賃金台帳のように記載事項は決められていませんので、タイムカードを出勤簿としても問題ありません。

労働時間の正確な把握のために、以下のことが最低限記入されている必要があります。

●出勤簿に記入する事項
①氏名　　②出勤日　　③日別の始業・終業時刻　　④休憩時間
⑤時間外労働時間　　⑥休日労働時間　　⑦深夜労働時間

POINT **管理監督者の時間外労働時間**：管理監督者は経営者と同じ立場で従業員を管理する。賃金台帳に時間外・休日労働時間の記載は不要だが深夜労働は記載する。

●出勤簿の保存期間

　出勤簿やタイムカード等の労働時間の記録に関する書類は、従業員が最後に出勤した日から5年間（当面の間3年）保存しなければいけません。

　また、労働基準法では退職金の請求権の時効も5年と定められているので、出勤簿や賃金台帳は5年間は保存しておいたほうがよいでしょう。

◆ 出勤簿の例

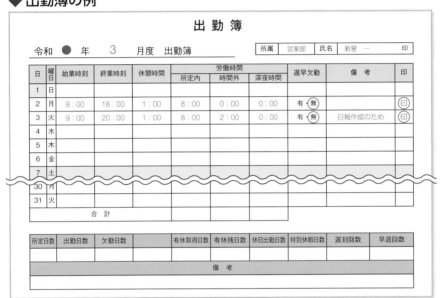

出 勤 簿

| 令和 ● 年　3　月度　出勤簿 | | | | | 所属 | 営業部 | 氏名 | 新星　一 | | 印 |

日	曜日	始業時刻	終業時刻	休憩時間	労働時間			遅早欠勤	備　考	印
					所定内	時間外	深夜時間			
1	日									
2	月	9：00	18：00	1：00	8：00	0：00	0：00	有・無		印
3	火	9：00	20：00	1：00	8：00	2：00	0：00	有・無	日報作成のため	印
4	水									
5	木									
6	金									
7	土									
30	月									
31	火									
合　計										

所定日数	出勤日数	欠勤日数	有休取得日数	有休残日数	休日出勤日数	特別休暇日数	遅刻回数	早退回数
備　考								

Check! 効率化につながるクラウド型勤怠管理システム

　タイムカードで勤怠管理をおこなうと打刻漏れや不正打刻の問題があり、そもそも集計に時間と労力が必要です。一方、クラウド型勤怠管理システムでは、独自の技術を用いた個人同定で入退出を正確に記録し、個々人のパソコン使用時間も測定できるものもあるので、正確な労働時間が把握できます。賃金台帳の記入に必要な労働時間数も自動的に算出され、日・週・月単位での勤務時間の管理も可能となります。なお、クラウドとは、インターネットを通じて必要なサービスを利用することです。

労働基準法の基礎④ 〜労働時間

- 時間外労働の把握は給与計算で必須。
- 法定労働時間、所定労働時間のちがいがわかると時間外労働の範囲が理解できる。

法定労働時間の範囲内で所定労働時間を決める

労働時間は、「労働者が使用者（会社）の指揮命令下に置かれた時間」と定義されており、本来の業務のほか制服や作業着に着替える時間、職場の清掃時間なども労働時間に含まれます。

労働基準法では労働時間の限度として法定労働時間を定めています。法定労働時間の上限は原則的には1日8時間、1週間40時間ですが、業種によっては**例外**が認められています。

一方、所定労働時間とは、会社が就業規則などで独自に定めている労働時間のことです。独自に定めるといっても労働基準法に則って就業規則を定めなくてはいけませんから、法定労働時間の範囲を超えて所定労働時間を設定することはできません。

どうしても法定労働時間内に業務が完遂できない場合は、労働時間延長に関する取り決めである**36協定**（34ページ）を従業員と締結し、管轄の労働基準監督署に届け出る必要があります。

法定労働時間を超えた分が残業代の対象となりますから、正確な給与計算のためには法定労働時間と所定労働時間を理解しておかなくてはいけないのです。例えば、所定労働時間が9時から17時の会社の場合、勤務時間は法定労働時間よりも少ない7時間となります。18時まで仕事をしても法定労働時間の8時間以内ですが、所定労働時間を超えた1時間分の残業代が発生します。

所定労働時間と休憩時間

会社が決める所定労働時間は、法定労働時間の「1日8時間、1週間40時間」を超えてはいけません。

例外：常時10人未満の労働者を使用する映画演劇業、保健衛生業、接客娯楽業等は、法定労働時間は1日8時間・1週44時間まで認められる。

　始業9時・終業18時で休憩がなかった場合、1日9時間仕事をすることになり法定労働時間を超えてしまいます。しかし、休憩時間は労働時間にみなされないのですから、休憩が1時間あれば労働時間は法定労働時間内の8時間に収まります。

◆ 所定労働時間の考え方

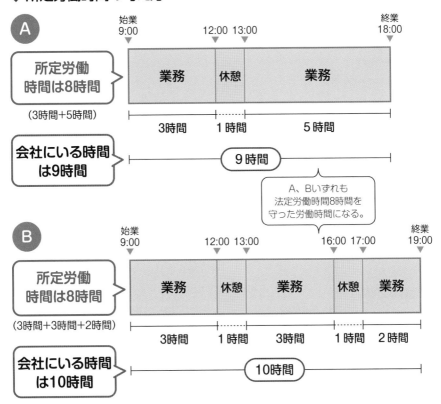

A

| 始業 9:00 | | 12:00 | 13:00 | | 終業 18:00 |

所定労働時間は8時間
（3時間+5時間）

業務　休憩　業務

3時間　1時間　5時間

会社にいる時間は9時間

9時間

A、Bいずれも法定労働時間8時間を守った労働時間になる。

B

| 始業 9:00 | | 12:00 | 13:00 | | 16:00 | 17:00 | 終業 19:00 |

所定労働時間は8時間
（3時間+3時間+2時間）

業務　休憩　業務　休憩　業務

3時間　1時間　3時間　1時間　2時間

会社にいる時間は10時間

10時間

Check! こんな時間も「労働時間」になる

会社が実施する研修や訓練等は、参加が義務、欠席の際に理由が必要、出欠が査定や昇進に影響する場合は「労働時間」になります。

接待の場に同席を命じた場合も労働時間です。「従業員のためになる」「従業員も楽しんでいる」ことは労働時間か否かに関係ありません。会社からの指導、命令、拘束のもとにおこなうことは「労働時間」となるのです。

労働基準法の基礎⑤ ～休憩時間

- 休憩時間に対して給与は発生しない。
- 労働基準法の定めている休憩の定義から外れると、業務とみなされ給与を支払わなくてはいけない。

休憩の3原則

前節で触れたように休憩時間は労働時間とはみなされません。労働基準法では「給与は労働の対価」として支払うものと定義されているので、業務から外れている休憩時間には給与を支払わなくてよいのです。

休憩の3つの原則

労働時間の途中に与える

労働時間の途中になければ休憩とはならない。「8時間勤務が終了したあとに1時間休憩をとる」ような休憩は認められない。

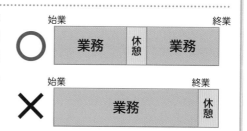

休憩中は労働から解放されている

お昼の休憩時間は、持ち回りで電話当番や来客当番をすることが慣例になっている会社も多いが、自由に過ごせないのなら休憩時間とはみなされない。

従業員に一斉に与える

職場の従業員全員が一斉に休憩に入らなくてはいけない。ただし、**特定の業種**や労使協定を結んでいる場合はこの限りではない。

特定の業種：運輸交通業、商業、金融、広告業、映画・演劇業、通信業、保健衛生業、接客娯楽業、官公署の事業など。

ただし、従業員に対して「休憩
時間なのに電話対応をさせる」「外
に食事に行くことを禁じて来客対
応を求める」ようなケースは業務
とみなされ給与の対象となってし
まいます。「お昼時は電話も少な
くて通常業務よりうんと楽だか
ら」というのは理由になりません。
　適切に休憩を従業員に与えられ

るように、まずは休憩の3つの原則を理解しておきましょう。

➡ 労働時間と休憩時間の関係

労働基準法では、次のような休憩時間のルールが定められています。

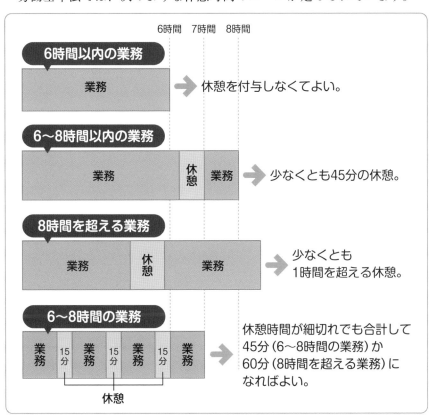

労働基準法の基礎⑥
～法定休日・法定外休日、代休・振替休日、有給休暇

- 会社の休日にはさまざまな種類がある。
- 休日出勤でも、その休日の種類や出勤した日の代わりの休みの取り方で給与計算の取り扱いが異なる。

◉ 労働基準法で定められた法定休日

　労働基準法では最低限週に1日、または4週に4日の休日を与えることと定めています。これを法定休日といい、法定休日以外の休日を法定外休日（所定休日）といいます。

　従業員に与える休日が法定休日を下まわると6か月以下の懲役、または30万円以下の罰金が科せられることになるので注意が必要です。

　業務上、どうしても法定休日に従業員に働いてもらう必要がある場合は、36協定（34ページ）を届け出なくてはいけません。

◉ 就業規則などで定められた法定外休日

　法定休日は「最低限の休日数」です。「週に2回の休日」を採用する企業が多い現在、法定休日で定める「週に1回の休日」だと休日が少なすぎて現状に即していない印象を受けると思います。

◉「完全週休2日制」と「週休2日制」のちがい

　「完全週休2日制」では、毎週必ず2日の休みがあります。ただ、何曜日が休みになるかは会社によって異なり、「月・水」のように休みの曜日が離れていることもあります。

　一方、「**週休2日制**」は毎週必ず2日の休みがあるわけではありません。「週休2日制＝週2日の休みがある週が1か月に1度以上ある」という意味です。

　週に2回の休日を採用している企業が多いのは、法定労働時間との兼ね

週休2日制：1か月に週2日の休みがある週が1度以上あれば、残りの週の休みは週1日でもよい。

合いがあるからです。

　法定労働時間は1日8時間、1週間40時間を上限と定めていますが、週に1回の法定休日だけで勤務を続けていると、休みが来る前に労働時間が40時間を超過してしまうことがあります。

　そこで、多くの企業が法定休日に加えて、独自に法定外休日を定めて週の労働時間が40時間を超過しないように調整しているのです。

◆ 法定休日と法定労働時間

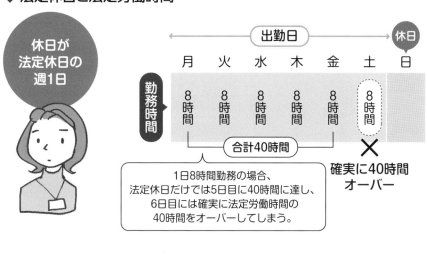

休日が法定休日の週1日

1日8時間勤務の場合、法定休日だけでは5日目に40時間に達し、6日目には確実に法定労働時間の40時間をオーバーしてしまう。

確実に40時間オーバー

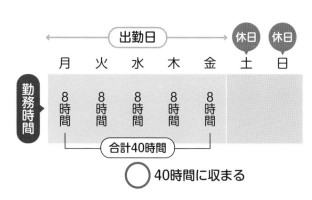

休日が法定休日と法定外休日の週2日

40時間に収まる

⊙ 代休と振替休日

休日勤務した代わりに勤務日を休みにするケースとして、代休と振替休日があります。

代休

休日出勤したあとに、休みをとる勤務日を決めると代休。

振替休日

休日出勤の前に、休日の設定をしておくと振替休日。

⊙ 有給休暇

有給休暇は正社員、アルバイト・パートタイマーなどの雇用形態にかかわらず「雇入れの日から6か月継続勤務」「全労働日の8割以上出勤」のふたつの要件を満たしていれば取得することができます。

しかし、週5日勤務の正社員と、週3日勤務のパートの有給休暇が同じ日数では不公平なので、**週所定労働日数**に応じて決められています（年次有給休暇の比例付与）。

有給休暇に対して支払う賃金は次の3つの算出方法から選び、事前に就業規則などで定めておきます。

①通常の賃金

従業員が「通常の就業時間だけ労働した」と仮定した場合の1日当たりの賃金。

②平均賃金 (38ページ)

「過去3か月間に支払った賃金合計 ÷ 日数」で算出した賃金。

③健康保険の標準報酬日額 (94ページ)

健康保険が定めた基準により算出される賃金。

週所定労働日数：所定労働日数は社員が働くべきトータル日数のことで、週所定労働日数は週に働くべきトータル日数。有給休暇の付与日数や割増賃金の計算で所定労働日数が必要。

◆ 正社員、または週所定労働日数が5日以上、または
週所定労働時間数が30時間以上のパートタイマーの有給休暇

勤続期間	0.5年以上	1.5年以上	2.5年以上	3.5年以上	4.5年以上	5.5年以上	6.5年以上
付与日数	10日	11日	12日	14日	16日	18日	20日

◆ 週所定労働時間が30時間未満のパートタイマーの有給休暇

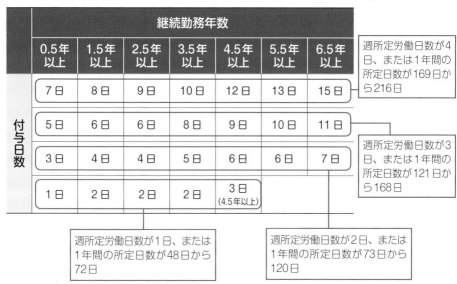

	継続勤務年数						
	0.5年以上	1.5年以上	2.5年以上	3.5年以上	4.5年以上	5.5年以上	6.5年以上
付与日数	7日	8日	9日	10日	12日	13日	15日
	5日	6日	6日	8日	9日	10日	11日
	3日	4日	4日	5日	6日	6日	7日
	1日	2日	2日	2日	3日(4.5年以上)		

週所定労働日数が4日、または1年間の所定日数が169日から216日

週所定労働日数が3日、または1年間の所定日数が121日から168日

週所定労働日数が1日、または1年間の所定日数が48日から72日

週所定労働日数が2日、または1年間の所定日数が73日から120日

Check! ▶ 有休を取得させるのも経営者の義務に

有給休暇は従業員の求めに応じて与えることになっていますが、なかなか取得率が伸びないのが現状です。有給休暇の取得率を上げるため、年10日以上の有給休暇がある従業員に対して、有給休暇のうち年5日については、会社が時季を指定して取得させるよう義務化されています。

労働基準法の基礎⑦ 〜 36協定

- 残業や休日出勤など、法定労働時間を超える場合は、36協定の締結が必要。
- 36協定の届出がない、特別条項を超える労働時間は罰則対象。

時間外労働や休日労働をさせるなら36協定が必要

36協定とは正式名称を「時間外労働・休日労働に関する協定届」といい、労働基準法第36条を根拠とすることから「36協定」と呼ばれるようになりました。

法定労働時間で定められた労働時間を超える業務がある場合、つまり時間外労働や休日労働がある場合は、会社と従業員との間で36協定を結び労働基準監督署に届け出ることになっています。

◆ 36協定の締結・届出が必要なケース

法律で定められた労働時間の限度 **1日8時間および1週40時間**

法律で定められた休日 **毎週少なくとも1回**

これを超える →

36協定の締結・届出が必要

36協定で認められる労働時間の延長は右表が上限です。

36協定の特別条項

労働時間の延長に対して従業員から了解をとるものが36協定ですが、延ばせる残業時間には上限が設けられています。

しかし、36協定の「特別条項」を作成し、そこに理由と延長時間を付記することで、事実上、残業時間の上限をとりはらうことができました。

従業員の負担軽減を目的とするはずが、結果的に会社側に有利な制度となっていた36協定ですが、働き方改革関連法案によって特別条項で定められた労働時間の上限を超える違反に対しては罰則が規定されました。

WORD **小規模事業者**：常時使用する従業員の数が20人（商業、サービス業に属する事業は5人）以下の事業者のこと。

　36協定なしで時間外労働をさせることはもちろん、特別条項があっても限度時間を超える残業をさせた場合は、6か月以下の懲役または30万円以下の罰金となります。

◆ 36協定が締結されている場合の残業時間

期間		延長限度時間（以内）	
		一般	1年単位の変形労働制の場合
1日超 3か月以内 の期間	1週間	15時間	14時間
	2週間	27時間	25時間
	4週間	43時間	40時間
	1か月	45時間	42時間
	2か月	81時間	75時間
	3か月	120時間	110時間
1年間		360時間	320時間

◆ 特別条項で延長できる労働時間の上限

期間	時間外労働の上限
1年間	720時間以内
1か月	休日労働を含んで100時間未満
2か月〜6か月の平均	休日労働を含んで80時間以内

⇒ 小規模事業者も対象に

　罰則を含む時間外労働の上限規制の適用は、**小規模事業者**も含み原則すべての企業が対象です。例外だった建設業や自動車運転業も、令和6（2024）年4月から他の業種と同じ扱いになっています。

　また、常時使用する従業員が対象なので、正社員だけでなくパートやアルバイトも含まれます。

　36協定を締結する場合は、以下のいずれかと書面による協定を結ぶ必要があります。

> ① 従業員の過半数で組織する労働組合
> ② ①がない場合は従業員の過半数を代表する者（過半数代表者）

◆ 36協定届出の記入例

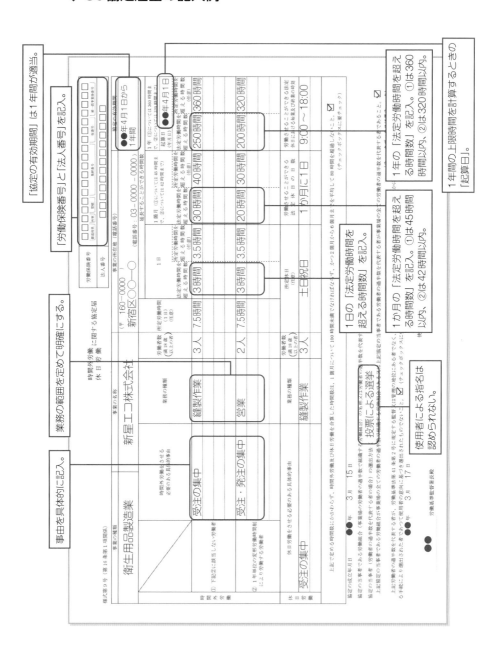

POINT **過半数代表者**：パートやアルバイトなど事業場のすべての労働者の過半数を代表する。会社からの指名、親睦会の幹事（36協定のために選出されたわけではないため）は無効。

◆ 36協定／特別条項記入例

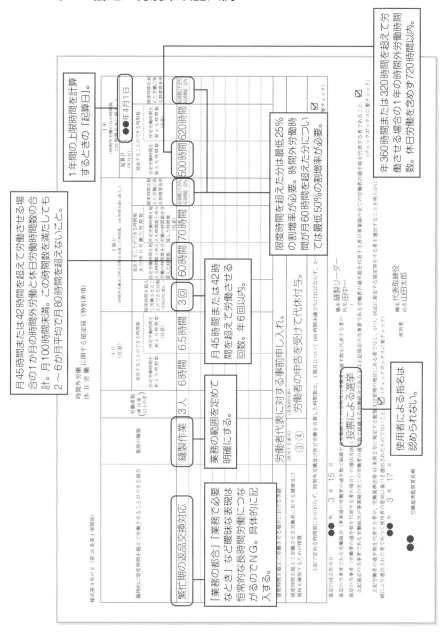

労働基準法の基礎⑧ 〜平均賃金

- 手当や災害補償金額の算出に平均賃金を使う。
- 通常の給与からかけ離れた金額にならないように計算式が定められている。

各種計算の基本となる平均賃金

休業手当や解雇予告手当（次ページ表）などの計算で必要なのが平均賃金です。

平均賃金は大雑把に説明すると3か月の給与の平均額といえます。平均賃金をもとに計算される手当などは従業員の生活を保障するためのものなので、適正な金額になるように平均賃金が必要なのです。

平均賃金の算出方法

原則として過去3か月に支払われた給与総額÷その期間の**暦日数**で算出します。

ただし、過去3か月間に休業期間や臨時に支払われた給与などがあった場合は、平均賃金の計算から省きます。

また、パートやアルバイトの場合、働いている日数が少ないため上記の計算式だと平均賃金がかなり低くなってしまいます。そこで、日給や時給、出来高払いで働く従業員に対しては、「過去3か月間に支払った給与総額÷3か月間の労働日数×6割」で平均賃金の最低保障額を算出します。

平均賃金の計算の「3か月」の考え方

平均賃金の計算の「3か月」には定義があり、「平均賃金が算定に使われるケース」の表にある手当や制裁（算定事由）が発生した日の前3か月を指します。ただし、給与締め日がある場合は、**直前の給与締切日以前の3か月**をもとに計算をします。

WORD **暦日数**：労働基準法では「1日」を「午前0時から24時までの24時間」とする。カレンダーの日数であり、労働日数とは異なる。

◆ 平均賃金が算定に使われるケース

	手当や制裁の制限など	備考
解雇予告手当	労働者を解雇する場合の予告に代えて支払う。	平均賃金の30日分以上。
休業手当	会社の都合で休業させる場合に支払う。	1日につき平均賃金の6割以上。
年次有給休暇の賃金	年次有給休暇を取得した日について支払う賃金。	平均賃金で支払うことにした場合。
災害補償等	従業員が業務上負傷、または病気になった場合、死亡した場合。	待期期間の3日分が事業主負担。4日目以降は労災保険でカバー。
減給制裁の制限額	就業規則で減給処分を定めた行為があった場合。	1回の額は平均賃金の半額を超えてはならない。

◆ 平均賃金の計算方法

$$平均賃金 = \frac{直前3か月の給与総額}{3か月間の暦日数}$$

給与総額から省くもの

- 臨時に支払われた給与（結婚祝金、私傷病手当、加療見舞金等）
- 3か月を超える期間ごとに支払われる給与（賞与であっても3か月ごとに支払われる場合は省かない）
- 労使協定に定めのない現物給与

給与総額および暦日数から省くもの

- 業務上の負傷、または疾病の療養のための休業期間 ● 産前産後の休業期間
- 使用者の責任による休業期間 ● 育児・介護休業期間

◆ 時給や日給、出来高払い（パート、アルバイト）の平均賃金の計算方法（最低保障額）

$$平均賃金 = \frac{過去3か月の給与総額}{3か月の労働日数} \times 60\%$$

労働基準法の基礎⑨ ～解雇
（労働契約法についても）

- 解雇は解雇日の30日前までに解雇予告が必要。
- 解雇予告から解雇日までの日数が30日以下の場合、解雇予告手当を支払うと日数に代えることができる。

解雇の種類と解雇の制限

　解雇は会社側の都合で従業員との労働契約を一方的に終了させることで、就業規則などに解雇事由を明示しておかなくてはいけません。

　従業員にとって解雇は非常に重い処罰ですから、**労働契約法**では「客観的に合理的な理由を欠き、社会通念上相当であると認められない場合は、その権利を濫用したものとして、無効とする」と会社の解雇権を制限しています。就業規則などに明示された解雇事由であっても、それが「客観的に合理的な理由がない」「社会通念にそぐわない」ならば、解雇することはできないのです。

　解雇には**懲戒解雇**、整理解雇、普通解雇の3つがあります。解雇に相当するような事由があったとしても**解雇が制限される期間**があります。ただし、その期間でも例外条件に合致すれば解雇できます。

◆ 解雇の種類

懲戒解雇 → 極めて悪質な規律違反をおこなった懲戒処分としての解雇

整理解雇 → 経営悪化による人員整理のための解雇

普通解雇 → 整理解雇、懲戒解雇以外の解雇

 懲戒解雇：会社の処分で最も重い。労働基準監督署の解雇予告除外認定を受ければ即時解雇が可能。

◆ 解雇が制限される期間と例外

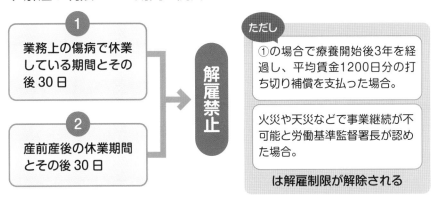

⦿ 解雇予告と解雇予告手当

　労働基準法では従業員を解雇する場合、30日より前に解雇予告をしなくてはならないと定められています。しかし、解雇予告手当を支払うことで、「30日」という期間を短縮することができます。

◆ 解雇予告と解雇手当の関係

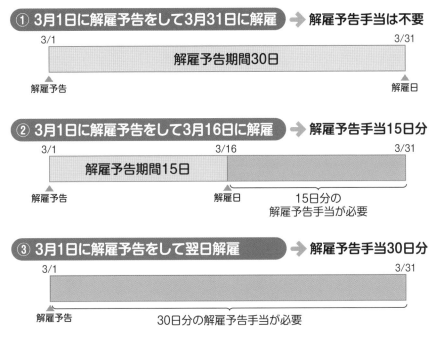

※解雇予告日は解雇予告手当の日数に含まない。

労働基準法の基礎⑩ ～産前産後休業（育児・介護休業法についても）

- 出産や育児に関わる法律には、労働基準法のほかに育児・介護休業法がある。
- 労働基準法と育児・介護休業法はカバー期間が異なる。

労働基準法と育児・介護休業法

　産前産後や、子どもの育児のための休業は従業員の大事な権利のひとつです。仮に就業規則にこうした休業に関する規定がなくても、従業員の権利として法律で認められているので、一定の条件を満たした従業員から休業の申し出があった場合は認めなくてはいけません。また、産前産後や育児のために休業をとったことを理由に解雇することは禁じられています。

　出産や育児の休業について定めている法律には、労働基準法（産前産後）と育児・介護休業法（育児休業）があります。準拠する法律は異なりますが、産前産後休業から育児休業、そして時短勤務と連続しており関連性が高いので、ここでは一緒に解説します。

休業中の経済的な負担の軽減が手当・給付金の目的

　会社は休業を認める必要はありますが、給与を支払う義務はありません。しかし、それでは従業員の生活が困窮するおそれがあるため、産前産後休業中は健康保険から、育児休業中は国（雇用保険）から手当や給付金が支払われます。

　給与の支払いがない場合は所得税も課税されませんが、住民税は前年の所得に対して計算され、6月から5月までの1年間で給与から天引きします（特別徴収）。

　特別徴収のままでは給与はないのに住民税を会社が納めなくてはいけません。そこで、従業員自らが直接納付する「普通徴収」に切り替えるか、年度の残り分の住民税を一括徴収にするか決めておく必要があります。休業する社員に対しても、その給与に関する作業がなくなるわけではないのです。

最長満2歳：6か月延長後も保育所に入れないなどの場合、再度申し出をすることで最長満2歳まで延長可能。育児休業給付の支給期間も延長される。

◆ 産前産後休業と育児休業の概要

	産前産後休業	育児休業
対象者	• 健康保険加入者（出産育児一時金は配偶者の被扶養者も） • 健康保険加入者（出産手当金） パートやアルバイトも取得可能。	• 原則として1歳になるまでの子どもを育てるすべての従業員（男女問わず） 以下は対象外。 ①入社1年未満（労使協定が必要） ②子どもが1歳6か月になるまでに契約終了が明らかな場合。
期間	• 出産予定日の6週間前から産後8週間 多胎妊娠の場合は出産予定日の14週間前から取得可能。	• 原則として子どもが1歳になるまでの期間 2回まで分割可能。 子どもが満1歳（保育園に入れない等の場合は最長満2歳）の誕生日前日まで認められている。
手続き	• 従業員が会社に申し出る→会社が協会けんぽ、または健康保険組合に申請	• 従業員が会社へ申し出る→会社がハローワークに申請
手当または給付	• 出産時→出産育児一時金 • 産前産後休業期間→出産手当金（給与の3分の2相当）	• 育児休業給付金（給与の50〜67％）
解雇等	産前産後休業中、およびその後30日間は、当該従業員を解雇してはいけない。	育児休業取得を理由に、解雇等の不利益な処分をしてはいけない。

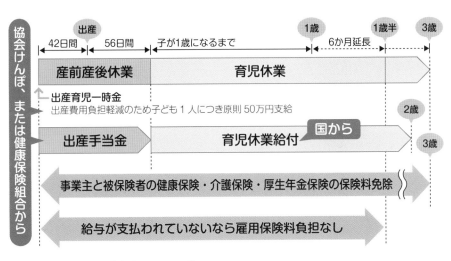

●妊娠中の従業員が請求できること
□ 時間外労働・深夜労働の制限、負担の軽い業務への転換

●子どもが1歳になるまでに復職する場合に従業員が利用できる制度
□ 子どもが生後1年に達しない場合1日2回各々30分間の育児時間を請求できる。

●3歳未満または小学校入学前の子どもを育てている従業員が利用できる制度
□ 短時間勤務　　□ 所定外労働・時間外労働・深夜労働の制限　　□ 看護休暇

最低賃金法

- 労働条件のなかで従業員が最も重視する「賃金」の最低保障額を定めた法律。
- 地域や産業によって最低賃金額が異なる。

⟫ 賃金の最低額を定めた法律

　最低賃金法は労働基準法から派生した法律で、従業員に支払うべき賃金の最低額を定めたものです。使用者（会社）は正社員、パート・アルバイトに関わりなく、最低賃金法で定められた賃金額以上を支払わなくてはいけません。

　仮に従業員との間で最低賃金よりも低い給与で働く合意が得られていてもそれは無効となります。例えば、扶養家族の範囲内に収入を抑えたいという従業員の要望があっても、時間あたりの金額が最低賃金を下まわってしまってはいけません。

　最低賃金は毎年見直されるので、各都道府県労働局のホームページで確認しておきましょう。

◆ 最低賃金は2種

最低賃金

地域別最低賃金

産業や職種に関わりなく各都道府県ごとに設定されている。

特定（産業別）最低賃金

特定の産業について各都道府県ごとに設定されている。

特定（産業別）最低賃金は、特定の産業で雇用されている**基幹的労働者**が対象だよ。

基幹的労働者：「18歳未満または65歳以上の人」「雇入れ後6か月未満で技能習得中の人」「片づけや掃除等が主な業務の人」を除く従業員のこと。

⚡ 最低賃金の対象と算出の仕方

　最低賃金の対象となるのは基本給と諸手当です。最低賃金未満の給与しか支払っていなかったのならば、最低賃金との差額を支払わなくてはいけません。また、地域別最低賃金額以上を支払わなかった場合は50万円以下、特定（産業別）最低賃金額以上を支払わなかった場合は30万円以下の罰金となっています。

　労働局が公表している最低賃金は時給ですから、日給や月給は下図にある計算で時給を算出することで最低賃金を下まわっていないか調べることができます。

◆ 最低賃金の対象となる賃金

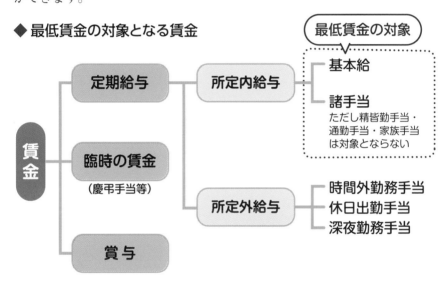

◆ 最低賃金以上か調べる方法

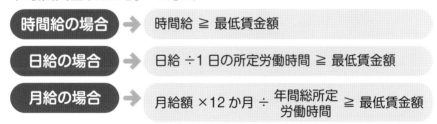

解雇と退職、どう違う？

「会社を辞める」とは、難しく書くと「従業員と会社との労働契約が終了するとき」を意味します。

契約終了のパターンには次の3つがあります。

①従業員の意思で終了させる＝退職。
②会社の意思で終了させる＝解雇（40ページ）。
③契約期間が満了したので終了＝契約期間満了（有期雇用の場合）。

①は従業員本人の意思によるものですが、退職にもふたつの種類があります。

ひとつが「会社との合意なしに従業員が一方的に契約終了させる」パターン。正当な手続きを踏まずに退職届を提出した日に退職してしまうなどで、これを「辞職」といいます。

もうひとつが「会社との合意のうえで契約終了する」パターン。これは「合意退職（解約）」といいます。

合意退職は従業員側から会社に退職を申し出て合意するケースのほか、会社側から従業員に対して「辞めてくれないか」と持ちかけて合意に至るケースもあります。

会社側が強く辞職を求めることは違法になりますが、従業員側も渋々ながらでも同意すれば退職です。その場合も退職届の提出→受理の流れがスムーズです。

会社・従業員がお互いに遺恨を残すことなく、納得いく形で契約終了するために、法律や就業規則に沿った手順を守るようにしましょう。

2章

給与計算その1

～前準備と勤怠欄

給与計算の年間スケジュール

- 給与計算は計算ミス・支払いの遅れが許されない重要な業務。
- 年間のスケジュールを把握しておけば余裕をもって作業ができ、ミスの予防になる。

❿ 月によって発生する独自の作業を理解する

　給与計算は毎月発生する作業ですから、スケジュールを立ててルーティン化しておきましょう。

　月々の給与計算の作業は次節で説明しますので、ここでは年間スケジュールについて説明します。

　給与計算やそれに伴う関連作業は毎月同じとは限りません。社会保険料・税金の料率更新に伴う控除額の変更、昇給・賞与の計算など、その月独自の作業もあります。直前で慌てないよう年間スケジュールを把握して備えておきましょう。

❿ 基本は締め日と支払日

　締め日は給与計算をする一定の期間を区切る日で、支払日は計算した給与を従業員が受けとる日です。「締め日が当月15日→支払日が当月25日」、「締め日が当月25日→支払日が翌月15日」、「締め日が当月末日→支払日が翌月10日」など、会社によって異なります。

◆ 給与計算に関わる手続きの例 （4月昇給、7月・12月賞与の場合）

月	対象	その月だけの作業
1月	従	年末調整還付／徴収
	健・年	賞与分の社会保険料の納付
	税	7～12月までの源泉所得税特例納付（10名以上の会社は毎月）
	地	給与支払報告書の提出（182ページ）
2月		―

WORD **住民税特例納付**：会社は給与から天引きした住民税を翌月10日までに納付しなくてはいけないが、従業員10人未満の会社は年2回の納付でよいという特例。

3月	健	全国健康保険協会（協会けんぽ）・健康保険組合の保険料率見直しに対応
	健または年・労	入退社の手続き
	健または年・労	退社→社会保険・雇用保険の資格喪失手続き
4月	健または年・労	入社→社会保険・雇用保険の資格取得手続き
	労	雇用保険料率の見直しに対応
	従	昇給・昇格での基本給等の変更
	金融機関	ゴールデンウィーク対応（給与支払日の前倒し等）
5月		―
6月	従	住民税特別徴収額の変更
	従	賞与の査定
	地	住民税特例納付（10名以上の会社は毎月）
7月	労	労働保険料の年度更新（208ページ）、納付（一括の場合7/10。三期分納なら7/10、10/31、1/31）
	従	賞与支給
	健または年	賞与支払届（134ページ）
	健または年	社会保険料の定時決定（算定基礎届：192ページ）
	健または年	月額変更届（4月に昇給している場合）
	税	1〜6月までの源泉所得税特例納付（10名以上の会社は毎月）
8月	健・年	賞与分の社会保険料の納付
9月		―
10月	従	社会保険料・厚生年金保険料の変更
11月	従	年末調整準備
	従	賞与の査定
12月	税・地	年末調整（138ページ）
	従	賞与支給
	健または年	賞与支払届
	地	住民税特例納付（10名以上の会社は毎月）

従＝従業員
労＝労働基準監督署、またはハローワーク
年＝年金事務所
税＝税務署
地＝地方自治体
健＝全国健康保険協会（協会けんぽ）または健康保険組合
健または年＝全国健康保険協会（協会けんぽ）に加入している場合は年金事務所。健康保険組合に加入している場合は健康保険組合と年金事務所。

給与に関する業務は従業員への支払い以外に、関係各所への届出や納付など多岐にわたる。ただし、時期は固定しているのでスケジュールが立てやすく、事前準備が可能。

給与計算の月間スケジュール

- 遅配・計算ミスが許されない給与計算作業は最優先でおこなう。
- 振込手続きから従業員の口座に給与が実際に振り込まれるまで日数がかかる。

締め日から各種納付までの作業をルーティン化

　給与計算の作業は、支払日が週末や祝祭日などで多少前倒しになることはあるものの、基本的には毎月決まった時期に決まった作業を進めていくことになります。給与計算以外の業務も担っていると時間の捻出が難しいでしょうが、給与に関する銀行や役所の手続きに遅れがでるとその後の処理で苦労することになりますから計画的に進めましょう。

　「15日締め・当月25日払い」の場合の月間スケジュールを右図で示しました。個々の作業は該当ページで詳しく説明します。

給与振込は余裕をもって

　現在、ほとんどの会社が給与を銀行振込にしていると思います。労働基準監督署は「給与は給料日の午前10時までに引き出せるようにする」と指導しているので、給料日が土日祝日の場合は休日の前営業日には引き出せるように処理しましょう。振込手数料は会社が負担します。

　振込の作業はATM、インターネットバンキング、クラウド型勤怠管理システム（25ページ）を経由する方法、よりセキュリティの高いファームバンキングがあります。

　また、担当者が銀行まで出向き、窓口で直接振込手続きをする会社もあります。

　この場合、従業員の口座に実際に入金されるまでの日数が2営業日や3営業日ほどかかることもあるので、給料日から逆算して手続きをする必要があります。ネットで振り込む場合も入金までのタイムラグに注意しましょう。

WORD　**ファームバンキング**：専用回線のためセキュリティが高く従業員や得意先の振込先情報を一括管理可能。手数料は安いが導入コストや毎月のランニングコストがかかる。

◆ 給与計算に関わる手続き（月間スケジュール・15日締め25日払いの場合）

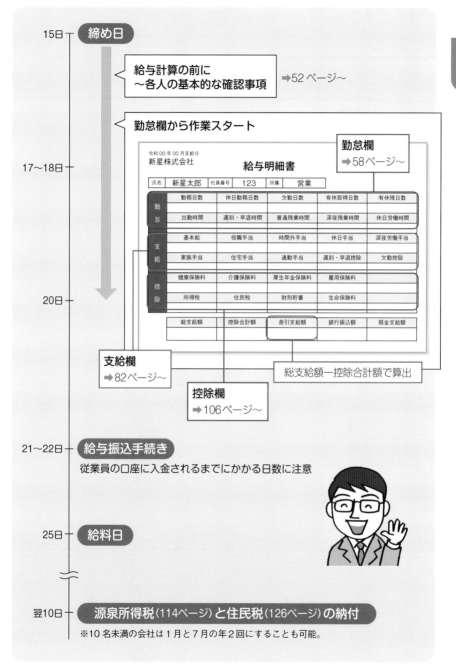

| 15日 | 締め日 |

給与計算の前に
〜各人の基本的な確認事項 ➡52ページ〜

勤怠欄から作業スタート

| 17〜18日 |

勤怠欄
➡58ページ〜

令和00年00月支給分
新星株式会社　　　　　給与明細書

| 氏名 | 新星太郎 | 社員番号 | 123 | 所属 | 営業 |

勤怠	勤務日数	休日勤務日数	欠勤日数	有休取得日数	有休残日数
	出勤時間	遅刻・早退時間	普通残業時間	深夜残業時間	休日労働時間
支給	基本給	役職手当	時間外手当	休日手当	深夜労働手当
	家族手当	住宅手当	通勤手当	遅刻・早退控除	欠勤控除
控除	健康保険料	介護保険料	厚生年金保険料	雇用保険料	
	所得税	住民税	財形貯蓄	生命保険料	

| 総支給額 | 控除合計額 | 差引支給額 | 銀行振込額 | 現金支給額 |

| 20日 |

支給欄
➡82ページ〜

控除欄
➡106ページ〜

総支給額－控除合計額で算出

| 21〜22日 | 給与振込手続き |

従業員の口座に入金されるまでにかかる日数に注意

| 25日 | 給料日 |

| 翌10日 | 源泉所得税(114ページ)と住民税(126ページ)の納付 |

※10名未満の会社は1月と7月の年2回にすることも可能。

従業員の基本情報の記録

- 役職手当、保険料、扶養家族の人数など、従業員個々人の情報を給与計算に反映する。
- 情報は一括管理しておく。

⊙ 給与計算の前に各人の情報を確認する

給与計算では、勤怠、支給、控除の各項目を集計して、最終的な差引支給額を算出します。

こうした計算をするためには、従業員個別の情報管理が不可欠です。

給与計算の前に従業員の基本情報に変更がないかを確認し、その変更内容を給与計算に反映する必要があるのです。

⊙ 給与計算ソフトで情報を管理

従業員の氏名、生年月日、住所、入社年月日、基本給や保険、税金といった給与計算に関わる基本情報を一括管理できるのが給与計算ソフトです。

給与計算ソフトによって、

●個人マスター　●給与マスター　●社員マスター　等

さまざまな呼称がついています。

必ずしも給与ソフトが必要というわけではなく、必要項目が含まれていれば**表計算ソフト**で作成しても問題はありません。

⊙ 給与計算や人事管理がスムーズに

個人の情報を集約して記録・更新することで、月々の給与計算を正確に進めることができるほか、社会保険の手続きでも有用です。法定三帳簿（22ページ）との関連性も高く、情報の整理は給与計算や人事管理に必須の作業といえます。

そのため、給与計算ソフトを使用する際、一番最初におこなう作業が個人マスター台帳の入力となっているのです。

表計算ソフト：給与の計算だけなら表計算ソフトでも可能だが、給与計算ソフトのように、従業員情報、給与計算、勤怠管理、経費精算などの情報を連動させることは難しい。

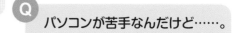

給与計算ソフトの導入にあたって、
よくある不安への回答です！

Q パソコンが苦手なんだけど……。

A アイコンなどが工夫されているので操作に迷うことはありません。回数を重ねればスムーズに操作できるようになります。

Q 正社員、パート・アルバイト、時給・日給といろいろなんだけど……。

A 従業員ごとのさまざまな給与パターンに対応できるようになっています。

Q 従業員によって休日や勤務時間が違うんだけど……。

A 休日や出勤・退勤時間が異なっても個別に設定できます。

Q 情報の管理が難しそう……。

A パスワードを設定して情報にアクセスできる人を制限するとよいでしょう。自動バックアップ機能があるソフトなら、情報も保護できます。

Check! 給与計算ソフトを使うメリットは？

パソコンを使って給与計算する場合、表計算ソフトか市販の給与計算ソフトを使用することになります。給与計算ソフトにはインストール型とクラウド型（25ページ）とがあり、中小企業の約半数がいずれかのソフトを導入しているといわれています。

ソフトを導入するメリットは作業の効率化と精度の高さです。税率や保険料の変更作業が一回の入力で済み、ソフトによっては法改正等にもアップデートで自動対応するので、ヒューマンエラーの防止につながるのです。

給与計算で最も時間がかかり毎月変動がある勤務時間の管理も、出退勤データとの連携によりソフト任せで済みます。

使いこなすにはそれなりの慣れが必要ですが、給与計算ソフトのメリットは大きいといえるでしょう。

従業員の基本的な確認事項

- 給与計算の前に従業員の動向に変化がないか確認。
- 入退社、休業などの事由により給与計算への影響が異なる。

⇢ 給与計算のステップ

給与明細書の項目を見ると、給与は次の3つで成り立っていることがわかります。

勤怠欄…出勤日数や勤務時間、遅刻・欠勤など勤務状況を示す
支給欄…基本給や各種手当を示す
控除欄…税金や保険など給与から差し引く額を示す

給与明細の各項目をひとつずつ集計することで最終的な支給額を導き出すことができます。

実際に各項目の集計を始める前に、やっておかなくてはいけない作業があります。それが本節で説明する従業員の動向確認です。例えば引っ越しなどで住居が変われば交通費の支給額を変更する必要があります。

給与計算に影響を与える可能性のある従業員の変化を確認したあと、勤怠欄→支給欄→控除欄の集計へと作業を進めていきます。

┃給与計算のステップ

step1 従業員の動向確認 (本節)
↓
step2 勤怠欄の集計 (58ページ〜)
↓
step3 支給欄の集計 (82ページ〜)
↓
step4 控除欄の集計 (106ページ〜)

給与を日割り：計算には暦日、所定労働日、月平均の所定労働日のいずれかを使う。

⟫ 従業員の動向で給与は変動する

　従業員の自宅住所は住民税や通勤手当に、被扶養者の人数は所得税控除額にと、従業員の情報は支給欄や控除欄に大きく関わっており、当然、支給額に反映されます。

　従業員の動向確認のために、従業員の情報を正確に記録して管理しておきましょう。

　従業員の情報に変更があった場合は、速やかに**法定三帳簿**（22ページ）も連動して更新しておきましょう。

　毎月の従業員の動向確認では、確認項目を固定化しておくとミスや漏れがありません。以下に給与計算前に「**これだけは済ませておきたい**」確認事項を説明します。

必須! 給与計算前に確認する従業員の動向

確認
1

☑ **入社・退社の従業員はいるか?**　　➡7章

　入社の場合は、社会保険料、雇用保険料を徴収するための手続きをします。退社の場合は、退社日によって社会保険料の控除額が変わるので注意が必要です。

　また、入退社の日と給与の締め日との関係によっては、**給与を日割りで**支払います。

確認
2

☑ **休業中の従業員はいるか?**

　産前産後休業・育児休業（242ページ）、けがや病気による休業（224、254ページ）、介護休業（236ページ）など、休業にはさまざまな種類があり、**給与に関しても支給する場合としない場合**があります。

　また、産前産後休業や育児休業は社会保険料が免除される制度がありますが、介護休業や労災休業の場合は免除されないため、給与を支払っていなくても社会保険料の控除をしなくてはいけません。

☑ 給与額や控除額が変わった従業員はいるか？

　給与額が変わる理由としては、昇給・降格・異動、パートから正社員といった雇用形態の変化などが挙げられます。

　控除額が変わる理由は、従業員の**被扶養者**に増減があった場合や、40歳になり介護保険の対象になった場合などです。

　いずれの場合も、標準報酬月額（108ページ）の改定や住民税、所得税、家族手当、社会保険料など、給与計算に関わる事項に変更が生じます。

 ### ☑ 結婚・離婚した従業員はいるか？

　結婚・離婚によって名字が変わったら、**社会保険・雇用保険の氏名変更届**が必要です。ただし、社会保険とマイナンバーがひもづいていれば手続きは不要になります。給与の振込口座の名義変更手続きも合わせてしておきましょう。

　離婚などによって被扶養者の数が変更になった場合は、所得税の控除額も変わってくるので給与計算に反映させます。

 ### ☑ 住所が変わった従業員はいるか？

　住所が変わるとほとんどのケースで通勤ルートも変わりますから、通勤手当を変更しなくてはいけません。また、住宅手当を支給している会社なら就業規則の住宅手当の要件に従って、支給額の変更が必要となる場合もあります。

　すぐに支給額が変わる通勤手当や住宅手当と異なり、住民税の納付先や金額は翌年6月（118ページ）に変更されます。

 ### ☑ 有給休暇（32ページ）を取得した従業員はいるか？

　所定労働日数が異なる正社員とパートでは日数は異なりますが、正社員、パートを問わず、入社後6か月を経過したら、有給休暇が付与されます。各従業員に付与された有給休暇の日数を把握したうえで、有給休暇をカウントしますが、**休日の振替と代休（66ページ）**とのちがいにも注意が必要です。

 扶養異動：従業員の家族に健康保険の被扶養者になるための条件を満たす人が生じた場合や被扶養者であった人が扶養から外れる場合など。

◆ 給与計算前に確認する従業員の動向確認シート

	従業員の動向		社会保険に関わること	雇用保険に関わること	所得税・住民税	給与計算に関わること
確認1	入 社 (262〜275ページ)		被保険者資格取得届	被保険者資格取得届 雇用保険料控除	住民税異動届	給与・交通費の日割り計算
確認1	退 社 (276〜289ページ)		被保険者資格喪失届	被保険者資格喪失届	住民税異動届	給与・交通費の日割り計算 社会保険料の2か月分控除
確認2	休業	産前産後休業 (242ページ)	出産手当金手続き 社会保険料免除の手続き	―	住民税納付方法を確認	社会保険料の控除なし
確認2	休業	育児休業 (242ページ)	社会保険料免除の手続き	育児休業給付金手続き	住民税納付方法を確認	社会保険料の控除なし
確認2	休業	けがや病気 (218〜235ページ)	けがや病気が業務によるものかで対応は異なる			
確認3	給与額が変わった従業員	昇給・降給・異動 (196ページ)	月額変更届	―	―	―
確認3	給与額が変わった従業員	扶養異動 (248、252ページ)	被扶養者異動届	―	扶養控除を確認	家族手当を確認
確認3	給与額が変わった従業員	雇用形態の変化 (パートから正社員になった場合)	被保険者資格取得届	被保険者資格取得届	扶養控除を確認	各種手当の確認
確認3	給与額が変わった従業員	40歳になった／65歳になった	介護保険料の控除開始／控除なし	―	―	控除額の確認
確認4	結婚・離婚した従業員 (252ページ)		氏名変更届※	氏名変更届	―	給与振込口座の名義変更
確認4	結婚・離婚した従業員 (252ページ)		被扶養者異動届	―	給与所得者の扶養控除等(異動)申告書(国税局)	ひとり親控除の確認
確認5	住所が変わった従業員 (252ページ)		住所変更届※	―	―	通勤手当の変更 住宅手当の変更
確認6	有給休暇を取得した従業員		―	―	―	代休とのちがいに注意

※社会保険の場合、マイナンバーとの一元化により通常は手続き不要。ただし、健康保険組合へ加入している場合は届出が必要。急ぎで保険証が欲しい場合も届出をする。

欠勤（遅刻・早退）控除の確認

- タイムカードなどから欠勤や遅刻・早退を集計。
- 就業規則に規定がないと欠勤控除をしてはならない。
- 給与形態によっては欠勤控除はできない。

⇒「欠勤控除」は「支給欄」に記入する

　給与計算の勤怠欄は「月の勤務日数や勤務時間を把握する欄」です。欠勤や時間外労働などを集計し支給欄の計算へとつながります。

　病欠のときに有休を使わない場合や遅刻をしたときは「欠勤控除」を使うことになりますが、「欠勤控除」の「控除」がわかりにくいので、ここで説明したいと思います。

　控除とは「差し引く」という意味で、給与から「差し引く額」を示しています。給与明細書は「勤怠欄・支給欄・控除欄」の3つから構成されていると説明しました。しかし、「控除」とあってもすべて「控除欄」に記入するわけではありません。

　「控除欄」に記入するのは、社会保険料・雇用保険料、税金などです。

　では、欠勤控除についてはどこに記入するのかというと、それは「支給欄」です。

　勤怠欄の欠勤や遅刻・早退の欄に記載した日数や時間をもとにして、控除額（差し引く額）を計算したら、支給欄に「欠勤控除」として記載してください。

⇒「欠勤」とは「働かなかった時間」

　まちがいやすいのは「欠勤＝終日休む」ではないことです。

　欠勤とは「もともと働く予定だった時間に働かなかった」ことを意味するので、遅刻や早退も欠勤に含まれます。

　「遅刻控除」「早退控除」「遅早控除」と厳密に分けて集計してもよいですし、「欠勤控除」、または「不就労控除」とひとまとめにして支給欄に記載することもあります。

 控除対象となる手当：出勤と関係する通勤手当や、日々の業務に関わりのある資格手当などが対象候補。通勤や業務に関連がない家族手当や扶養手当なども場合によっては対象となる。

▌「欠勤」の分類

● **細かく分類して記入**
　➡「遅刻控除」「早退控除」「遅早控除」等。

● **ひとまとめにして記入**
　➡遅刻、早退、欠勤はすべて「欠勤控除」または「不就労控除」でまとめる。

　便宜上、本節では1日休むことを「欠勤」とし、遅刻・早退と区別して説明していきます。

　勤怠欄の作成の第一歩は、タイムカード等の勤怠情報をもとに、欠勤の日数、遅刻・早退の時間を記録することです。

　勤怠欄に記載するのは欠勤、遅刻・早退の実績で、実際の控除額は支給欄に「欠勤控除」や「遅早控除」として記載します。その際の計算方法は88ページで説明します。

⮞ 就業規則に記載がないとトラブルの元に

　給与計算には「従業員が働かなかった時間は給与を支払わなくてもよい」という「ノーワークノーペイの原則」があります。

　ノーワークノーペイの原則からすると、欠勤、遅刻・早退は給与から差し引いてよいことになりますが、就業規則を作成している場合は就業規則に何分単位での計算か明記しておきましょう。

▌欠勤控除に関して就業規則で記すべきこと

● **公共交通機関のトラブルについて**
　公共交通機関の遅れが原因の場合は遅刻とはならない。ただし、遅延証明書が必要等と記しておく。

● **欠勤、遅刻・早退があった場合は、その分を給与から控除する**
　就業規則に明記しておく。

● **欠勤、遅刻・早退があった場合に、控除対象となる手当**
　各種手当のうち控除対象となる手当を明確にしておく。

➡ 完全月給制と日給月給制では遅刻・早退、欠勤の取り扱いが異なる

完全月給制は、1か月の労働日数や労働時間数に関わらず、さらには欠勤、遅刻・早退なども給与計算に反映させず、決められた給与を全額支払う方式です。

一方、日給月給制は欠勤、遅刻・早退といった不就労時間を給与から控除して支払います。こちらを月給制と勘違いされている会社がほとんどです。

給与形態によって欠勤控除の取り扱いが異なるので注意が必要です（次ページ表参照）。

➡ 度重なる遅刻に罰金を科してもよい？

遅刻した時間分を給与から控除するのはノーワークノーペイの原則に則った対処ですが、「遅刻3回で半日分の減給」といった独自ルールは減給制裁といって懲戒のひとつとなります。

労働基準法では就業規則で定めていれば減給制裁を認めるとしていますから、完全月給制の従業員に対しても減給制裁によって遅刻・早退、欠勤に対するペナルティを課すことができるようになっています。

ただし、減給制裁の額には次のような制限があります。

> **┃減給制裁の額**
>
> 1日の平均賃金（38ページ）の半額まで。
> かつ1か月の賃金の10分の1まで。

では、「遅刻1回につき1,000円の罰金」を課してもよいのでしょうか？

そもそも労働基準法では**従業員に罰金**を科すことを禁じていますので、就業規則で罰金徴収のルールを設けることはできません。

➡ 欠勤、遅刻・早退のカウントの仕方

有給休暇の取得中、または会社都合による休業は、欠勤とはなりません。

それ以外で休んだ場合に欠勤扱いとなりますが、あまりにも欠勤日数が多い場合は「欠勤した分を給与から引いて支払う」のではなく、「出勤した分を支払う」といった対処をするケースもあります。

 従業員に罰金：労働基準法は労働契約の不履行について違約金を定めたり損害賠償を契約してはならないとしている。違反には6か月以下の懲役、または30万円以下の罰金。

◆ 給与形態と欠勤控除の取り扱い

給与形態	欠勤控除	欠勤控除の計算法
年俸制 年俸を12か月に分けて支給	あり	年俸額を年間所定労働日数で割った金額（1日当たりの給与）を控除
完全月給制 決まった金額を毎月支給	なし	欠勤控除できない
日給月給制 1日を計算単位として月給を支給	あり	欠勤した日数分控除する
日給制 日給×出勤日で支給	なし	控除するのではなく、働いた分を払う
時間給 時給×実労働時間で支給	なし	控除するのではなく、働いた分を払う
歩合給 基本給に出来高給を足して支給	△	基本給の1日分の給与を控除。出来高給からは控除できない

> **Check!** ▶ 遮刻・早退のルールは明確に

遮刻・早退が当たり前の雰囲気が蔓延してしまうと、働くうえでのモチベーションが維持できません。職場環境を良好に保つことを目的に以下のような遮刻・早退のルールを設けておく会社もあります。

【ルール1】いつ、誰に報告するか決める
遮刻なら始業15分前、早退なら前日までに上司に報告するといったルールを決めておきましょう。

【ルール2】理由が必要であることを伝える
本人の体調不良や単なる寝坊のほか、「電車の遅れ」「子どもの発熱」など、本人以外の理由のこともあります。遮刻・早退が度重なる場合、理由を把握しておくことで、勤務時間や雇用形態の変更といった対応も検討しやすくなります。

【ルール3】ルール1、2を守らない場合の処罰を示す
連絡もなしに理由も伝えず遮刻や早退を繰りかえす場合の処分内容を明記しておくとよいでしょう。

時間外労働時間の確認

- 法定内残業か法定外残業かで、割増賃金が異なる。
- 法定外残業が深夜に及ぶと、法定外残業分にプラスして深夜労働分の割増賃金が上乗せされる。

⮞ 残業の種類で割増賃金が変わる

　勤怠欄には普通残業時間、深夜残業時間、休日労働時間などを記載する欄があります。これらが細かく分かれているのは、残業の種類によって通常賃金に上乗せされる割増賃金が異なるからです。

　どのような条件で残業の種類が決まるのか説明する前に、法定労働時間と所定労働時間（26ページ）について簡単におさらいしておきましょう。

- ●法定労働時間…労働基準法で定められた「1日8時間、週40時間」を上限とする労働時間のこと。
- ●所定労働時間…会社が独自に定めた勤務時間のこと。

⮞ 法定外残業＝時間外労働は割増率25％と50％

　残業は大きく以下のふたつに分類でき、給与明細書にそれぞれ記載する会社もあります。

- ●法定内残業…所定労働時間は超えるが法定時間内に収まる残業→労働基準法で割増賃金の規定なし
- ●法定外残業（時間外労働）…法定労働時間を超える残業。→労働基準法で割増賃金の規定あり

　法定外残業の場合、労働基準法で割増率は25％以上、1か月60時間を超える部分は50％以上と定められていますが、法定内残業の場合はとくに規定はなく、割増賃金を上乗せするかは各企業の判断に委ねられています。

 割増賃金：法定外残業、法定休日の労働、午後10時〜午前5時までの深夜労働には、割増賃金を支払わなければならない。

◆ 法定外残業の割増賃金の考え方（時給1,000円の場合）

　割増賃金は、1時間あたりに支給する給与×割増率で算出しますので、時給1,000円の従業員の場合、割増賃金は1,000円×25％＝250円。よって、250円を1,000円に上乗せした1,250円が法定外残業をした場合の時給です。

⏩ 割増賃金がさらに上乗せされることもある

　法定外残業は25％の割増賃金ですが、法定外残業が深夜に及んだ場合はさらに25％以上の割増賃金が上乗せされます。

　時給1,000円の従業員だと、法定外残業の割増率250円と深夜労働の割増率250円の合計1,500円を残業代として支払うことになります。

◆ 所定労働時間9：30 〜 17：30の場合の残業時間の考え方

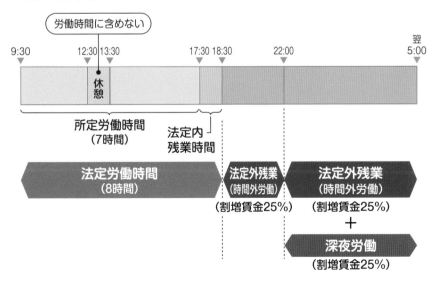

休日出勤の確認

- 休日出勤は法定休日か法定外休日かを確認。
- 法定休日なら勤怠欄の休日労働時間に、法定外休日なら普通残業時間として処理する。

休日出勤を普通残業と休日労働に分類する

休日出勤の処理で必要となるのは、勤怠欄のなかにある次の項目です。

| 休日出勤に関係する項目 |

勤怠欄にある

休日勤務日数　普通残業時間　休日労働時間

この3つ!

　休日出勤の日数を記入したら、休日出勤で働いた時間を**普通残業時間**と休日労働時間に振り分ける作業をおこないます。

　休日出勤は、その休日が法定休日か法定外休日かを確認しなくてはいけません。

　どちらの休日に出勤したかによって、普通残業とするか休日労働とするか決まるからです。

法定外休日か法定休日かで割増率が変わる

　法定外休日と法定休日では、どちらも「休みの日」であることに違いはありません。

　しかし、従業員が「休みの日」に働いた場合、その日が法定休日か法定外休日かは、給与計算上大きな影響があります。それは**割増賃金の割増率**が異なるからです。

普通残業時間：法定労働時間を超えて働いた時間。給与計算ソフトや給与明細書のフォーマットによって「残業時間」「時間外」「超勤時間」などの表記がある。

労働基準法では、法定休日労働に対しては割増率35％以上の割増賃金を支払うとしています。

　一方、法定外休日の場合、休日に出勤したという事実よりも、「週の労働時間が40時間を超えているか」が重要になってきます。40時間を超えた場合には法定休日労働の35％増よりも少ない25％以上の割増賃金になります。

　ただし、平日の残業時間と法定外休日の労働時間の合計が60時間を超える場合、その超えた部分については50％以上の割増賃金を支払うことが必要です。

⊙ 法定休日の曜日を決めておく

　労働基準法では法定休日の曜日を規定しておらず、例えば土日が休みの週休2日の場合、どちらが法定休日か明確にするよう求めていません。しかし、法定休日かどうかで出勤した際の割増賃金が10％も異なります。トラブル回避のためにも就業規則で法定休日と法定外休日の曜日を規定しておきましょう。

◆ 休日出勤の種類と割増賃金

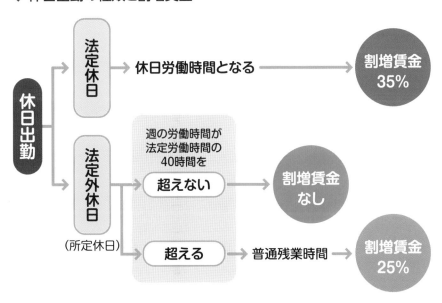

休日の振替と代休の確認

- 労働日と休日を入れ替えるのが振替休日。
- 代休では、休日に出勤した分は休日出勤として扱う。

⏩ 振替休日は「事前に・その週に」設定する

　休日に仕事をした従業員に対して別の日を休日として与える場合、「休日の振替」か「代休」のいずれかの対処をとることができます。いつまでに取得するかも含めて就業規則等でルールを決めておきましょう。

　休日の振替をする場合は、「仕事をする休日がわかっている」必要があり、実際に仕事をする前に代わりの休日（振替休日）を決めておきます。

　休日の振替は、休日を労働日に、労働日を休日に入れ替えることです。つまり、元々は休日だった日の労働が休日労働ではなく、普通の労働日と同等となります。普通の労働日と同じなので、法定内労働時間を超える分は時間外労働として割増賃金が発生します。

　また、割増賃金は振替休日を翌週に設定した際にも必要となります。1

◆「休日の振替」と「代休」の比較

	休日の振替		代休	
休日出勤に	ならない		なる	
割増賃金は？	休日出勤の割増賃金	なし	法定休日の出勤なら休日出勤の割増賃金	35%
	法定労働時間を超えた分に時間外労働の割増賃金	25%	法定外休日の出勤なら法定労働時間を超えた分に時間外労働の割増賃金	25%
給与明細では？	出勤日数に加える		休日出勤日数に加える	
	出勤時間に加える		休日労働時間に加える	
	法定労働時間を超えた分は普通残業時間に加える			
手続きは？	就業規則で定める			
	・休日に出勤する前に、振替休日を指定する ・休日に出勤する前に休みをとってもよい		・休日に出勤したあとに休む日を決める（会社指定でも従業員の申請でもどちらでも可）	

POINT　**いつまでに取得**：代休には特別な規定はないが労働基準法の振替休日の期限2年に準ずるという考えもある。勤怠管理上1か月以内に取得するほうが好ましい。

週間の法定労働時間の上限である40時間を超えてしまうからです。

　一方、代休は休日に仕事をしたあとに休む日を決めます。「休日と労働日の入れ替え」ではなく、次のような割増賃金が上乗せされます。

●出勤した日が法定休日　➡　割増賃金35%
●出勤した日が法定外休日　➡　割増賃金25%

◆ 振替休日と割増賃金

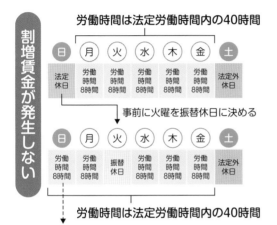

割増賃金が発生しない

労働時間は法定労働時間内の40時間

日	月	火	水	木	金	土
法定休日	労働時間8時間	労働時間8時間	労働時間8時間	労働時間8時間	労働時間8時間	法定外休日

事前に火曜を振替休日に決める

日	月	火	水	木	金	土
労働時間8時間	労働時間8時間	振替休日	労働時間8時間	労働時間8時間	労働時間8時間	法定外休日

労働時間は法定労働時間内の40時間

ただし 日曜日の労働時間が8時間を超えた分には25%の割増賃金

割増賃金が発生する

日	月	火	水	木	金	土	日	月	火	水	木	金	土
労働時間8時間	労働時間8時間	振替休日	労働時間8時間	労働時間8時間	労働時間8時間	法定外休日	法定休日	労働時間8時間	労働時間8時間	労働時間8時間	労働時間8時間	労働時間8時間	法定外休日

労働時間は法定労働時間内の40時間

日	月	火	水	木	金	土	日	月	火	水	木	金	土
労働時間8時間	労働時間8時間	労働時間8時間	労働時間8時間	労働時間8時間	労働時間8時間	法定外休日	法定休日	労働時間8時間	振替休日	労働時間8時間	労働時間8時間	労働時間8時間	法定外休日

労働時間は48時間　　　　労働時間は32時間

⬇

8時間は25%の割増賃金上乗せ

変形労働時間制の確認

- 閑散期に分散した労働力を繁忙期に集約できる。
- 労働時間に上限がないわけではないので注意。

⇒ 労働時間のアンバランスを調整できる

　労働基準法では「1日8時間、週40時間以内」と労働時間が定められており、その時間を超えた労働に対して割増賃金を上乗せした残業代を支払わなくてはいけません。

　しかし、時期によって業務量が一定しておらず、繁忙期と閑散期で業務負担の差が大きい会社は珍しくありません。

◆ 変形労働時間制のイメージ（1か月単位の場合）

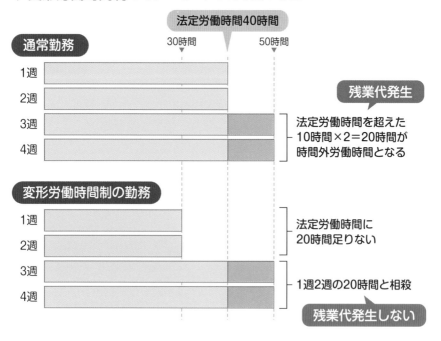

法定労働時間40時間

| 通常勤務 | 30時間 | | 50時間 |

1週
2週
3週　　残業代発生
4週

法定労働時間を超えた
10時間×2＝20時間が
時間外労働時間となる

変形労働時間制の勤務

1週
2週

法定労働時間に
20時間足りない

3週
4週

1週2週の20時間と相殺

残業代発生しない

特例措置対象事業場：常時使用する労働者が10人未満の商業、映画・演劇（映画製作事業を除く）、保健衛生業、接客娯楽業。

「毎月前半はヒマだから週に30時間の勤務で十分だけど、後半は50時間働いてもらわないと間に合わない」という場合。

「1日8時間、週40時間以内」を基本に業務を進めると、月の前半は仕事がないのに勤務し、月の後半は法定労働時間を超える残業をすることになってしまいます。

このようなケースで変形労働時間制を導入すると「**繁忙期と閑散期の労働時間をならす**」ことができます。1か月、1年、1週間と期間を設定し、その期間内で長く働く日または週・短く働く日または週をつくり、トータルで法定労働時間内に収まるようにするのです。

ただし、年少者（満18歳未満）・妊産婦については、変形労働時間制の適用に一定の制限があります。

経営者にとっては残業代のコストが抑えられ、従業員にとっては閑散期に時間的拘束を受けないというメリットがあります。

◈ 繁忙期・閑散期のサイクルで変形労働時間制のタイプを選ぶ

変形労働制には1か月単位の変形労働時間制、1年単位の変形労働時間制、1週間単位の変形労働時間制、フレックスタイム制があります。

● 1か月単位の変形労働時間制

1か月以内の期間を平均して、1週間あたりの労働時間が40時間（**特例措置対象事業場**は44時間）以内となるように、労働日と労働日ごとの労働時間を決めます。

労使協定または就業規則などで次の事項を定め、労働基準監督署に届け出ます。就業規則で定めれば労働基準監督署に毎月届け出る必要はありません。

こんな会社に　特定の休日がないコンビニ、飲食店など1か月ごとのシフトで労働日を定めている会社。

▌労使協定または就業規則などで定める事項

① 対象期間および起算日

② 対象期間における各日および各週の労働時間

労働基準監督署に届出必要

◆ 1か月単位の変形労働時間制の労働時間の限度

週の法定労働時間	月の暦日数			
	28日	29日	30日	31日
40	160.0	165.7	171.4	177.1
44	176.0	182.2	188.5	194.8

（単位：時間）

> 1か月の労働時間が上記の時間内に収まっていれば、
> 法定労働時間を超える日や週があっても
> 割増賃金は発生しない。例えば、31日まである月なら
> 177.1時間以内に労働時間を抑えれば割増賃金はなし。

● 1年単位の変形労働時間制

　1年以内であれば期間は3か月でも6か月でも問題ありません。設定した期間中の週の労働時間の平均が40時間を超えなければ、特定の日・週に法定労働時間を越える労働をさせることができます。

　労使協定で次の事項を定め、協定届、年間カレンダー、労使協定書を1年に1度労働基準監督署に届け出ます。

 こんな会社に 冬は繁忙期で夏は比較的落ち着いているといったように、繁閑に季節性がある。

┃労使協定で定める事項

① 労働者の範囲
② 対象期間（1か月を超え1年以内）
③ **特定期間**
④ 対象期間の労働日と労働日ごとの労働時間（1年単位の場合、年間カレンダー）
⑤ 対象期間の起算日
⑥ 労使協定の有効期間

労働基準監督署に届出必要

●1年単位の変形労働時間制の労働時間の限度

$$\text{法定労働時間の総枠（上限）} = 40\text{時間} \times \frac{\text{対象期間の暦日数}}{7\text{日}}$$

年間労働日数の上限280日、1日の労働時間の上限10時間、1週間の労働時間の上限52時間

 WORD **特定期間：**②対象期間中のとくに業務の繁忙な期間を特定期間として定めることで、連続労働の日数の限度が6日から12日に延びる。

●1週間単位の非定型的変形労働時間制

1週間単位で毎日の労働単位を柔軟に決めることができます。週の労働時間が40時間を超えず、1日の労働時間が10時間を超えなければ、割増賃金の発生もありません。

1週間の各日の労働時間をあらかじめ書面で従業員に通知することになっています。

こんな会社に ▶ 週末は忙しいなど曜日によって繁閑があるか、繁閑の予測が難しく1か月単位では対応できない小売業、飲食業等。

┃労使協定で定める事項

① 労働者の範囲
② 対象期間
③ 1週間の労働時間

 労働基準監督署に届出必要

●フレックスタイム制

清算期間（各労働日の労働時間を労働者が自由に決定できる一定の期間）の総労働時間の範囲内で、始業・終業時刻は従業員本人が決めることができます。

フレックスタイムの清算期間は、3か月以内です。その期間内の週平均の労働時間が40時間を超えなければ割増賃金は発生しません。

ただし、ある1か月の週平均の労働時間が50時間を超えた場合は、期間内の週平均の労働時間が40時間以内におさまったとしても、割増賃金を支払わなければなりません。

こんな会社に ▶ 従業員の仕事と生活のバランスを**尊重**することで業務の効率化・人材の定着を図る。

就業規則で定めるとともに、労使協定で定める事項

① 労働者の範囲

② 対象期間（3か月以内）とその起算日

 労働基準監督署に届出必要

③ 清算期間中の総労働時間

④ 標準となる1日の労働時間の長さ

⑤ コアタイム（必ず労働しなくてはいけない時間帯）、フレキシブルタイム（労働するか否か選べる時間帯）を設ける場合は、開始時刻と終了時刻

●フレックスタイム制の労働時間の限度

$$\begin{array}{c}\text{法定労働時間}\\\text{の総枠（上限）}\end{array} = \begin{array}{c}\text{1週間の}\\\text{法定労働時間}\end{array} \times \begin{array}{c}\text{清算期間}\\\text{の日数}\end{array} \div 7\text{日}$$

◆ フレックスタイム制のフレキシブルタイムとコアタイムの例

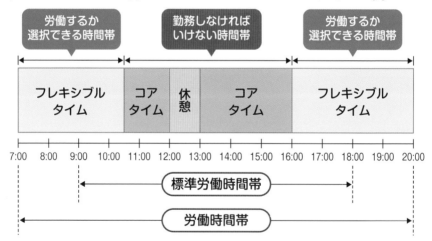

POINT **ワークライフバランス：**「仕事と生活の調和」のこと。子育てや介護の時間や家庭や趣味の時間と、仕事の時間のバランスをとること。

◆ 変形労働時間制の比較

		1か月単位の変形労働時間制	1年単位の変形労働時間制	1週間単位の非定型的変形労働時間制	フレックスタイム制
対象		制限なし	制限なし	30人未満の小売業、旅館、料理店、飲食店	制限なし
適している会社		1か月単位で繁閑が予測できる	1年単位で業務の繁閑が予測できる	曜日によって繁閑があるか、繁閑の予測が難しく1か月単位では対応できない	労働環境を整備し業務の効率化・人材の定着を図りたい
届出		労使協定または就業規則等で定め、労働基準監督署に届け出る（就業規則で定めれば毎月の届出不要）	労使協定で定め労働基準監督署に届け出る（年1回）	労使協定で定め労働基準監督署に届け出る	労使協定・就業規則を定め労働基準監督署へ届け出る
休日※3		週1日または4週4日	週1日※1（年間85日以上）	週1日または4週4日	週1日または4週4日
上限労働時間	1日	—	10時間	10時間	—
	1週	—	52時間※2	40時間	—
1週平均労働時間		40時間（特例措置対象事業44時間）	40時間	40時間	40時間（特例措置対象事業44時間）

※1 対象期間における連続労働日数の限度は、6日（特定期間については12日）。
※2 対象期間が3か月を超える場合は、週48時間を超える週の回数等について制限がある。
※3 最低限の休日。これを含め週平均40時間となるように会社カレンダーやシフト表で休日を設定する。

1か月・1年単位で繁閑の波があるなら
　→単位ごとに変形労働時間制

曜日ごとに繁閑の差があるなら
　→1週間単位の非定型的変形労働時間制

従業員の公私のバランスを重視したいなら
　→フレックスタイム制

みなし労働時間制と裁量労働制の確認

- 実際に働いた時間ではなく、労使で取り決めた「みなし労働時間」で労働時間をカウントする。

労働時間を独自に規定して運用

　変形労働時間制（68ページ）から労働時間制度の種類について説明してきましたが、ここで概略をまとめておきましょう。

　労働時間制度には固定労働時間制と弾力的労働時間制があり、本節では弾力的労働時間制に含まれる「みなし労働時間制」について解説します。

◆ 労働時間制度

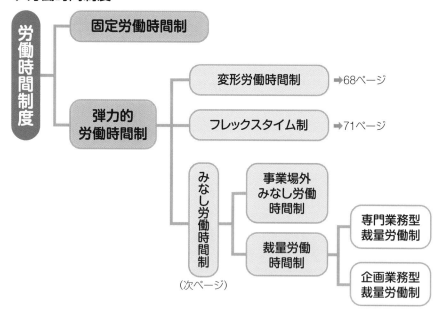

POINT **みなし残業代**：「みなし労働時間」と似た用語の「みなし残業代」は実際の残業時間に関わらず支払われる一定額の残業代の意味。みなし労働時間とは無関係。

固定労働時間制では労働基準法に則って始業や終業、休憩時間などを「何時から何時」と就業規則などで定めます。一方、弾力的労働時間制は始業や終業のほか、みなし時間（働いたとみなす時間）を「どのように運用していくか」を独自に規定できます。

　弾力的労働時間制度を導入するためには、労使協定を結ぶ必要があり、それによって労働基準法で規定された法定労働時間の原則に縛られない会社独自のルールの運用が可能となるのです。

定められた所定労働時間分、働いたとみなす

　みなし労働時間制とは、実際に働いた時間に関わらず、1日の所定労働時間分働いたとみなす制度で、所定労働時間は労使協定によって取り決められます。

　労働時間の把握が難しく、労働時間にばらつきがあるような仕事では、みなし労働制が有用となります。

　例えば、所定労働時間が8時間だったとすると、実際は所定労働時間よりも少ない6時間しか働いていなくても8時間働いたとみなされます。反対に所定労働時間よりも多い10時間働いたとしても、8時間の労働とみなされ2時間分の残業代は発生しません。

　みなし労働時間制は、「実労働時間ではなく定められた所定労働時間分働いた」とみなすもので、原則的に残業代は発生しないのです。

　ただし、次のようなケースでは残業代を支払わなくてはいけません。

みなし労働時間制で残業代が発生するケース

- みなし労働時間が法定労働時間を超えている
- 休日労働・深夜労働

みなし労働時間制の概略

　みなし労働時間制には、事業場外みなし労働時間制と裁量労働時間制があり、裁量労働時間制には専門業務型裁量労働制と企画業務型裁量労働制があります。

　みなし労働時間制は、仕事の種類によっては適用されないことがあるほか、法的に職種が限定されている場合もあります。

◆ みなし労働時間制

みなし労働時間制

事業場外みなし労働時間制

●どんな仕事で?

従業員が労働時間の全部または一部について事業場外で働いていて労働時間の算定が困難であれば、職種は問わない。代表的なのは社内での仕事が少なく主に外回りをする営業や、在宅勤務をおこなえる業種など。

●労働時間の取り扱いは?

○原則は所定労働時間を働いたとみなす。
○所定労働時間を超える必要がある場合は、その必要な時間数を労働したとみなす。

●手続きは?

就業規則で定めておく。または労使協定を結んでおく。在宅勤務などを導入し、就業規則に変更が生じた場合は、労働基準監督署に届け出る。

以下のいずれかに該当する場合は、
事業外みなし労働時間制は適用できない。

NG!

□ グループで業務をおこない、グループに労働時間の
　管理をするメンバーがいる

□ メールや電話で随時上司の指
　示を受けて行動する

□ 事業場で当日の業務の指示を
　受け、指示通り事業外に出て
　働き事業場に戻ってくる

　（直行直帰はみなし労働時間
　制が適用される）

WORD **労使委員会**：使用者（会社）と労働者代表で構成。労働条件に関する事項を調査審議し、使用者に対して意見を述べることを目的とする。

裁量労働制

専門業務型裁量労働制

●どんな仕事で?

専門性が高い業務（新商品・新技術の研究開発、人文科学・自然科学の研究、情報処理システムの分析・設計、記者・編集者、デザイナー、コピーライター、システムコンサルタント、インテリアコーディネーター、ゲーム用ソフトウェア創作、証券アナリスト、大学の教授研究業務、公認会計士、弁護士、建築士、不動産鑑定士、弁理士、税理士、中小企業診断士　等）

●労働時間の取り扱いは?

○あらかじめ決めた時間を労働時間とみなす。

●手続きは?

労使協定で定め、本人の同意を得てから労働基準監督署に届け出る。

会社は業務遂行の手段や時間配分に対して具体的な指示を出さないこと。

企画業務型裁量労働制

●どんな仕事で?

事業運営に関する企画・立案、調査・分析などの仕事。

●労働時間の取り扱いは?

○労使委員会の決議で定めた時間を労働した時間とみなす。

●手続きは?

労使委員会を設置し、次の事項で5分の4以上の多数決を得て、労働基準監督署に届け出る。

○対象業務・対象労働者
○みなし労働時間
○対象労働者の健康・福祉確保措置、苦情処理措置　等

会社は業務遂行の手段や時間配分に対して具体的な指示を出さないこと。

不規則な労働時間の判断

- 遅刻と残業が同日にあった場合の取り扱いに注意。
- 日付をまたいだ勤務は深夜・時間外などが重なるので慎重に確認。

終業時間を超えても労働時間が8時間以内なら残業ではない

　パターン1のように1時間遅刻して1時間残業をした場合、遅刻分は欠勤控除として差し引き、残業した分に通常の残業代を支払ってしまうと、労働時間は8時間にも関わらず残業代（割増賃金）分を余計に支払うことになってしまいます。これでは、きちんと定時に出社して仕事をした従業員が8時間分の給料しかもらえず損をすることになってしまいます。

　遅刻した日に残業をした場合の処理の仕方は、あらかじめ就業規則などで定めておき不公平の出ないようにしましょう。

遅刻と残業時間の考え方

　始業9時、終業18時、休憩1時間の所定労働時間8時間の勤務形態でいくつかのパターンを考えてみましょう。

パターン1　1時間遅刻して1時間残業した場合

1時間遅刻　　　休憩1時間　　　残業1時間

9:00　10:00　　　　　　　　　18:00　19:00

出社　　　　労働時間8時間　　　　退社

　労働基準法では1日8時間、週40時間を超える労働に対して割増賃金を支払うと規定しています。この場合は業務終了時間こそ通常勤務の18時

割増をしない残業代：割増賃金を上乗せせず基本給のみを支給する。

より1時間遅くなっていますが労働時間は8時間に収まっているので、1時間残業したのではなく単に労働時間が1時間繰り下がったと考えられます。

よって残業代は発生しません。仮に遅刻の1時間を欠勤控除として処理するのなら、**割増をしない残業代**を1時間分支給します。

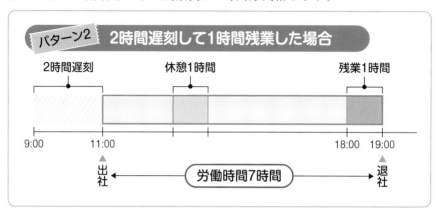

労働時間7時間で所定労働時間に1時間足りないので、この1時間を欠勤控除します。または、遅刻した2時間分を欠勤控除するのなら、割増をしない残業代を1時間分支給します。

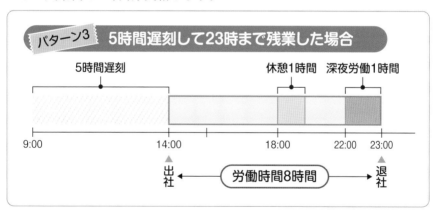

労働時間は残業1時間を含めて8時間です。パターン1と似ていますが、深夜労働が入っているところに注意が必要です。

22時から翌5時までの勤務に対しては、深夜労働の割増賃金を必ず払わなければならないからです。パターン1のように遅刻した分を繰り下げて「通常の8時間勤務」と同じように処理することはできません。

➡ 法定労働時間にかかる残業時間の考え方

労働日から法定休日まで、または法定休日から労働日まで働く場合、深夜労働、休日労働、時間外労働が関わってくることになります。

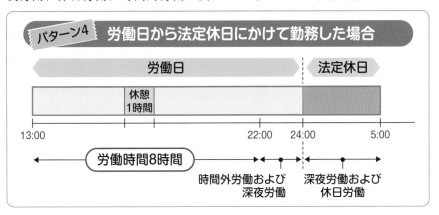

労働日の13時から翌日の法定休日の朝5時まで勤務した場合、13時から22時までは通常の労働時間となります。その後22時から24時までは時間外労働と深夜労働扱いです。

法定休日は暦日で判断されるので、24時から5時までは休日労働と深夜労働となります。

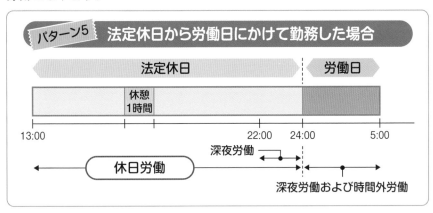

法定休日から法定休日ではない日まで、24時をまたいで連続勤務した場合です。13時から24時までは休日労働となります。そのうち22時から24時までは休日労働および深夜労働とみなされます。

24時から5時までの勤務は、勤務開始してから8時間を超えている分の時間外労働と深夜労働のふたつの支払義務が発生します。

3章

給与計算その2
～支給欄と控除欄

支給項目の基礎知識

- 支給欄は固定的支給項目、変動的支給項目、不就労控除項目。
- 支給項目の合計から控除項目を引いて総支給額を計算する。

⟩⟩ 固定的支給項目と変動的支給項目を整理する

　給与明細の支給欄の目的は、その月の総支給額を算出することです。

　支給欄は固定的支給項目、変動的支給項目、不就労控除項目に分かれており、それぞれを計算します。

　その後、固定的支給項目と変動的支給項目の合計から、不就労控除項目を引いて総支給額を導きます。

●固定的支給項目

　基本給と各種手当が含まれます。基本給は勤続年数や昇給などで変わることはありますが、月給制の場合、基本的には毎月同額です。時間給や日給制の場合は、その月に働いた時間や日数によって基本給が変動します。

　役職手当や営業手当などの各種手当をどのような名目にするかは、会社が独自に決めることができます。

●変動的支給項目

　その月の勤務状況によって変動する項目です。例えば、時間外労働や休日労働などの勤務時間や、出張や夜勤といった業務に対して支払う金額を記載します。

　勤怠欄（2章）でまとめた時間外労働や休日労働、深夜労働などと連動する項目です。

●不就労控除項目

　遅刻・早退、欠勤など、「仕事をしなかった時間」の金額を出します。勤怠欄で記載した遅刻・早退、欠勤の情報がベースとなります。

　総支給額：「会社が支払う金額の合計」のこと。ここから社会保険料や税金などを控除していく。

◆ 支給項目の構成

固定的な支給項目の例

基本給	勤続年数や役職、能力などで決まる給与で毎月同じ。ただし、時給制や日給制では毎月変わる。
通勤手当	通勤にかかる費用。
役職手当	部長、課長など管理者に支給。
営業手当	営業職の社員に支給。
家族手当	扶養家族がいる従業員に支給。
住宅手当	住宅費用に応じて支給。

変動的な支給項目の例

時間外手当	時間外労働をしたら支給。割増賃金25％以上上乗せ。※
休日手当	法定休日に勤務したら支給。割増賃金35％以上上乗せ。
深夜手当	深夜勤務をしたら支給。時間外労働（25％以上）上乗せ。または時間外労働（25％以上）＋深夜労働（25％以上）＝割増賃金50％以上上乗せ。
出張手当・夜勤手当	会社独自に支給額を設定。

※25％以上の上乗せは法定労働時間を超えた分のみ。法定労働時間内の残業代には25％以上の割増は不要。1か月60時間を超えた分に対しては、50％以上の上乗せが必要。

不就労控除項目の例

遅早控除	遅刻や早退をしたら差し引く。
欠勤控除	欠勤したら差し引く。

固定的な 支給項目 ＋ 変動的な 支給項目 － 不就労 控除項目 ＝ 総支給額

固定的な支給項目
（基本給と家族手当、通勤手当）

- 基本給が変わる昇給・昇格のタイミングを忘れないこと。
- 家族手当は支給条件と届出の有無を確認。

⇛ 基本給と各種手当を確認

　固定的な支給項目のなかで最初に確認するのが基本給です。昇給・昇格などで金額に変更があったら更新した金額を記載します。

　次に各種手当を確認していきます。手当はどのような名目でどのような該当者にいくら支払うか会社が任意に決めることができますが、**割増賃金の計算に関わってくる手当**と、関わらない手当をきちんと把握しておくことが重要といえます。時間外労働時間の計算（96ページ〜）の正誤に関わってくるからです。

◆ 基本給と手当を記載

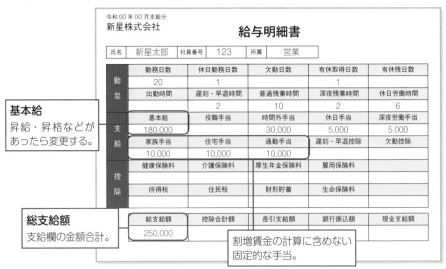

基本給
昇給・昇格などがあったら変更する。

総支給額
支給欄の金額合計。

令和00年00月支給分
新星株式会社　　　給与明細書

氏名	新星太郎	社員番号	123	所属	営業

勤怠	勤務日数	休日勤務日数	欠勤日数	有休取得日数	有休残日数
	20	1		1	
	出勤時間	遅刻・早退時間	普通残業時間	深夜残業時間	休日労働時間
		2	10	2	6

支給	基本給	役職手当	時間外手当	休日手当	深夜労働手当
	180,000		30,000	5,000	5,000
	家族手当	住宅手当	通勤手当	遅刻・早退控除	欠勤控除
	10,000	10,000	10,000		

控除	健康保険料	介護保険料	厚生年金保険料	雇用保険料	
	所得税	住民税	財形貯蓄	生命保険料	

	総支給額	控除合計額	差引支給額	銀行振込額	現金支給額
	250,000				

割増賃金の計算に含めない固定的な手当。

賃金規程：賃金の支払方法や締め日のほか、手当や賞与の計算方法などを定めたもの。就業規則のなかに記載してもよい。

◆ 割増賃金の計算に含めない手当

除外できる範囲

| 家族手当、通勤手当、住宅手当、別居手当、子女教育手当、臨時に支払われた賃金、1か月を超える期間ごとに支払われる賃金 |

	家族手当	住宅手当	通勤手当
除外できる場合	扶養家族の人数に応じて支給。	住宅に要する費用に定率を乗じた額を支給。	通勤に要した費用に応じて支給。
除外できない場合	扶養家族の有無や人数に関わりなく一律に支給。	賃貸なら1万円、持ち家は5千円など、住宅の形態ごとに一律支給。	費用や距離に関係なく一律支給。

上記の「除外できる範囲」以外の役職手当などは、割増賃金の計算に含めなければなりません。手当のなかでも、所得税、社会保険料、雇用保険料などとの絡みがある家族手当と通勤手当の考え方を説明します。

➡ 家族手当の条件は明確に

家族手当は扶養家族の人数などに応じて、住民票の世帯主に支給するのが一般的です。法律で定められたものではないので**支給条件は会社が自由**に決めることができますが、家族のどこまでを含めるのか、同居か否か、成人でも大学生などで就労していないのなら対象になるのか、家族の収入を手当支給の条件とするのか、細かな条件設定が必要です。

最低限、以下の条件を就業規則や**賃金規程**で明確にしておくことでトラブルを防ぐことができます。

家族手当の支給条件で決めておきたいこと

① **家族の範囲**
配偶者、子ども、両親までが一般的。兄弟姉妹や祖父母を含めるかも決めておく。

② **配偶者の扶養条件**
扶養条件を所得税法上と健康保険上のどちらに準拠するか決めておく。
- ●所得税での扶養 ➡配偶者の年収103万円以下（配偶者控除適用の場合）
- ●健康保険での扶養➡配偶者の年収130万円未満

③ **子どもの対象年齢**
子どもの対象年齢のほか、年齢を判断するタイミングを決めておく。年齢は誕生月ではなく年度末で区切ると処理の漏れやミスが防げる。

④ **支給手続きの義務**
公平な支給のため対象家族の増減があった場合は**届出書類の提出**を義務づけておく。

➡ 見直しが進む家族手当

世帯主が仕事に専念できるように設けられた家族手当ですが、景気低迷や成果主義導入、女性の社会進出などで各種手当が見直されるなか、廃止する会社が増えてきています。

独身、既婚でも子どもがいない、配偶者の所得が高く支給条件に当てはまらないなど、家族手当を受けられない従業員にとって不公平感が強いことが廃止の大きな理由といえます。

しかし、支給を廃止するとそれまで恩恵を受けていた従業員にとっては大きなダメージとなります。手当の廃止や減額は就業規則の**不利益変更**にあたるので、会社が一方的に決めることはできず**従業員全員の合意が必要**と考えておくことが無難です。

➡ 通勤手当の支給は現金と現物支給がある

通勤にかかる交通費は、定期券や回数券など現物で支給する方法と、現金で支給する方法があります。

法律上、通勤手当を支給する必要はありません。そのため、通勤手当は従業員の給与の一部と見なされ、それを元に算出される税金や社会保険料が上がります。ただし、通勤手当には非課税限度枠があり、その金額までは所得税を計算するときの給与に含めなくてよいとされています。

◆ 通勤手当のあつかい

現物で支給する場合

定期券などの現物を支給する場合は、労働協約（会社と従業員全員（組合）の取り決め）であらかじめ定めておく。

現金で支給する場合

前払いでなくてはいけない。なぜなら賃金支払の五原則（①通貨で②直接労働者に③その金額を④毎月1回以上⑤一定の期日を定めて支払う）があるため。

3か月定期や6か月定期は一度に支給すると額が大きくなり、非課税限度額を超えることがある。非課税限度額を超えないように1か月あたりの金額に換算して支給する。

 不利益変更：従業員に不利益な内容で、会社が一方的に就業規則などの内容を変えること。

◆ 通勤の非課税限度額（1か月あたり）

区分		課税されない金額
交通機関または有料道路を利用している人に支給する通勤手当		最高限度150,000円
自動車やバイクなどを使用している人に支給する通勤手当※	片道55km以上	31,600円
	片道45km以上55km未満	28,000円
	片道35km以上45km未満	24,400円
	片道25km以上35km未満	18,700円
	片道15km以上25km未満	12,900円
	片道10km以上15km未満	7,100円
	片道2km以上10km未満	4,200円
	片道2km未満	全額課税
交通機関を利用している人に支給する通勤用定期代		最高限度150,000円
交通機関または有料道路を利用するほか、自動車やバイクを使用している人に支給する通勤手当や通勤用定期乗車券		1か月当たりの合理的な運賃等の額と「※」の金額との合計額（最高限度150,000円）

通勤手当が関係してくる計算

　通勤手当を含めて計算をする項目と、含めずに計算する項目があります。また、年末調整のように通勤手当の課税部分だけが計算に必要なこともあります。このようなときは、通勤手当の区分ごとの非課税の上限額から、通勤手当の課税分の額をあらかじめ計算しておく必要があります。

通勤手当と各種計算

所得税法
- → 非課税の通勤手当を含めずに所得税を計算する
- → 非課税の通勤手当を含めずに年収103万円以下は配偶者控除が受けられる
- → 非課税の通勤手当を含めて年収130万円未満は社会保険料がかからない（配偶者の扶養に入っている場合）

社会保険料の計算
労働保険料の計算 ｝ 通勤手当を含めて計算する
平均賃金の計算

年末調整 ─────→ 課税分の通勤手当を給与に含める

遅刻・早退控除、欠勤控除の計算

- 遅刻・早退は時間単位で求める。
- 欠勤控除は日単位で控除額を求めていく。

就業規則で示さなくては控除できない

　労働しなかった場合は給与を支払わないという「ノーワークノーペイの原則」からすると、遅刻、早退、欠勤に対して給与を支払わない（控除する＝給与から差し引く）ことは当然のことと思いがちです。

　しかし、就業規則でルールについて明記しておかなくては控除はできません。

　厚生労働省の『モデル就業規則』では、遅刻、早退、欠勤について次のような記載があります。

- 事前に誰に報告するか
- やむなく事後報告となった場合は速やかに承認をとる
- <u>不就労分に対する賃金は控除する</u>

　上記の内容を明確にすることに加えて、控除の計算方法も就業規則で正しく示すこととしています。

各種手当の扱いについて

　遅刻・早退控除や欠勤控除の計算で用いる「給与」の範囲ですが、「基本給のみ」か「基本給と各種手当」かは会社が自由に決めることができます。

　手当をどこまで含めるかは悩ましいところですが、その手当と出勤の関連性で判断するとよいでしょう。例えば、家族手当や住宅手当は出勤とは関連はないので計算式に含めないが、通勤手当は出勤に関連するので含めるといった具合です。

POINT **基本は1分単位の控除：** ノーワークノーペイの原則は遅刻・早退、欠勤控除の計算にも適用されるので、1分単位で控除することが望ましい。

⊙ 遅刻・早退控除の求め方

　時間単価で控除をします。一般的には給与を月平均所定労働時間または当月の所定労働時間で割り、遅刻・早退の時間数をかけて控除額を計算します。1分単位で控除しますが、計算の簡略化のために10分や15分単位で切り捨てて控除することもできます。ただし、20分の遅刻なら30分ではなく15分とカウントして控除し、従業員が損をしないように処理します。

　月平均所定労働時間とは1か月あたりの平均所定労働時間なので毎月同じですが、当月の所定労働時間はその月ごとに変動があります。

⊙ 欠勤控除の求め方

　遅刻・早退が時間単位で控除するのに対し、**欠勤控除では日単位で控除**をします。給与を月平均所定労働日数または当月の所定労働日数で割り、欠勤日数をかけて控除額を求めます。

Check! ▶ **月平均所定労働時間と月平均労働日数が必要な理由**

　遅刻・早退控除で用いる月平均所定労働時間は割増賃金（96ページ）でも用います。割増賃金も、遅刻・早退控除と同様に、時間単位で計算をする必要があるからです。
　名称がよく似ていてややこしいですが、月平均所定労働**時間**と月平均労働**日数**について整理しておきましょう。

● **月平均所定労働時間**…1か月あたりの所定労働時間の平均。
● **月平均所定労働日数**…1か月あたりの所定労働日数の平均。

　月平均所定労働時間で説明しましょう。1か月あたりの所定労働時間が月ごとに異なる会社の場合、「当月の所定労働時間」で遅刻控除の計算をすると、同じ時間遅刻をしても月の所定労働時間が異なるために、控除額が月ごとに変わってしまいます。
　欠勤控除の計算で「当月の所定労働日数」を用いた場合にも同様の誤差が生じてしまうのです。
　月平均所定労働時間と月平均所定労働日数を用いることで、こうした不均衡をならすことができます。

3章

給与計算その2　〜支給欄と控除欄

◆ 遅刻・早退控除額の求め方

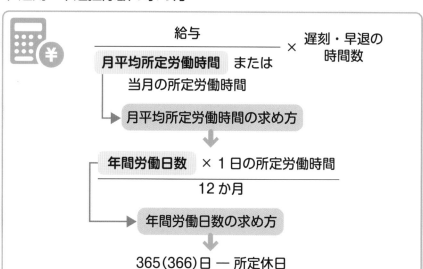

$$\frac{給与}{月平均所定労働時間 \; または \; 当月の所定労働時間} \times 遅刻・早退の時間数$$

月平均所定労働時間の求め方

$$\frac{年間労働日数 \times 1日の所定労働時間}{12か月}$$

年間労働日数の求め方

365（366）日 － 所定休日

◆ 遅刻・早退控除額の計算例

実際に計算して
みましょう！

給与（基本給200,000円＋家族手当9,000円＝209,000円）
遅刻（2時間）　年間労働日数（241日）
所定労働時間（8時間）

●月平均所定労働時間 ＝

$$\frac{年間労働日数 \; 241日 \times 所定労働時間 \; 8時間}{12か月} = 160.66\cdots\cdots$$

端数を切り捨てても小数点以下
第2位まで残してもよい

●遅刻・早退控除額 ＝

$$\frac{209,000円}{160時間} \times 2時間 = 2,612.5円$$

端数切り捨て

➡ **2,612円** ←── 遅刻控除として差し引く

WORD **年間労働日数**：年度で扱うのでうるう年の取り扱いに注意。会社によって年度の開始月が異なるので、年間労働日数も異なる。

◆ 欠勤控除額の求め方

$$\frac{給与}{月平均所定労働日数 \quad または} \times 欠勤日数$$

当月の所定労働日数

月平均所定労働日数の求め方

$$\frac{365(366)日 - 所定休日}{12か月}$$

◆ 欠勤控除額の計算例

実際に計算して
みましょう！

給与（基本給200,000円＋家族手当9,000円＝209,000円）
欠勤（2日）　所定休日（124日）

● 月平均所定労働日数 ＝

$$\frac{365日 - \substack{所定休日 \\ 124日}}{12か月} = 20.0833\cdots\cdots$$

端数を切り捨てても小数点以下第2位まで
残してもよい

● 欠勤控除 ＝ $\dfrac{209,000円}{20日} \times 2日$

 20,900円 ← 欠勤控除として差し引く

有給休暇・時間単位年休の給与の計算

- 有給休暇の計算方法は3種類。
- 処理の手間が簡便な「通常の賃金を支払う計算方法」が一般的。

3つの計算方法から選ぶ

　有給休暇は正社員、アルバイト・パートタイムなどにかかわらず、一定の条件を満たしていれば取得することができます（32ページ）。

　有給休暇とは「賃金が支払われる休暇」のことで、年間に取得できる日数が勤続年数などによって決められています。詳細は33ページで確認してください。

　さて、有給休暇に対して支払う給与の計算方法は、次の3つから選ぶことになっています。

有給休暇中の給与の計算方法

従業員が
有給休暇をとった
ときの給与は？
→

①通常の賃金を支払う
　📝 就業規則で規定

②平均賃金を支払う
　📝 就業規則で規定

③健康保険の標準報酬日額を支払う
　📝 就業規則で規定・労使協定必要

　いずれの方法も就業規則での規定が必要ですが、「③健康保険標準報酬日額」を基準にした計算方法を選ぶのなら、労使協定を結ぶ必要があることに注意しましょう。

決めた方法以外での計算は不可

　上記①〜③の計算方法のなかからどれを選ぶか決めたら、それ以外の計

 有給休暇中の賃金：最低賃金の改定、昇給・降格などで従業員に支払う給与の額を変更したら、そのつど見直しが必要。

算方法を用いて有給休暇の給与を計算することはできません。

①～③のなかで最も選ばれている計算方法は「①通常の賃金を支払う」です。

①の計算方法のメリットは、なんといっても「わかりやすい」ということ。そして、パートやアルバイトの有給休暇の給与計算にもスムーズに応用できる点にあります。

では、次に①～③の計算方法の説明をしていきます。計算で導き出した金額は、給与明細の支給欄に「有休手当」の項目を設けて記載してください。

➡ ①通常の賃金を支払う計算方法

有給休暇を取得しても通常の給与を支払うことから、会社にとっては事務処理が簡便で済み、従業員にとってはわかりやすいと双方にメリットがあります。

労働基準法では、月給、日給、時給など給与の支払方法ごとに、通常の給与の計算式を次のように定めています。

▌通常の賃金の計算方法

⑴ 時給の場合 ➡ 時給 × 所定労働時間数

⑵ 日給の場合 ➡ 日給をそのまま支払う

⑶ 週給の場合 ➡ 週給 ÷ その週の所定労働日数

⑷ 月給の場合 ➡ 月給 ÷ その月の所定労働日数

⑸ 月給、週給以外で一定の期間の賃金の場合 ➡ ⑴～⑷に準じて算定

⑹ 出来高制・その他の請負制の場合
　➡ 賃金算定期間の賃金総額 ÷ 当該期間の総労働時間数 × 当該期間の
　　1日の平均所定労働時間数

⑺ ⑴～⑹のうちふたつ以上の賃金が含まれている場合
　➡ 各賃金を⑴～⑹で計算した金額の合計額

➡ ②平均賃金を支払う

平均賃金の基本的な計算方法（38ページ）の場合、労働日数が少ないパートやアルバイトなどは金額が低く算定されてしまうことがあります。

そこで、「🅐平均賃金の基本的な計算方法」と「🅑時給や日給、出来高払い（パート・アルバイト）の平均賃金の計算方法」を比較し、高い方を

93

採用します。

　平均賃金を使って有給休暇の給与を計算した場合、「通常の賃金を支払う方法」よりも従業員が受けとる給与は少なくなってしまうことがあり、平均賃金の計算は一手間必要となりますが、会社にとっては人件費削減のメリットがあるとはいえます。

　しかし、従業員にとっては有休をとったばっかりに結果的に給与がカットされることになり不満に思うケースがあります。

◆ 平均賃金の計算方法

Ａ 平均賃金の基本的な計算方法

$$平均賃金 = \frac{直前3か月の賃金総額}{3か月間の暦日数}$$

Ｂ 時給や日給、出来高払い（パート・アルバイト）の平均賃金の計算方法

$$平均賃金 = \frac{過去3か月の給与総額}{過去3か月の労働日数} \times 60\%$$

Ａ・Ｂを比較して高い方を平均賃金とし、
有給休暇日数を掛けて支払う給与を計算する。

③健康保険の標準報酬日額を支払う計算方法

　標準報酬日額とは、健康保険料を決める基準になるものです。標準報酬月額（108ページ）を日割りしたもので次の計算式で求められます。

●標準報酬日額の求め方

標準報酬日額 ＝ 健康保険の標準報酬月額 ÷ 30

　標準報酬月額は毎月変動するものではないので、平均報酬日額も一定となり、平均賃金を用いるよりも変動が少なくてすみます。しかし、保険に

出来高払い：賃金形態のひとつで、労働時間とは無関係にできあがった仕事量や成果物に対して賃金を支払う。出来高給、仕上げ払い、仕事高払いともいう。

加入していないパートやアルバイトがいる場合は使えない計算方法です。

時間単位年休

　年次有給休暇が有効活用できるように、労使協定を結べば年間5日の範囲内で有給休暇を時間単位で取得でき、これを時間単位年休といいます。
　時間単位年休に支払う給与の計算方法は以下になります。

●時間単位年休に支払う給与の計算方法

時間単位年休に支払う給与 ＝

①通常の賃金を支払う ②平均賃金を支払う ③健康保険の標準報酬日額を支払う	その日の ÷ 所定労働 時間数

①〜③の計算方法は日単位の有給休暇にならい、就業規則に明記しておく。

Check! 慶弔休暇は有休扱い?

　休暇には労働基準法で定められた法定休暇（有給休暇や産前産後休業など）と各会社が独自に定めた法定外休暇があります。法定外休暇にはリフレッシュ休暇やバースデー休暇などがあり、実は慶弔休暇も法定外休暇なので制度について就業規則などで定めておかなくてはいけません。就業規則では休める慶弔休暇の日数のほか、その間が有給か無給かも明記しておきます。無給ならばわざわざ慶弔休暇を設定する必要はなさそうですが、「欠勤を回避する」という点で意義があります。仮に無給であっても急な葬儀出席のため会社を休んだ場合、それが勤怠上「慶弔休暇」か「欠勤」になるかで、出勤率の算定等の計算に影響するからです。

時間外労働時間の計算〜月給制の場合

- 勤怠欄で時間外労働の分類が正しくできていれば作業はスムーズ。
- 深夜労働の計算方法に注意。

時間外労働時間の種類によって計算式が異なる

　時間外労働時間の計算では、法定外、休日、深夜等の属性によって割増率が異なりますから、その属性を把握することが重要です。

　時間外労働時間の種類と適用ルールをきちんと理解して勤怠欄を作成（2章）していれば、支給欄の計算は計算式に当てはめていくことでスムーズにできます。

　計算式では給与を月平均所定労働時間で割ることで、1時間あたりの基礎賃金（割増賃金単価）を導きます。そこに時間外労働時間の種類ごとの割増率と時間外労働時間数を掛けると支給額が計算できます。

◆ 割増賃金の計算式（月給制）

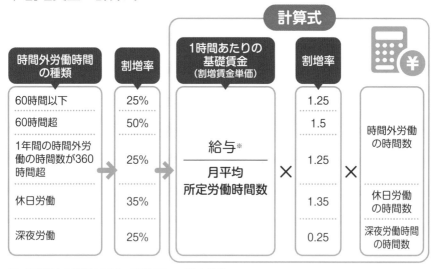

※ 割増賃金の計算に含めない手当（85ページ）に注意

 所定労働時間が法定労働時間以下：就業規則等で月の所定労働時間を140時間のように定めている場合は残業代の支払いは必要だが、**割増賃金（25%）の上乗せは不要**。

◆ 時間外労働時間の計算例

 各会社によって給与に手当をどこまで含めるか（割増賃金の計算に含めない手当・85 ページ）が異なるので注意。月平均所定労働時間の計算は 89〜91 ページ参照。

※1 円未満の端数は四捨五入。

ケース1

実際に計算してみましょう！

時間外労働時間の計算例（時間外労働が18時間の場合）

給与（基本給200,000円 ＋ 資格手当9,000円 ＝ 209,000円）
残業（18時間）
月平均所定労働時間（160時間）

$$\frac{209,000円}{160時間} \times 1.25 \begin{array}{l} =1632.8125円 \\ =1633円 \end{array} \times 18時間 = 29,394円$$

↓

時間外手当は29,394円

ケース2

実際に計算してみましょう！

時間外労働時間の計算例（時間外労働が16時間、うち深夜労働3時間の場合）

給与（基本給200,000円 ＋ 資格手当9,000円 ＝ 209,000円）
残業（16時間、うち深夜労働3時間）
月平均所定労働時間（160時間）

$$\frac{209,000円}{160時間} \times 1.25 \begin{array}{l} =1632.8125円 \\ =1633円 \end{array} \times 16時間 = 26,128円$$

↓

時間外手当は26,128円

次に深夜労働を計算

$$\frac{209,000円}{160時間} \times 0.25 \begin{array}{l} =326.5625円 \\ =327円 \end{array} \times 3時間 = 981円$$

↓

深夜労働手当は981円

→
時間外手当	深夜労働手当	割増賃金の合計は
26,128円 ＋	**981円** ＝	**27,109円**

⮑ 深夜労働の計算式で0.25を掛ける理由

96ページの「割増賃金の計算式」の表で、深夜労働だけ1の位が0の「0.25」になっています。これについて不思議に思った方もいらっしゃるのではないでしょうか？

なぜ「0」になるかというと、深夜労働以外の時間外労働と深夜労働の設定が異なるからです。

●時間外労働の「1」の意味

まず、深夜労働以外の時間外労働の計算をする場合、ベースとなる賃金の設定が必要となります。

◆ 時間外労働と深夜労働

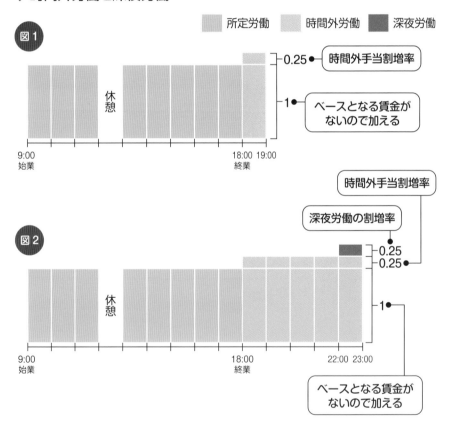

POINT **深夜労働の取り扱い：**深夜労働が時間外労働の場合・所定労働時間内の場合、どちらも手当を計算するときは「0.25」を掛ける。

この「ベース」が、つまり「1」の意味です。本来、仕事をする時間ではないため、所定労働時間には存在するベースの「1」が時間外労働では存在しないからです。

図1の時間外労働で「1」の部分を含めないと、時間外労働の割増分の25%しか支払わないことになってしまいます。そこで、計算式では1.25を掛けているのです。

●深夜労働の「0.25」の意味

一方、深夜労働は「ベースとなる賃金と時間外労働」の上に乗っかっているとみなします。

そこで、「ベースとなる賃金と時間外労働」と分けて「深夜労働」を計算することになります。

深夜労働でも「1」を含めて「1.25」を掛けてしまうと二重に支払うことになるので、ベースの「1」部分を含めず「0.25」を掛けるだけでよいのです。

Check! 所定労働時間に深夜労働が含まれているときは?

深夜労働が必ず時間外労働になるとは限りません。所定労働時間内に深夜労働が含まれている場合もあります。

そのような場合は深夜労働手当をどのように計算したらよいのでしょうか?
この場合も掛けるのは0.25だけです。

なぜなら、所定労働時間であればベースの「1」が存在し、その上に深夜労働がのっかっている状態です。時間外労働ではないため、深夜労働のみを計算すればよいので、「1」を含めず「0.25」だけを掛ければよいのです。

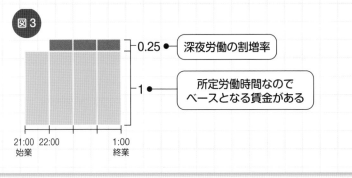

時間外労働時間の計算
〜日給・週給・時給制の場合

- 月給の時間外労働の手順と基本は同じ。
- 1時間あたりの基礎賃金を求めることからスタートする。

⏩ 時間外労働の割増率は共通

　日給・週給・時給制の時間外労働に対する最低の割増率は、月給制（96ページ）の場合同様、以下の内容になります。

◆ 時間外労働の割増率

時間外労働時間の種類	割増率
法定労働時間以下	0%
60時間以下	25%
60時間超	50%
1年間の時間外労働の時間数が360時間を超えた部分	25%
休日労働	35%
深夜労働	25%

　計算の考え方も共通で、1時間あたりの基礎賃金（割増賃金単価）を求め、割増率と残業時間数を掛けて支給額を計算します。給与を支払う期間の区切りが1日、1週、1時間と異なると、1時間あたりの基礎賃金の求め方が変わってくる点に注意しましょう。

⏩ 日給・週給制でも残業代は発生する

　日給や週給制は1日や1週間の給与があらかじめ決められていますが、だからといってその期間ならどれだけ働いてもよいわけではありません。日給・週給制であっても1日8時間、週40時間という法定労働時間の制限を受けるので、制限を超えた時間には割増賃金を含んだ残業代が発生します。

日給や週給と各種手当：日給や週給の他に固定の手当がある場合、除外できる範囲は月給の場合と同様（85ページ）。

また、1日や1週間の労働時間を就業規則などで定めていた場合、その時間を超えた分は残業代を支払う必要があります。

　例えば、日給制で1日の労働時間を6時間と定めていたなら、その時間を超えて労働した分については残業代を支払わなくてはいけません。

◆ 1時間あたりの基礎賃金の求め方

日給制 の場合の1時間あたりの基礎賃金の求め方

日給 ÷ 1週間の1日平均所定労働時間数

↑

1週間の所定労働時間を週所定労働日で割る

週給制 の場合の1時間あたりの基礎賃金の求め方

週給 ÷ 4週間における1週間平均所定労働時間数

↑

4週間の所定労働時間の合計を4で割る

時給 の場合の1時間あたりの基礎賃金の求め方

1時間あたりの基礎賃金 ＝ 時給

◆ 日給制の計算例

実際に計算してみましょう！

日給9,000円、時間外労働：3時間うち深夜労働2時間
1週間の所定労働時間：40時間　週所定労働日：5日

● 日給9,000円 ÷ 8時間 ＝ 1,125円　< 1時間あたりの基礎賃金 >
　　　　　　　（40時間÷5日）

● 時間外労働手当 ＝ 1,125円×1.25 ＝ 1,406.25円　×3時間 ＝ 4,218円
　　　　　　　　　　　　　　　　　　＝ 1,406円

● 深夜労働手当 ＝ 1,125円×0.25 ＝ 281.25円　×2時間 ＝ 562円
　　　　　　　　　　　　　　　　　＝ 281円

合算する

※1円未満の端数は四捨五入。

時間外労働時間の計算
〜変形労働時間制の場合

- 変形労働時間制では時間外労働時間の考え方が独特。
- 時間外労働時間の条件設定を理解すること。

➡ 時間外労働時間の考え方に注意

　変形労働時間制の時間外労働の計算では、「時間外労働時間のカウントの仕方」に独特のルールがありますので、変形労働時間制の種類別に説明していきます。時間外労働時間が確定したら、1時間あたりの基礎賃金（割増賃金単価）（前ページ）に残業の種類に応じた割増率と残業時間数を掛けて時間外労働手当を計算する手順は、ほかの給与形態と同様です。

➡ 1か月単位の変形労働時間制の時間外労働時間の求め方

　一定期間内の週の平均労働時間が40時間を超えた分に時間外労働手当を支払います。ただし、特例によって週の労働時間の上限が44時間に認められているのなら、44時間を超えた分が時間外労働となります。

　月ごとの法定労働時間の上限は以下のようになります。

◆ 月ごとの法定労働時間の上限

月の暦日数	週の法定労働時間40時間の場合	週の法定労働時間44時間の場合
28日	160.0時間	176.0時間
29日	165.7時間	182.2時間
30日	171.4時間	188.5時間
31日	177.1時間	194.8時間

　1か月単位の変形労働時間制の場合、次の①〜③の合計が時間外労働となり、手当の支払いが必要です。

①日ごとの時間外労働時間（所定労働時間が8時間を超えている日）

　所定労働時間が8時間を超えて設定されている日は、その所定労働時間を超えた分が時間外労働時間。所定労働時間が8時間以内に設定されてい

変形労働時間制の時間外労働：変形労働時間制は業務量の偏りに合わせて労働時間を柔軟に設定する。残業時間が抑制できなければ見直しが必要。

る日は、8時間を超えた分が時間外労働時間となります。

（例）所定労働時間9時間の日→9時間超から残業

所定労働時間7時間の日→8時間超から残業（7時間を超えた分の1時間は②の週ごと、または③の1か月ごとで足され割増対象となる）

②週ごとの時間外労働時間

所定労働時間が40（または44）時間を超えて設定されている週は、その所定労働時間を超えた分が時間外労働時間。所定労働時間が40（または44）時間以内に設定されているなら、40（または44）時間を超えた分が時間外労働時間となります。

③1か月ごとの時間外労働時間

月ごとの法定労働時間を超えて働いた時間が時間外労働時間。ただし、①、②で時間外労働とした分は除外します。

❯❯ 1年単位の変形労働時間制の時間外労働の求め方

1年単位の変形労働時間制は、年間休日カレンダーを会社で定めて協定届と一緒に労働基準監督署に届け出ます。時間外労働は、その年間カレンダーで定めた月ごとの所定時間を超えた分になります。

年間カレンダーで定める年間の所定労働時間の上限は、うるう年なら2091.4時間、それ以外の年は2085.7時間となります。

なお、変形労働時間で設定した繁忙期であっても1日10時間、1週52時間を超える労働時間を設定することはできず、1年当たりの労働日数も280日を超えることはできません（70ページ）。それを超えたものは、時間外労働の割増賃金の対象となります。

❯❯ 1週間単位の変形労働時間制の時間外労働の求め方

次の①～②の合計が時間外労働時間となります。

①日ごとの時間外労働時間（所定労働時間が8時間を超えている日）

1か月単位の変形労働時間制と同じ考え方です。

②週ごとの時間外労働時間

法定労働時間の40時間を超えた分が時間外労働時間となりますが、①で時間外労働時間とみなした分は含めません。

立替金の処理

- 給与支給時に立替金の精算を済ませて業務をスリム化。
- 現金の出し入れが減るとミスの予防にもなる。

⇨ 立替金の都度精算の負担感は？

　本来、会社が負担すべき経費を、従業員が一時的に立て替えることがあります（立替金）。

　こうした立替金を精算するためには、領収書とともに「立替金精算申請書」（次ページ）を従業員に提出してもらう必要があります。

　立替金は従業員の申請を待ってから支給するものですが、なかなか申請書類を提出してくれないなど、その実務は意外と遅くなるものです。

　しかし、これには注意が必要です。税務上、決算期ごとに接待交際費の範囲、経費の支払いに含まれている消費税の支払時期などの判断があるため、うっかりしていると、その期の経費にできない事態が発生します。このようなことを防ぐため、立替金は翌月までに処理すべきです。

⇨ 給与と一緒にまとめて精算のメリット

　立替額が大きい場合は速やかに精算すべきですが、個々人の精算額が1か月合計で大きくても数千円以内など、それほど生活に影響を与えるような金額でないのであれば、給与と一緒にまとめて支払うこともひとつの方法でしょう。会社にとっても従業員にとっても、互いに業務を簡略化できるというメリットがあります。

　立替金精算申請書の記載にあたって、次ページのようなルールを定めておくと安心です。

　立替金は給与明細では支給欄に「立替返済金」「立替経費」などの項目を立てて支給しますが、給与とはまったく性格の異なるものです。当然ながら、保険料や税金の控除、年末調整（4章）などの計算には含めません。別枠で処理し、社会保険、雇用保険の対象外とします。

　仮払金：金額の大きな出張や接待の際の費用としてあらかじめ従業員に渡すもの。一時的であれ従業員が費用を負担する必要はなくなる。その後、使った分との差額の精算が必要。

立替金精算のルール

- 科目名を定める
- 締切（給与の締め日と同じにする等）を設定する
- 立替期間を定める（1か月以内に精算する等）
- 立替金額の上限を定める（一定金額以上は**仮払金**で対応等）

申請は「月に1回、給料の締め日3日前から締め日まで受付」等のルールを定める。

添付する領収書の内容と齟齬がないように。

◆ 立替金精算申請書の例

申請日　20×× 年 3 月 31 日

20×× 年 3 月分　立替金精算申請書

部署名	
申請者名	

立替日	科目	相手先	金額	内容
3月10日	会議費	新星ホテル	2,200	打合せ時お茶代
		会議費計	2,200	
3月12日	交通費	新星タクシー	1,560	会社→A 社（新宿）
		交通費計	1,560	
3月23日	消耗品費	新星文具	1,100	USB メモリー
		消耗品費計	1,100	
合計				

※1　領収書を添付してください。
※2　科目ごとに小計を出してから合計を記入し…

科目名を定め、そのルールに則って記載してもらう。
【例】
会議費（社内や取引先との打合せで発生した費用）
接待交際費（手土産、接待飲食代など）
交通費（公共交通機関の運賃、タクシー代、ガソリン代、高速費用など）
消耗品費（文房具、USBメモリー、電池、電球など）
通信費（切手・ハガキ、商品発送でない郵便・宅急便代など）

領収書の宛名は「上」は不可とすると定めておく。

3章　給与計算その2　～支給欄と控除欄

給与から控除する項目

- 給与から天引きする控除は、法定控除と協定控除の二種類。
- 法定控除はさらに社会保険と税金に分けられる。

「控除」は賃金支払いの五原則の例外

労働基準法の賃金支払いの五原則（20ページ）に従って、会社は従業員に対して給与を「通貨で、全額、直接、毎月1回以上、一定期日」で支払わなくてはいけません。

しかし、全額払いの例外として給与からさまざまな控除を天引きすることが認められています。

控除には、法律に基づいて控除される**法定控除**と、会社と従業員の間の取り決めにおいて控除される協定控除があります。

控除の種類

●法定控除（広義の社会保険）
法定控除は社会保険（「狭義の社会保険」と「労働保険」）と税金に分けられる。

◎**狭義の社会保険**
狭義の社会保険である健康保険、介護保険、厚生年金保険。

◎**労働保険**
雇用保険。労働保険には労災保険も含まれるが、会社だけが保険料を負担するので従業員からの控除はない。

◎**税金**
所得税、住民税。

●協定控除
協定控除は労使協定で定められた財形貯蓄、組合費などが該当する。

なお、令和6（2024）年6月以降の給与等について、定額減税も控除項目に明記が必要になりました。

 法定控除：法定控除の料率や税率は、保険や税金の種類ごとに異なる。

◆ 給与から控除される項目

	控除項目	内容	控除額
法定控除（広義の社会保険） — 狭義の社会保険	健康保険料（次節）	会社が半額負担。病気やけがの医療費の負担を軽減する。病気やけがによる休業や出産の際に給付金がある。	標準報酬月額（次ページ）を基準に算出。
	介護保険料（次節）	会社が半額負担。40～64歳まで納付。寝たきりや認知症など、自力での生活が困難になったときサービスが受けられる。	標準報酬月額を基準に算出。
	厚生年金保険料（次節）	会社が半額負担。69歳まで納付。定年後の年金、現役中の障害、死亡時に各種年金を受給できる。	標準報酬月額を基準に算出。
労働保険	雇用保険料（112ページ）	会社が3分の2程度を負担。失業保険や職探しの支援を受けられる。	給与総支給額を基準に算出。
税金	所得税（114ページ）	扶養親族の確認が必要。正式な確定額は年末調整で決定。	給与総支給額－非課税給与－社会保険料控除額をもとに算出。
	住民税（118ページ）	前年度の所得に応じて決定された住民税を6月から翌年5月に控除。	「給与支払報告書」を従業員の市区町村に送付→住民税額が記載された「特別徴収税額通知書」に基づいて控除。
協定控除	会社独自のもの（120ページ）	労使協定の締結が必要。	控除額は任意。財形貯蓄、組合費、団体加入生命保険料など。

保険料のなかには、
「子ども・子育て拠出金」（122ページ）や
「労災保険」のように
会社側だけが負担するものもあるよ。

健康保険、介護保険、厚生年金保険

- 保険料を決定するのは標準報酬月額。
- 保険によって保険料率が異なる。

⊙ 保険料は標準報酬月額で決まる

　給与から控除される健康保険、介護保険、厚生年金保険の保険料は、標準報酬月額に保険料率を掛けて計算します。

　協会けんぽに加入している場合は、都道府県ごとに毎年発表される「健康保険・厚生年金保険の保険料額表」で等級、標準報酬月額、報酬月額、料率、負担する保険料がわかるようになっています。

　標準報酬月額と報酬月額には以下の違いがあります。

標準報酬月額	保険料の算出の基準となる額。
報酬月額	1か月に支払う給与。

　標準報酬月額と報酬月額、料率や負担する保険料は、「等級」によってまとめられています。標準報酬月額は健康保険では50等級、厚生年金では32等級の区分があります。

Check! ▶ **パートやアルバイトの社会保険の加入要件**

社会保険に加入している従業員数が100人以下の企業の場合、**週の所定労働時間、および月の所定労働日数が、正社員の4分の3以上なら社会保険の加入**が必要です。
101人以上の企業の場合は、以下の要件すべてに含まれる人は加入しなければなりません。
①1週間あたり20時間以上。②1か月あたりの決まった賃金が88,000円以上。
③雇用期間の見込みが2か月超。④学生（夜間、通信、定時制の学生を除く）でないこと。
※令和6（2024）年10月からは、従業員数51人以上なら上記の人が加入の対象に。

WORD **協会けんぽ**：全国健康保険協会。平成20（2008）年より社会保険庁に代わって中小企業対象の健康保険を運営している。

🔊 標準報酬月額はいつ決まる？

保険料控除の計算の基本となる標準報酬月額は、次のようなタイミングで決定・改定をおこないます。

▎標準報酬月額決定・改定のタイミング

●資格取得時の決定（268ページ）
新規に被保険者の資格を取得したとき。資格取得届に届け出た額をもとにした1か月の報酬の見込み額を標準報酬月額の等級区分に当てはめて保険料を決定します。

●定時決定（192ページ）
7月1日時点の被保険者に関して、4、5、6月の給与の平均額を標準報酬月額の等級区分に当てはめて、その年の9月から翌年8月までの保険料を決定します。

●随時改定（196ページ）
昇給などで給与が変動した場合、変動月以後3か月の給与の平均額を標準報酬月額の等級区分に当てはめたとき、現在の等級と2等級以上の差があったら改定します。

●育児休業等終了時改定（242ページ）
育児休業等を終えたあと手取り額が下がった場合、固定的給与が変動していなくても、現在の標準報酬月額と1等級以上の差が生じているのなら改定します。

🔊 健康保険は運営主体で保険料率が異なる

会社や業種によって健康保険組合か協会けんぽに加入しますが、運営主体によって保険料率は違います。

健康保険組合は独自に保険料率を定めていますし、多くの中小企業の従業員が加入する協会けんぽの保険料率は都道府県によって異なるといった具合です。

保険料は会社と従業員が半分ずつ負担し、給与明細には**従業員の負担分**だけを記載します。

🔊 介護保険は40歳から

介護保険料を控除するのは40歳以上65歳未満の従業員です。40歳の誕生日の前日が属する月から保険料の支払義務が発生し、健康保険料と一緒に給料から天引きされます。

⊙⊙ 厚生年金の保険料率は固定

　以前、厚生年金保険料は毎年引きあげられていましたが、現在は
183/1,000に固定され、18.3％の保険料率となりました。

　厚生年金基金は独自の保険料率が定められています。

◆ 保険料額表の見方

健康保険の等級。
（　）は厚生年金
保険の等級。

令和6年3月分（4月納付分）からの健康

・健康保険料率：令和6年3月分〜　適用　　　・厚生年金保険料率：平成
・介護保険料率：令和6年3月分〜　適用　　　・子ども・子育て拠出金率：

（東京都）

標準報酬		報酬月額		全国健康保険協会	
				介護保険第2号被保険者 に該当しない場合	
				9.98%	
等級	月額			全額	折半額
		円以上	円未満		
1	58,000	〜	63,000	5,788.4	2,894.2
2	68,000	63,000 〜	73,000	6,786.4	3,393.2
3	78,000	73,000 〜	83,000	7,784.4	3,892.2
4(1)	88,000	83,000 〜	93,000	8,782.4	4,391.2
5(2)	98,000	93,000 〜	101,000	9,780.4	4,890.2
6(3)	104,000	101,000 〜	107,000	10,379.2	5,189.6
7(4)	110,000	107,000 〜	114,000	10,978.0	5,489.0
8(5)	118,000	114,000 〜	122,000	11,776.4	5,888.2
9(6)	126,000	122,000 〜	130,000	12,574.8	6,287.4
10(7)	134,000	130,000 〜	138,000	13,373.2	6,686.6
11(8)	142,000	138,000 〜	146,000	14,171.6	7,085.8
12(9)	150,000	146,000 〜	155,000	14,970.0	7,485.0
13(10)	160,000	155,000 〜	165,000	15,968.0	7,984.0
14(11)	170,000	165,000 〜	175,000	16,966.0	8,483.0
15(12)	180,000	175,000 〜	185,000	17,964.0	8,982.0
16(13)	190,000	185,000 〜	195,000	18,962.0	9,481.0
			210,000	19,960.0	9,980.0
			230,000	21,956.0	10,978.0

標準報酬月額（4、5、6月の給与の平均）が180,000円、
介護保険第2号被保険者に該当する従業員の場合、健康保
険の等級は15で控除額は10,422円、厚生年金保険の等級
は12で控除額は16,470円。会社も同額負担する。

WORD　**介護保険第2号被保険者：**介護保険の被保険者は、65歳以上の「第1号被保険者」（保険料は、
受け取る年金より控除）と、40歳から64歳までの「第2号被保険者」に分けられる。

◆ 控除額の求め方

- 健康保険料　＝　標準報酬月額　× 健康保険料率　× $\frac{1}{2}$
- 介護保険料　＝　標準報酬月額　× 介護保険料率　× $\frac{1}{2}$
- 厚生年金保険料　＝　標準報酬月額　× 厚生年金保険料率　× $\frac{1}{2}$

介護保険第2号被保険者に該当しない→40歳未満または65歳以上
の従業員（健康保険料率（9.98%））
介護保険第2号被保険者に該当する→40歳から64歳の従業員（健
康保険料率（9.98%）に介護保険料率（1.60%）を加えた11.58%）

保険・厚生年金保険の保険料額表

9年9月分〜　適用
令和2年4月分〜　適用

（単位：円）

管掌健康保険料		厚生年金保険料（厚生年金基金加入員を除く）	
介護保険第2号被保険者に該当する場合 **11.58%**		一般、坑内員・船員 **18.300%※**	
全　額	折半額	全　額	折半額
6,716.4	3,358.2		
7,874.4	3,937.2		
9,032.4	4,516.2		
10,190.4	5,095.2	16,104.00	8,052.00
11,348.4	5,674.2	17,934.00	8,967.00
12,043.2	6,021.6	19,032.00	9,516.00
12,738.0	6,369.0	20,130.00	10,065.00
13,664.4	6,832.2	21,594.00	10,797.00
14,590.8	7,295.4	23,058.00	11,529.00
15,517.2	7,758.6	24,522.00	12,261.00
16,443.6	8,221.8	25,986.00	12,993.00
17,370.0	8,685.0	27,450.00	13,725.00
18,528.0	9,264.0	29,280.00	14,640.00
19,686.0	9,843.0	31,110.00	15,555.00
20,844.0	10,422.0	32,940.00	16,470.00
22,002.0	11,001.0	34,770.00	17,385.00
23,160.0	11,580.0	36,600.00	18,300.00
25,476.0	12,738.0	40,260.00	20,130.00

給与からの控除額。

※本人負担分の1円未満の端数は五捨六入。

雇用保険

- 給与に雇用保険料率を掛けて雇用保険料を求める。
- 給与が変われば雇用保険料も変わる。

雇用保険料は毎月変動

　前節の健康保険、介護保険、厚生年金保険では、標準報酬月額から毎月の保険料を計算し、一年間一定の保険料を毎月控除しました。

　一方、雇用保険には標準報酬月額にあたるものはなく、毎月の給与総額に雇用保険料率を掛けて計算します。給与が変動したら当然保険料も変わるのです。また、給与に掛ける保険料率も事業の種類によって異なりますから注意しましょう。

　毎月変動する給与に事業の種類ごとの雇用保険料率を掛けて算出した雇用保険料を、給与明細の控除欄に記載します。1円未満の端数が出た場合は、50銭以下は切り捨て、50銭1厘以上は切り上げで処理しますが、労使協定で端数処理に関する記載がある場合はそちらに従います。

　雇用保険料は従業員の給与から毎月控除しますが、申告・納付は年に一回です（年度更新：208ページ）。

雇用保険の対象者

　以前は高齢の従業員に対しては、雇用保険料が免除されていましたが、現在はすべての従業員から雇用保険料を徴収することになっています。

　パートやアルバイトの場合、次の①②のどちらにも該当した場合は被保険者となりますので、雇用保険料の徴収が必要となります。

　①31日以上引き続き雇用されることが見込まれる
　②1週間の所定労働時間が20時間以上

雇用保険二事業：「雇用安定事業」と「能力開発事業」の二事業のことで、失業の予防、雇用機会拡大、労働者の能力開発等を目的としている。

日雇い労働者でも、左の①②に該当するなら雇用保険に加入できますが、該当しない場合は個人的に雇用保険の申請をしなくてはいけません。その場合も会社が雇用保険の適用（事業所）になっていることが条件となります。

64歳以上も雇用保険の対象に。

◆ 雇用保険料率

従業員は失業等給付・育児休業給付の保険料率のみ。

会社は失業等給付・育児休業給付の保険料率と**雇用保険二事業**の保険料率を負担。

事業の種類＼負担者	①従業員負担	②事業主負担	失業等給付・育児休業給付の保険料率	雇用保険二事業の保険料率	①＋②雇用保険料率
一般の事業	6／1,000	9.5／1,000	6／1,000	3.5／1,000	15.5／1,000
農林水産・清酒製造業	7／1,000	10.5／1,000	7／1,000	3.5／1,000	17.5／1,000
建設業	7／1,000	11.5／1,000	7／1,000	4.5／1,000	18.5／1,000

※令和6（2024）年4月〜翌3月末の料率

◆ 雇用保険の控除額の求め方

給与 280,505 円、一般の事業の場合

$$280,505 × 6／1,000 = \boxed{1,683.03 円}$$

50銭以下は切り捨て、50銭1厘以上は切り上げ

雇用保険料1,683円

源泉所得税

- 非課税支給額の内訳を整理しておくこと。
- 扶養親族の算定は複雑なので丁寧に確認する。

➡ 給与から天引きする所得税

給与明細書の控除欄にも「所得税」と記載され、一般的にもそう呼ばれることが多いのですが、正しくは源泉徴収所得税です。「源泉徴収」とは所得税を天引きすることです。会社は従業員に支払う給与や賞与から所得税を源泉徴収し、あとでまとめて国に納付します。ですから、会社が月々源泉徴収する所得税のことを源泉所得税というのです。

➡ 最初に課税支給額を計算する

源泉所得税の計算では、最初に課税支給額を次のように計算します。

課税支給額 ＝ 総支給額 ― 非課税支給額

非課税支給額は通勤手当の非課税分（87ページ）のほか、出張費、宿日直手当、結婚祝金などがあります。

➡ 次に課税対象額を計算し、税額表に当てはめる

課税対象額は次の式で求めます。

課税対象額 ＝ 課税支給額 ― 社会保険料合計額

課税対象額を「給与所得の源泉徴収税額表」（117ページ）に当てはめると源泉所得税額がわかります。

 源泉徴収義務者：弁護士や税理士等に報酬を支払う際も源泉徴収をする。支払金額に応じた所得税を徴収、原則翌月10日までに国に納付する（124ページ欄外）。

月払いの場合は源泉徴収税額表の月額表、日払いなどは日額表の対象となります。また、「給与所得者の扶養控除等（異動）申告書」（148ページ）を提出している社員は甲欄を、提出していなければ乙欄を参照します。

◆ 源泉所得税額の計算手順

ステップ1 | 課税支給額 ＝ 総支給額 ― 非課税支給額※

※非課税支給額
●通勤手当の非課税分　●出張費　●宿日直手当　●仕事に必要な研修費　など

ステップ2 | 課税対象額 ＝ 課税支給額 ― 社会保険料合計額※

※社会保険料合計額
●健康保険料、介護保険料、厚生年金保険料、雇用保険料の本人負担分の合計

ステップ3 | 課税対象額を源泉徴収税額表に当てはめる

給与を　●月ごと
　　　　●半月ごと、10日ごと
　　　　　で支払う従業員

給与を　●毎日
　　　　●週ごと
　　　　●日割り
　　　　　で支払う従業員

源泉徴収税額表（月額表） | **源泉徴収税額表（日額表）**

●「給与所得者の扶養控除等申告書」を提出している従業員→甲欄参照
●その他の従業員→乙欄参照

⏩ 扶養親族の数に注意

　源泉所得税額に大きくかかわってくる扶養親族ですが、その範囲や数え方にはルールがあります。

▎扶養親族の4つの要件

① 配偶者以外の親族（6親等内の血族および3親等内の姻族）。または都道府県知事から養育を委託された児童（里子）や市町村長から養護を委託された老人。

② 納税者と生計が一緒であること。

③ 年間の合計所得金額が48万円以下。給与のみの場合は103万円以下。

④ 青色申告者の事業専従者（個人事業主と生計が一緒の配偶者や16歳以上の親族のこと）としてその年に一度も給与の支払を受けていない。
　または白色申告者の事業専従者でない。

次の「①配偶者にかかわる扶養親族等の数の算定方法」と「②配偶者以外の扶養親族等の数の算定方法」の合計が、源泉徴収税額表の甲欄の「扶養親族等の数」となります。

◆ ①配偶者にかかわる扶養親族等の数の算定方法

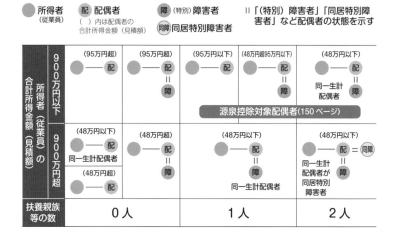

◆ ②配偶者以外の扶養親族等の数の算定方法

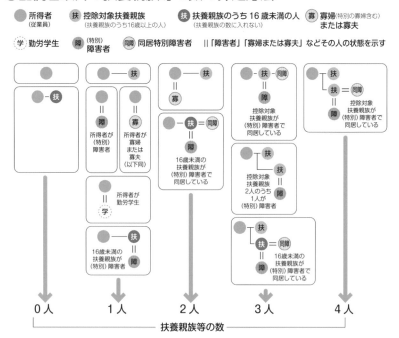

POINT **特別障害者**：身体障害者手帳に一級または二級、精神障害者保健福祉手帳に一級の記載がある。その他、複雑な介護が必要な人。それ以外は「障害者」。

◆ 源泉所得税額の求め方

総支給額‥‥‥‥‥‥‥‥270,000 円
非課税支給額‥‥‥‥‥‥‥10,000 円
社会保険料雇用保険料控除額‥‥‥‥35,000 円
扶養親族等‥‥‥‥‥‥‥‥‥‥‥‥1 人　　　の場合

ステップ①
課税支給額を計算　270,000 − 10,000 = 260,000

ステップ②
課税対象額を計算　260,000 − 35,000 = 225,000

ステップ③
課税対象額「225,000 円」
と扶養親族等の数を源泉徴収　→　源泉所得税額は
税額表に当てはめる　　　　　　　4,060円

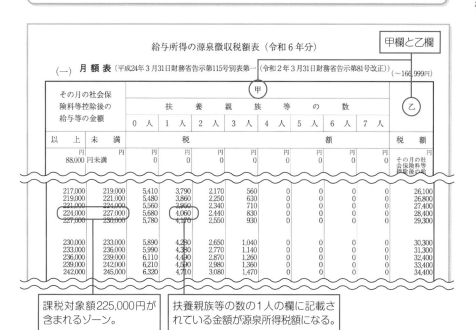

甲欄と乙欄

給与所得の源泉徴収税額表（令和6年分）

（一）　**月 額 表**（平成24年3月31日財務省告示第115号別表第一）（令和2年3月31日財務省告示第81号改正））（〜166,999円）

その月の社会保険料等控除後の給与等の金額		甲								乙
		扶　養　親　族　等　の　数								
		0 人	1 人	2 人	3 人	4 人	5 人	6 人	7 人	
以　上	未　満	税							額	税　額
円 88,000 円未満	円	円 0	円 0	円 0	円 0	円 0	円 0	円 0	円 0	その月の社会保険料等控除後の金額
217,000	219,000	5,410	3,790	2,170	560	0	0	0	0	26,100
219,000	221,000	5,480	3,860	2,250	630	0	0	0	0	26,800
221,000	224,000	5,560	3,950	2,340	710	0	0	0	0	27,400
224,000	227,000	5,680	4,060	2,440	830	0	0	0	0	28,400
227,000	230,000	5,780	4,170	2,550	930	0	0	0	0	29,300
230,000	233,000	5,890	4,280	2,650	1,040	0	0	0	0	30,300
233,000	236,000	5,990	4,380	2,770	1,140	0	0	0	0	31,300
236,000	239,000	6,110	4,490	2,870	1,260	0	0	0	0	32,400
239,000	242,000	6,210	4,590	2,980	1,360	0	0	0	0	33,400
242,000	245,000	6,320	4,710	3,080	1,470	0	0	0	0	34,400

課税対象額225,000円が含まれるゾーン。

扶養親族等の数の1人の欄に記載されている金額が源泉所得税額になる。

住民税

- 納付税額は市区町村が計算。
- 給与支払報告書の提出と月々の納付が必要な作業。

⇒ 前年度の所得に対して課税される

住民税は市区町村民税と都道府県民税の総称です。従業員が納付する税額は、会社が提出した給与支払報告書（182ページ）をもとに市区町村が算出します。給与支払報告書とは、従業員の前年（1月1日から12月31日まで）の給与を記したもので、会社は毎年1月31日までに市区町村に提出しなくてはいけません。

その計算結果は「特別徴収税額決定通知書」として5月に会社に届きますので、そこに記された税額を6月の給料から控除していきます。

なお、令和6（2024）年6月分〜翌年5月分については、定額減税を含めて計算された住民税額になっています。

⇒ 12か月に分割して給与から天引き

住民税は総額を12分割して月々の給与から天引きしますが、端数が出た場合は6月分に加算して調整するので、6月は他の月より住民税の控除額が多くなります。令和6（2024）年の6月は定額減税のため0（ゼロ）となっていることもあります。

会社は天引きした住民税を翌月の10日までに市区町村に納付しますが、従業員が10人以下の事業所は、市区町村の承認が得られれば毎月ではなく年2回の納付で済ませることもできます（**納期の特例**）。

⇒ 特別徴収は事業主としての義務

住民税の納付方法には普通徴収と特別徴収があります（15ページ）。普通徴収は従業員が直接市区町村に税金を納付するもので、特別徴収は給与から天引きした税金を会社が市区町村に納付します。

 納期の特例：納期の特例に関する承認申請書を提出することで、毎月ではなく年2回の納付で済ますことができる。ただし、給与からは毎月差し引く。

事業者（会社）は法令によって特別徴収をしなければならないので、従業員の希望があっても普通徴収を選択することはできません。

◆ 普通徴収と特別徴収

普通徴収	→	**従業員本人**が市区町村に直接納付（給与からの天引きなし）。**原則的に認められない。**
特別徴収	→	**会社**が給与から天引きした税金を市区町村に納付。**法令によって定められている。**

ただし、例外的に普通徴収が認められるケースもあります。

┃普通徴収が認められるケース

- 退職者、5月末までに退職予定の従業員
- 給与の毎月支給額が少なく特別徴収しきれない従業員
- 給与が毎月は支給されない従業員
- 他の事業主から特別徴収されている従業員（117ページ表の乙欄の該当者）
- 従業員が2人以下の事業所

※市区町村によって条件が異なる場合がある。

◆ 特別徴収の流れ

（特別徴収義務者）

① 1月31日までに給与支払報告書の提出。
② 税額の計算。
③ 5月31日までに特別徴収税額決定通知書の送付。
④ 5月31日までに特別徴収税額決定通知書の配布。
⑤ 6月から翌年5月まで給与から住民税を天引き。
⑥ 翌月10日までに住民税を納付。

協定控除

- 協定控除の内容は労使間で取り決める。
- 協定控除の労使協定は労働基準監督署へ届出不要。

協定控除とは

給与明細の控除欄に記載する健康保険・介護保険・厚生年金保険（108ページ）、雇用保険（112ページ）、源泉所得税（114ページ）、住民税（118ページ）は法定控除に含まれるもので、税率などは法的に定められています。

一方、協定控除は会社と従業員とのあいだの取り決めによって控除されるものです。会社によってその項目はさまざまですが一般的には以下のようなものがあります。

協定控除の種類

- 財形貯蓄
- 社内預金
- 労働組合費
- 互助会費
- 食事代
- クリーニング代
- 社宅使用料
- 団体生命保険料　など

労使協定で定めればなんでも控除できるわけではなく、社会的に認められる範囲でなければいけません。

協定控除は労使協定が必要

協定控除を定める場合は、従業員の過半数で組織する労働組合、または労働組合がない場合は従業員の過半数を代表する者と会社が書面による労使協定を結ぶ必要があります。

協定控除に関する労使協定の様式は任意となっており、労働基準監督署に届け出る必要はありません。**労使協定は免罰効果がある**というだけなので、実際に給与から控除する効力を持たせるためには就業規則等の定めも必要となります。

免罰効果：法律から逸脱する行為が違法とならない効果。労働基準監督署への届出がないと免罰効果が生じない協定もある。

◆ 協定控除の協定書

賃金控除に関する協定

株式会社新星産業 と 従業員代表　星新太郎 は労働基準法第２４条第１項但書に基づき賃金控除に関し、下記のとおり協定する。

記

１．株式会社新星産業は、毎月 １５ 日、賃金支払いの際次に掲げるものを控除して支払うことができる。

控除する日（月々の給与、賞与のみ等）を明記

(1)　財形貯蓄

(2)　互助会費

(3)　社宅使用料

(4)　社員販売代金

控除項目を具体的に記載

2. 1 について未払金を残したまま従業員が死亡または退職したときは、退職金支払の際、それぞれ控除することができる。

3. この協定は 令和○ 年 ○ 月 ○ 日から有効とする。

4. この協定は、何れかの当事者が　○○　日前に文書による破棄の通告をしない限り効力を有するものとする。

令和○ 年 ○ 月 ○ 日

会社代表者、従業員代表者がそれぞれ署名捺印

株式会社新星産業
代表取締役　新星　産一　㊞

従業員代表　星　新太郎　㊞

Check! 労働基準監督署への届出が不要の労使協定

労使協定には36協定（34ページ）や変形労働時間制（68ページ）などがあり、労働基準監督署へ届出が必要か否かは協定によって異なります。協定控除同様、労働基準監督署への届出が不要な協定に以下のものがあります。

フレックスタイム制に関する協定（71ページ）、割増賃金の支払いにかえて年次有給休暇を付与する協定、一斉休憩の適用除外に関する協定、育児休業制度の適用除外者に関する協定、介護休業制度の適用除外者に関する協定など。

健康保険、介護保険、厚生年金保険

- 社会保険料は従業員負担分と会社負担分を一括して納付。
- 会社だけが負担する拠出金も一緒に納付。

⊕ 前月分を当月末までに納付

　健康保険、介護保険、厚生年金保険などの保険料は、給与から控除した従業員負担分と会社負担分を合わせて、年金事務所または健康保険組合に納付します。

　年金事務所または健康保険組合から毎月20日頃に「保険料納入告知額・領収済通知書」が届くので、保険料の確認をしてください。

　記載されているのは前月分の保険料で、この金額を当月の給与から控除します。その後、当月末までに会社負担分と合わせて前月分の社会保険料を納付します。協会けんぽの場合は翌月10日までに納付します。

納付金額が大きいので連休を挟んだときなどの期限に留意しましょう。

　ちなみに、翌月に納付した社会保険料は当月の経費として認められます。

⊕ 子ども・子育て拠出金は会社だけが負担

　通知書には子ども・子育て拠出金という項目がありますが、これは会社が全額負担するものなので給与明細には記載しません。

　子ども・子育て拠出金の納付義務は従業員の養育実績とは無関係です。子育てをしている従業員が皆無であっても、厚生年金保険に加入している従業員がいれば、その人数分の拠出金を納付します。

　社会保険料と一緒に納付しますが、実態としては子育て支援のためにあてられる「税金」です。令和5（2023）年度の拠出金率は0.36％で、この拠出金率は0.45％まで段階的に引きあげられていく見込みです。

子ども・子育て拠出金：拠出金は「厚生年金保険の標準報酬月額（110ページ）×子ども・子育て拠出金の拠出金率」で算出する。

◆ 社会保険料納付スケジュールの例

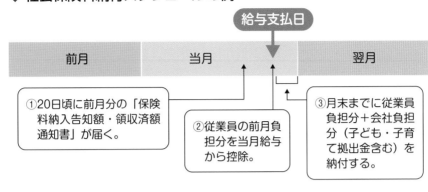

①20日頃に前月分の「保険料納入告知額・領収済額通知書」が届く。

②従業員の前月負担分を当月給与から控除。

③月末までに従業員負担分＋会社負担分（子ども・子育て拠出金含む）を納付する。

◆ 保険料納入告知額・領収済額通知書

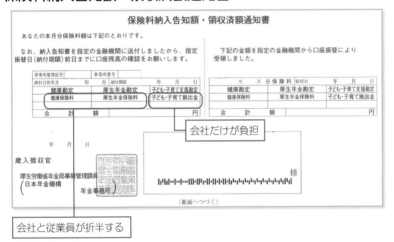

会社だけが負担

会社と従業員が折半する

Check! 労働保険料は年1回納付

雇用保険と労災保険料を合わせた「労働保険料」は年に1回労働局に納付します。年度当初に概算で申告・納付しておき、翌年度に確定した差額を精算します。つまり、事業主は前年度の確定保険料の差額と当年度の概算保険料を併せて申告・納付することになり、これを年度更新（208ページ）といいます。

所得税

- 給与以外の支払いから源泉徴収した所得税があれば一緒に納付する。
- 計算書は税務署等であらかじめ入手しておく。

⮞ 基本は毎月納付、特例を受ければ年2回

　従業員の給与から源泉徴収した所得税は、給与支給日の翌月10日までに管轄の税務署に納付しなくてはいけません。

　ただし、給与の支給人員が常時10人未満の源泉徴収義務者（114ページ欄外）は所轄税務署に源泉所得税の納期の特例を申請して承認を受けると、納付期限が年2回になります。

┃源泉所得税の納期の特例

通常…給料や報酬などを支払った月の翌月10日まで源泉徴収した所得税を納付。

特例を受けている場合…1月から6月支払分 ➡ 7月10日までに納付。

　　　　　　　　　　　7月から12月支払分➡翌年の1月20日までに納付。

　納期の特例の要件に該当しなくなった場合は「源泉所得税の納期の特例の要件に該当しなくなったことの届出書」を提出しなくてはいけません。

⮞ 給与以外に報酬等から源泉徴収した所得税も一緒に納付

　給与以外に、退職金、弁護士・税理士・社会保険労務士への報酬・料金等から源泉徴収した所得税も一緒に納付します。

　その際、「所得税徴収高計算書」に必要事項を記載して金融機関で払い込みますが、「所得税徴収高計算書」はコピー等は認められていないので、税務署の窓口に行くか郵送依頼するなどして入手したものを使用してください。納期の特例を受けている場合は様式が異なります。

　「所得税徴収高計算書」には種類があり、源泉徴収した所得税の納付には「給与所得・退職所得等の所得税徴収高計算書（納付書）」を使用します。

　税理士等の報酬の源泉徴収：支払額100万以下なら源泉徴収税額＝支払額×10.21%。100万円超なら源泉徴収税額＝（支払額─100万円）×20.42%＋102,100円。

◆ 給与所得・退職所得等の所得税徴収高計算書（納付書）の書き方

区分は、
給与→「俸給・給料等」。
社会保険労務士等への報酬
→「税理士等の報酬」。

所轄の税務署名。

給与や報酬を支払った年月。

給与や報酬を支払った年月日。

給与や報酬を支払った人数。

税務署から割り振られた整理番号。

源泉徴収する前の額を記入。

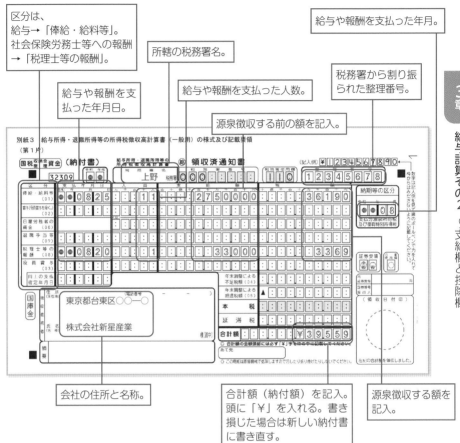

会社の住所と名称。

合計額（納付額）を記入。頭に「¥」を入れる。書き損じた場合は新しい納付書に書き直す。

源泉徴収する額を記入。

納期限までに納付がない場合、つまり納付が遅れるだけで延滞税や不納付加算税などを負担しなくてはいけなくなるので余裕をもって準備しておきましょう。

Check! 延滞税と不納付加算税

延滞税は納付期限の翌月から納付するまでの日数に年利率を掛けて計算します。不納付加算税は延滞日数に関わらず、納付しなければいけない源泉所得税の10%となっています。

住民税

- 市区町村から届く特別徴収納入書で手続きをする。
- 従業員の居住地ごとに納付するので納付先が複数にわたることがある。

納入書を使って納付

　毎年5月に市区町村から「特別徴収税額決定通知書」と1年分の「特別徴収納入書」が届きます。特別徴収税額通知書で納税額を確認して給与から控除し、給与を支払った翌月10日までに納入書に必要事項を記載して金融機関に納付します。住民税も年2回の納付になる納期の特例があります（118ページ欄外）。

　給与から控除した所得税の納付先は会社を管轄する税務署ですが、住民税は従業員が住む市区町村ごとに納付しなくてはいけませんので、かなりの手間となってしまいます。代行サービスをおこなっている金融機関もあるので、そうしたサービスを活用して作業を効率化しましょう。

市区町村によって様式がちがう

　納入書の様式は市区町村によって異なります。従業員の居住地が複数の場合は、各々の市区町村からそれぞれの様式の納入書が送付されてきますが、内容に大きなちがいはありません。

　多くの市区町村で、一枚の紙面に3部記入する方式をとっています。複写式ではないので同じ内容を3部記入しなくてはいけません。

住民税は1月1日に住んでいる場所で課税

　従業員が引っ越しをした場合、市区町村に会社が届け出る必要はありません。住民税はその年の1月1日に居住している市区町村で課税されるので、引き続き届いた納入書に基づいて住民税を納付しましょう。

　居住地と住民票がある市区町村が異なる場合は、住民票がある市区町村に納付します。

 1月1日の居住地：従業員個人が住民税を直接市区町村に納付する普通徴収でも、その年の1月1日の居住地に納付する。

◆ 住民税特別徴収納入書の書き方

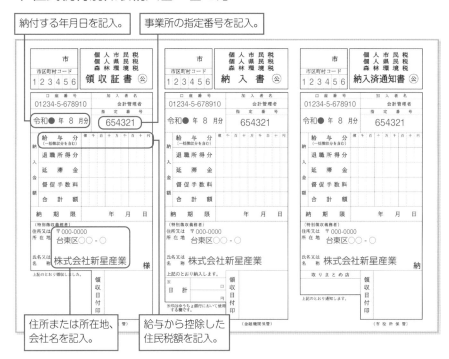

納付する年月日を記入。

事業所の指定番号を記入。

住所または所在地、会社名を記入。

給与から控除した住民税額を記入。

◆ 居住地と住民税の関係

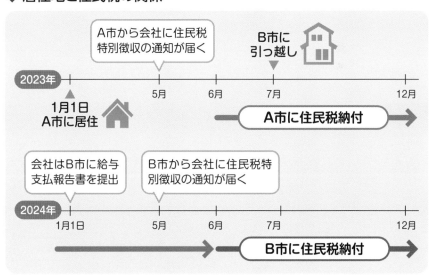

A市から会社に住民税特別徴収の通知が届く

B市に引っ越し

2023年

1月1日 A市に居住

5月　6月　7月　12月

A市に住民税納付

会社はB市に給与支払報告書を提出

B市から会社に住民税特別徴収の通知が届く

2024年

1月1日　5月　6月　7月　12月

B市に住民税納付

賞与計算の基本

- 給与と違って賞与の支給は義務ではない。支給する場合は就業規則で規定しておく。
- 控除の計算方法が給与とは異なる。

就業規則で支払対象や時期を規定

多くの会社で夏と冬の年2回、月々の給与とは別に賞与が支払われています。月々の給与と異なり、労働基準法などで支給が義務づけられているものではなく、各会社ごとに柔軟な制度設計が可能です。

賞与を支給する場合は、就業規則に支給時期、支給対象、賞与の算定基準、査定期間、支払方法等を明記しておきましょう。

就業規則での賞与に関する規定（例）

1. 賞与は原則として次の算定対象期間に在籍した労働者に対し、会社の業績等を勘案して7月と12月に支給する。ただし、会社の業績の著しい低下その他やむを得ない事由により、支給時期の延期、または支給しないことがある。

2. 算定対象期間
    7月支給　　前年12月から当年5月まで
    12月支給　　当年6月から当年11月まで

3. 賞与の額は会社の業績および労働者の勤務成績などを考慮して各人ごとに決定する。

※賞与の支給対象者を「支給日に在籍している者とする」規定を設けることで、期間の途中で退職等し、その日に在籍しない者には支給しないこととすることも可能。

働き方改革関連法によって同一労働同一賃金の対応が求められているので、賞与に関してもパート・契約社員と正社員とのバランスに配慮が必要です。

また、従来は基本給の◯か月分といった画一的な支給が一般的でしたが、最近は個人や会社の業績を反映させた業績連動型の賞与が採用されるケースが増えてきています。

 賞与に関する規定：従業員が10人未満で就業規則を作成していない場合も、労働契約締結時に明示する必要がある。

⊕ 賞与明細書の作成

　月々の給与と同様に、賞与にも賞与明細書が必要です。明細書の作成は給与と同様の手順になります。

　ただし、社会保険料や雇用保険料、源泉所得税の求め方が給与とは異なるので、次節以降で説明していきます。

◆ 賞与明細書

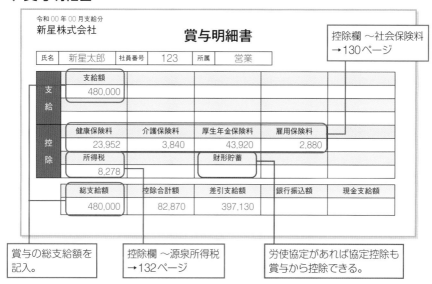

令和 00 年 00 月支給分
新星株式会社

賞与明細書

控除欄 〜社会保険料
→130ページ

氏名	新星太郎	社員番号	123	所属	営業

	支給額			
支給	480,000			

	健康保険料	介護保険料	厚生年金保険料	雇用保険料
控除	23,952	3,840	43,920	2,880
	所得税		財形貯蓄	
	8,278			

総支給額	控除合計額	差引支給額	銀行振込額	現金支給額
480,000	82,870	397,130		

賞与の総支給額を記入。

控除欄 〜源泉所得税
→132ページ

労使協定があれば協定控除も賞与から控除できる。

毎月の給与明細に含まれる勤怠欄はない。
差引支給額 ＝ 総支給額 − 控除合計額　となる。

Check! 「同一労働同一賃金」の考え方

近年、施行された働き方改革関連法により正社員とパート・契約社員との待遇を同等にすることが求められます。「待遇」とは給与・賞与だけでなく、安全管理、教育訓練、福利厚生（施設、社宅、慶弔休暇、病気休職など）なども含まれます。

控除欄 ～社会保険料

- 賞与の条件（労働の対価、年3回以下）を満たしている必要がある。
- 控除額を計算する際の賞与の額には上限がある。

標準賞与額で控除額を計算

　月々の給与から社会保険料を控除する場合は標準報酬月額（108ページ）に保険料率を掛けて計算しました（111ページ）。

　一方、賞与の場合は標準報酬月額ではなく、標準賞与額に保険料率を掛けて控除額を算出しますが、賞与として計算をするためには、次の条件に合致していなくてはいけません。

社会保険の対象となる賞与の条件

- 賃金、給料、俸給、手当、賞与などの名称に関わらず労働の対価として受けとるもの（結婚祝金、見舞金、退職金などは含まない）
- 年3回以下の支給のもの（4回以上は毎月の給与とみなされる）

　協会けんぽの場合、厚生年金保険の保険料率は18.3％で固定されていますが、健康保険は都道府県によって異なります（109 ～ 111ページ）。

　その他の健康保険組合などの保険料率は運営主体によって異なります。

支給額には上限がある

　標準賞与額は賞与額から1,000円未満の端数を切り捨てた額です。この額に健康保険・介護保険・厚生年金保険それぞれの保険料率を掛けると控除額が計算できます。

　標準賞与額には上限があり、その上限を超える額の賞与が支払われた場合は実際の支給額ではなく上限額で計算をするので、保険料が天井知らずで増えるようなことはありません。

介護保険の計算：40歳の誕生月と同じ月に賞与を支給する場合、支給日に従業員が40歳になっていなくても介護保険料を控除する。

賞与額の限度

健康保険 → 年度（4月1日〜3月31日）の累計額573万円
（年2回の賞与の総支給額合計が580万円だった場合➡573万円として計算する）

厚生年金保険 → 1回の支給が150万円
（1回の賞与の総支給額が160万円だった場合➡150万円として計算する）

●賞与の保険料を出す計算式

$$
\text{標準賞与額} \times
\begin{array}{c}
\text{健康保険}\\
\text{（介護保険含む）}\\
11.58\%^{※1}\\
\hline
\text{厚生年金保険}\\
18.3\%
\end{array}
\times \frac{1}{2} = \text{従業員の控除額と会社の負担額}^{※2}
$$

（賞与総支給額 1,000円未満切り捨て）

※1 健康保険料率は40歳未満の協会けんぽの東京支部（令和6年3月分（4月納付分））
※2 従業員の控除額の端数は50銭超切り上げ、50銭以下切り捨て。会社の負担額は保険料納入額から従業員の控除額を差し引いたもの。

Check! 雇用保険料は給与と同じ保険料率

給与と同様、賞与からも雇用保険料を控除する必要があります。計算方法は給与から雇用保険料を控除するときと同じです。

雇用保険料 = 賞与支給総額 × 被保険者負担分の雇用保険料率
（113ページ）

控除欄 ～源泉所得税

- 賞与から控除する社会保険料が確定したら源泉所得税の計算へ進む。
- 給与とは別に、賞与に対する税率がある。

⇛「賞与に対する源泉徴収税額の算出率の表」を使う場合

　賞与の社会保険料控除額が計算できたら、源泉所得税の計算ができるようになります。

　賞与から社会保険料を控除した額が源泉所得税のもととなる課税対象額となるからです。

　課税対象額に掛ける税率を求めるには前月の社会保険料等控除後の給与額が必要です。この給与額を「賞与に対する源泉徴収税額の算出率の表」に当てはめると税率がわかります。

　賞与の源泉所得税を計算する流れは以下の通りです。

◆ 賞与から控除する源泉徴収税額の計算方法

① 賞与総支給額 － 社会保険料 ＝ 課税対象額

② 賞与前月の社会保険料等控除後の給与額を「賞与に対する源泉徴収税額の算出率の表」に当てはめて税率を求める。

③ 課税対象額（①）× 税率（②）＝ 源泉所得税額

◆賞与の源泉所得税の求め方

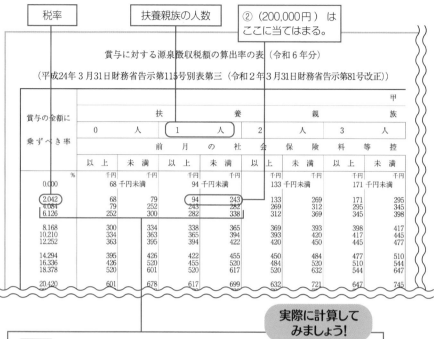

税率

扶養親族の人数

②（200,000円）はここに当てはまる。

賞与に対する源泉徴収税額の算出率の表（令和6年分）

（平成24年3月31日財務省告示第115号別表第三（令和2年3月31日財務省告示第81号改正））

甲

賞与の金額に乗ずべき率	扶 養		親 族					
	0 人		1 人		2 人		3 人	
	前 月 の 社 会 保 険 料 等 控							
	以 上	未 満	以 上	未 満	以 上	未 満	以 上	未 満
％	千円	千円	千円	千円	千円	千円	千円	千円
0.000	68 千円未満		94 千円未満		133 千円未満		171 千円未満	
2.042	68	79	94	243	133	269	171	295
4.084	79	252	243	282	269	312	295	345
6.126	252	300	282	338	312	369	345	398
8.168	300	334	338	365	369	393	398	417
10.210	334	363	365	394	393	420	417	445
12.252	363	395	394	422	420	450	445	477
14.294	395	426	422	455	450	484	477	510
16.336	426	520	455	520	484	520	510	544
18.378	520	601	520	617	520	632	544	647
20.420	601	678	617	699	632	721	647	745

実際に計算してみましょう！

扶養親族　1人
賞与総支給額　480,000円
社会保険料　74,592円
賞与前月の社会保険料等控除後の給与額　200,000円

① 課税対象額 ＝ 480,000円 － 74,592円 ＝ 405,408円

② 賞与前月の社会保険料等控除後の給与額「200,000円」を当てはめて税率を求める。

③ 405,408円 × 2.042% ＝ 8,278.43……円

→　源泉所得税額 8,278円　（1円未満は切り捨て）

社会保険料と源泉所得税の納付

- 賞与支給から5日以内に賞与に関する書類を年金事務所に提出。
- 賞与支給の翌月末までに保険料を納付する。

⏩ 年金事務所への届出と保険料の納付

　賞与の支給日から5日以内に「健康保険・厚生年金保険　被保険者賞与支払届」（以下「被保険者賞与支払届」）を年金事務所（または年金事務センター）に提出します。

　なお、令和3（2021）年3月までは総括表という書類の提出義務もありましたが、現在は廃止になっています。

⏩ 現物支給の賞与も記入

　「被保険者賞与支払届」には、賞与を支給した社員氏名、生年月日、金額などを記入します。

　賞与にかかる社会保険料を決めるだいじな書類ですので、賞与のあとは確実に作成・提出しましょう。賞与を現物支給した場合も記入しなくてはいけないので、支給した現物を金額に換算して記入してください。

　「被保険者賞与支払届」の提出後、翌月以降に給与と賞与の社会保険料を合算した「保険料納入告知額・領収済通知書」（123ページ）が届くので、賞与支払月の翌月末までに納付を済ませてください。

⏩ 賞与を支給しないときは？

　会社の業績の悪化等により、すべての被保険者、つまりパート・アルバイトを含めた社会保険に加入しているすべての従業員に対して賞与を支給しないことになった場合は、「賞与不支給報告書」を年金事務所（または年金事務センター）に提出しなければなりません。

　また、今後の賞与支給月に変更がある場合も、「賞与不支給報告書」を提出します。

 健康保険組合の保険料：健康保険組合に加入している場合も、賞与の手続き等は大きく変わらないが、運営主体によって保険料は微妙に変わる。

◆「健康保険 厚生年金保険　被保険者賞与支払届」の書き方

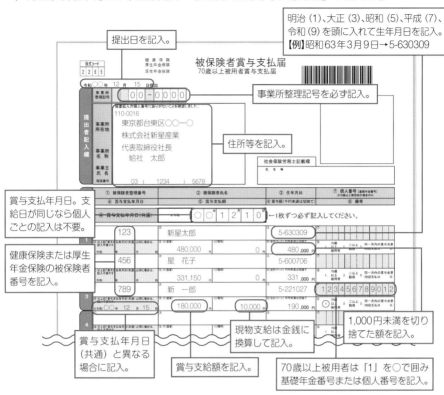

明治（1）、大正（3）、昭和（5）、平成（7）、令和（9）を頭に入れて生年月日を記入。
【例】昭和63年3月9日→5-630309

提出日を記入。

事業所整理記号を必ず記入。

住所等を記入。

賞与支払年月日。支給日が同じなら個人ごとの記入は不要。

健康保険または厚生年金保険の被保険者番号を記入。

賞与支払年月日（共通）と異なる場合に記入。

現物支給は金銭に換算して記入。

賞与支給額を記入。

1,000円未満を切り捨てた額を記入。

70歳以上被用者は「1」を○で囲み基礎年金番号または個人番号を記入。

◆「賞与不支給報告書」の書き方

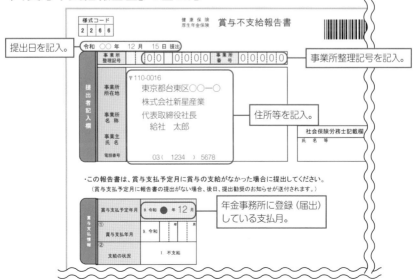

提出日を記入。

事業所整理記号を記入。

住所等を記入。

・この報告書は、賞与支払予定月に賞与の支給がなかった場合に提出してください。
（賞与支払予定月に報告書の提出がない場合、後日、提出勧奨のお知らせが送付されます。）

年金事務所に登録（届出）している支払月。

⮞ 源泉所得税の納付は翌月10日までに

　賞与から控除した社会保険料は月々の給与から控除した社会保険料と一緒に納付するように、賞与から控除した源泉所得税も給与の分と一緒に処理をします。

　賞与支払月の翌月10日までに納付しますが、「源泉所得税の納期の特例の承認」を受けている会社は**納付回数**が年に2回となります。

◆「給与所得・退職所得等の所得税徴収高計算書（納期特例分）」の書き方

「納期等の区分」欄に記入した期間内の各月ごとの実人員の合計数。

最初と最後の支払年月を記入。

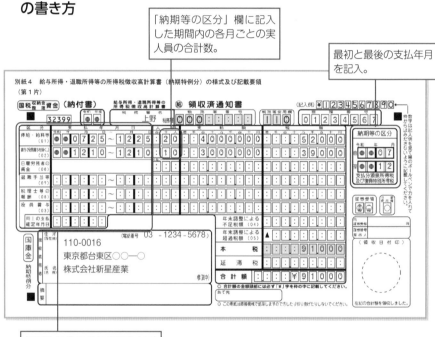

最初と最後の給与の支払年月日と賞与の支払年月日を記入。

WORD　**納付回数（期限）**：1～6月の給与・賞与は7月10日、7～12月の給与・賞与は翌年1月20日が納付期限となる。

4章

年末調整

年末調整とは

- 源泉所得税と本来納付すべき所得税の精算作業。
- 1年の最後におこなう給与計算の一大イベント。

⊙ 年末調整は会社員の確定申告

従業員に給与や賞与を支払うとき、会社は所得税を源泉徴収し、その後、国に納付します。

つまり、国の代わりに会社が所得税を徴収し、従業員に代わって国に納付をするのです。

年末調整は、「源泉所得税」と「本来納付すべき所得税」の過不足金額を計算し、精算する作業です。例えば、本来納付すべき所得税より源泉所得税のほうが多かった場合は差額を従業員に還付し、少なかった場合は追加徴収します。

年末調整とは、個人事業主やフリーランスが確定申告でおこなう一連の作業を、従業員の代わりに会社が代行するものといえます。

「源泉所得税」と「本来納付すべき所得税」に過不足があった場合

| 源泉所得税 | > | 本来納付すべき所得税 |

↓

差額分を従業員に返す（還付）

| 源泉所得税 | < | 本来納付すべき所得税 |

↓

差額分を従業員の給与から天引き（追加徴収）

POINT **年末調整できなかったら：** 従業員本人が確定申告をおこなう。確定申告の義務がない人でも還付され、納税が必要な場合は確定申告をおこない、納税する。

⟫ 給与額の変更等で過不足が生じる

　所得税は1月1日から12月31日で計算するので、毎月源泉徴収していた所得税はあくまでも概算であり、1年間の給与支払総額が確定した年末になって初めて正確な所得税額が算定できます。

　1年のうちに次のようなできごとがあると、源泉所得税と本来納付すべき所得税の間に差が生じます。

「源泉所得税」と「本来納付すべき所得税」に差が生じる理由

給与額が
変わった

扶養親族の
数が変わった

住宅ローン
控除がある

転職した

給与・賞与からの控除以外に
各種保険料を支払っている

Check! 会社員でも確定申告が必要なケース

確定申告は個人事業主やフリーランスだけがおこなうものではありません。以下に該当する場合は会社員でも確定申告が必要です。

●年末調整をして確定申告もする必要がある
①副業の収入が20万円を超えた。　②不動産を売却した。　③株取引で特定口座を指定していない。　など

●年末調整はせず確定申告が必要
①給与が2,000万円以上。　②2か所以上から給与をもらっていて、他社で年末調整をおこなう。　③中途入社で前の会社の源泉徴収票（180ページ）がない。など

年末調整の対象者

- 必要な書類が未提出の従業員は年末調整の対象外となる。
- 年末ではないタイミングで年末調整することもある。

年末調整の対象者

年末調整は、その年の末まで勤務していて、「給与所得者の扶養控除等（異動）申告書」（148ページ）を提出している従業員に対しておこないます。

「給与所得者の扶養控除等（異動）申告書」は、扶養控除、障害者控除などの控除を受けるために必要となりますが、扶養親族に該当する人がいない従業員も提出する義務があり、未提出だと年末調整の対象外となってしまいます。

「給与所得者の扶養控除等（異動）申告書」を未提出の従業員以外にも、給与が2,000万円を超える従業員は年末調整の対象とならず自身で確定申告をする必要があります。その他、確定申告が必要な従業員については前ページのCheck!を参照してください。

中途入社の従業員の年末調整は？

年の途中で入社した従業員も、年末に勤務していれば年末調整の対象者となります。その際は、前職の源泉徴収票（180ページ）が必要となります。

ただし、前職の源泉徴収票を提出しない人に対しては、年末調整をおこなってはいけません。肝心の本人の年収が確定できないからです。

年の途中でも年末調整をおこなうケース

年末調整は、「源泉所得税」と「本来納付すべき所得税」の差額を調整するためのものです。

正確な給与の支給額が確定しなくては算定できないので、1月1日から12月31日までに支給した給与・賞与の総額が確定したタイミングでおこないます。しかし、年の途中でも従業員の給与が確定するケースがあり

 居所：単身赴任先、学生の一時的な住まい、長期入院中の病院等など、一時的にいる場所。ちなみに「住所」は生活の拠点となる場所を意味する。

ます。

例えば、従業員の死亡等といったケースでは、今後その従業員に給与・賞与を支払うことはありませんから、その時点で給与・賞与の総額が確定するので年末調整をおこないます。

◆ 年末調整の対象となる人・ならない人

年末調整の対象となる人

- 1年を通じて勤務している人。
- 年の途中で入社して年末まで勤務している人（前職がある場合は前職の源泉徴収票が必要）。

→ **年末**

- 海外支店等に転勤したことで非居住者となった人。

→ **非居住者となったとき**

- 死亡によって退職した人。
- 著しい心身の障害のために退職した人（退職したあとに再就職をし給与を受け取る見込みのある人は除く）。
- 12月に支給されるべき給与等の支払いを受けたあとに退職した人。

→ **退職時**

年末調整の対象とならない人

- その年中の給与等の収入金額が 2,000 万円を超える人。
- 災害の被害を受けた人で、その年の給与に対する源泉所得税の徴収猶予や還付を受けた人。
- 12月の給与をもらわず年の途中で退職した人（年の途中で年末調整した人を除く）。
- 中途入社で前職の源泉徴収票の提出がない人。
- 「給与所得者の扶養控除等（異動）申告書」を提出していない人。
- 日雇い労働者、請負契約など、継続雇用ではない人。
- 日本に住所がない人、または 1 年以上の**居所**がない人。

年末調整のスケジュール

- 税務署から必要書類が届いたら準備スタート。
- 毎年の改正に給与ソフトが対応しているか注意。

⏩ 年末調整で控除を受けるために必要な書類

　年末調整によって従業員は各種の控除を受けることができますが、そのためには各々の控除に必要な書類を提出してもらわなくてはいけません。提出された書類に基づいて控除額が確定されるからです。

◆ 年末調整で従業員が提出する書類

申告書	控除	対象
給与所得者の扶養控除等（異動）申告書（148ページ）	扶養控除、障害者控除、寡婦控除、ひとり親控除、勤労学生控除、基礎控除	全従業員
給与所得者の配偶者控除等申告書（157ページ）	配偶者控除、配偶者特別控除	配偶者（特別）控除を受けられる従業員
給与所得者の保険料控除申告書（160ページ）	生命保険料控除、地震保険料控除、社会保険料控除（申告分）、小規模企業共済掛金控除（申告分）	生命保険料や地震保険料などの保険料を支払った従業員
給与所得者の（特定増改築等）住宅借入金等特別控除申告書（166ページ）	（特定増改築等）住宅借入金等特別控除	住宅ローンを利用してマイホームの取得等をした従業員

　申告書の様式は国税庁のホームページからダウンロード可能ですが、「給与所得者の（特定増改築等）住宅借入金等特別控除申告書」は、控除を受けることとなる各年分のものが、控除初年度に本人が確定申告したあと、税務署から本人に一括して送付されます。

⏩ 年末調整は11月から準備を始める

　10月末から11月上旬にかけて税務署から年末調整関係の書類一式が送付されてきます。そのなかの「年末調整のしかた」「法定調書の作成と提出の手引」で各種書類の書き方や注意点を確認し、**改正事項**を把握してお

改正事項：令和2（2020）年1月に源泉所得税の改正がおこなわれ給与所得控除や基礎控除等が変更され、書類の様式も変わった。

いてください。

　申告書の記入は従業員にとって慣れないことですから、記入ミスや漏れがあることは珍しくありません。また、添付書類が必要な申告書もあるので、税務署から関係書類が届いた時点で該当者に配布しておくと日程的に余裕がもてます。

　12月は給与のほか賞与の支給がある会社も多く年末調整だけに専念するのは難しいでしょうから、早めに書類を回収しておくと後々の作業に落ち着いて取り組めるでしょう。

◆ 年末調整スケジュール

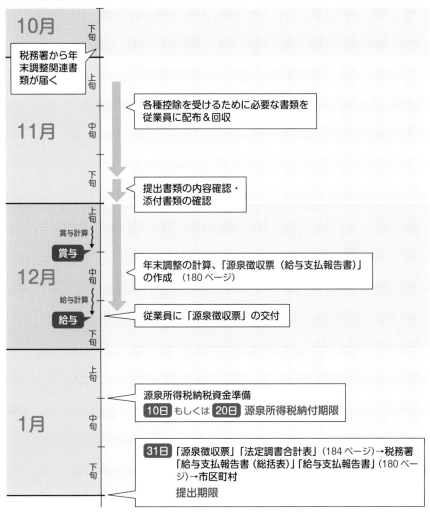

10月
下旬

税務署から年末調整関連書類が届く

上旬

11月
中旬

各種控除を受けるために必要な書類を従業員に配布＆回収

下旬

提出書類の内容確認・添付書類の確認

上旬

賞与計算

賞与

12月
中旬

年末調整の計算、「源泉徴収票（給与支払報告書）」の作成　（180ページ）

給与計算

給与

従業員に「源泉徴収票」の交付

下旬

上旬

1月
中旬

源泉所得税納税資金準備

10日 もしくは **20日** 源泉所得税納付期限

31日「源泉徴収票」「法定調書合計表」（184ページ）→税務署「給与支払報告書（総括表）」「給与支払報告書」（180ページ）→市区町村

提出期限

143

年末調整の計算手順

- 「年調年税額」と「源泉徴収税額の総額」の差を求めることが目的。
- 作業に必要な書類をあらかじめ揃えておく。

➡️「年調年税額」と「源泉徴収税額の総額」の比較が計算のゴール

前節では従業員を含めた全体的なスケジュールを説明したので、ここでは給与計算担当者が担う年末調整の計算手順について説明します。

STEP①「給与・賞与」と「源泉所得税額」をそれぞれ集計　年末調整の対象となる従業員（141ページ）の1月から12月に支払われた「給与・賞与の総額」と「源泉所得税の総額」をそれぞれ出します。「源泉所得税の総額」は⑦で使います。「年間の給与・賞与の総額」を出すときに、③の計算で使う毎月控除した「社会保険料」「小規模企業共済等掛金」の額も集計しておきます。

STEP②「給与所得控除後の給与等」を出す　①の額から「給与所得控除額」を引いて「給与所得控除後の給与等の金額」を出します。

STEP③「課税給与所得金額」を出す　②から「所得控除額の合計額」を引いて「課税所得金額」を出します。

STEP④「算出所得税額」を出す　③を「年末調整のための算出所得税額の速算表」に当てはめて「算出所得税額」を出します。

STEP⑤「年調所得税額」を出す　④から「（特定増改築等）住宅借入金等特別控除額」を引いて「年調所得税額」を出します。

STEP⑥「年調年税額」を出す　⑤に102.1％を掛けて復興特別所得税（176ページCheck!）を含む「年調年税額」を出します。

STEP⑦過不足金の計算と追加徴収・還付　⑥と①の「源泉徴収税額の総額」を比較して、⑥が多いなら追加徴収、①の「源泉徴収税額の総額」が多いなら還付します。通常はその年最後の給与で調整します。

POINT **年末調整のミス防止のために：**提出書類のチェックに時間がかかるのは、従業員それぞれの状況が異なるため。回収前に個別の記載例を把握しておくとよい。

◆年末調整の計算手順

使用する書類

「源泉徴収簿」（次節）

STEP① 「給与・賞与」と「源泉徴収税額」をそれぞれ集計

STEP② 「給与所得控除後の給与等」を出す

「源泉徴収簿」
「給与所得控除後の
給与等の金額（調整
控除後）」

STEP③ 「課税給与所得金額」を出す

「源泉徴収簿」
「扶養控除額、基礎控除額
および障害者等の控除額
の合計額の速算表」

所得控除額の合計額（148ページ）

② −
- ○社会保険料
- ○生命保険料の控除額
- ○地震保険料の控除額
- ○小規模企業共済等
  掛金の控除額

- ○配偶者控除額
- ○配偶者特別控除額
- ○扶養控除額
- ○障害者等の控除額
- ○基礎控除額　等

＝ 課税給与
所得額

STEP④ 「算出所得税額」を出す

③を速算表に当てはめる

「源泉徴収簿」
「年末調整のための所得税額の
速算表」（176ページ）

STEP⑤ 「年調所得税額」を出す

④−「（特定増改築等）住宅借入金等特別控除額」

「源泉徴収簿」
「住宅借入金等特別控除申告書」

STEP⑥ 「年調年税額」を出す

⑤×102.1％

年末調整の計算作業に入る前に、
「給与所得者の扶養控除等（異動）申告書」
などの回収・確認を終えておきましょう。

STEP⑦ 過不足金の計算と追加徴収・還付

⑥＞①「源泉徴収税額の総額」 → **追加徴収**
⑥＜①「源泉徴収税額の総額」 → **還付**

4章

年末調整

145

「源泉徴収簿」

- 給与・賞与の支給ごとに「源泉徴収簿」に記入しておくと12月の作業負担が軽くなる。
- 計算手順と「源泉徴収簿」の記入欄の関係を理解する。

「源泉徴収簿」を都度記入して業務負担を軽くする

前節で説明したように、源泉徴収の計算では一年間の各従業員の「給与・賞与の総額」と「源泉所得税の総額」が必要となります。**「源泉徴収簿」**はそれらが一覧できる便利な帳簿です。

源泉徴収の時期は賞与や年内最後の給与支給とも重なるため、全従業員分の「給与・賞与の総額」と「源泉所得税の総額」を一気に集計するのはたいへんな負担です。給与等の支払のたびに「源泉徴収簿」に記入しておけば、源泉徴収、賞与、給与とそれぞれの作業に落ち着いて取り組むことができます。

国税庁が「給与所得に対する源泉徴収簿」の書式を提供していますが、法令で定められた帳簿ではないので別の書式を使用しても問題ありません。

計算手順と「源泉徴収簿」を対応させる

給与明細と同様に、「源泉徴収簿」も手順通り項目を埋めていくことで最終的に過不足金を計算することができます。

ここでは前節のSTEPに沿って、「源泉徴収簿」の記入項目を確認していきましょう。

WORD **源泉徴収簿：**12月の年末調整だけでなく、年の途中でも年末調整をおこなうケース（140ページ）の際にも、計算作業の負担を軽減してくれる。

◆ 前節の計算手順と源泉徴収簿記入欄

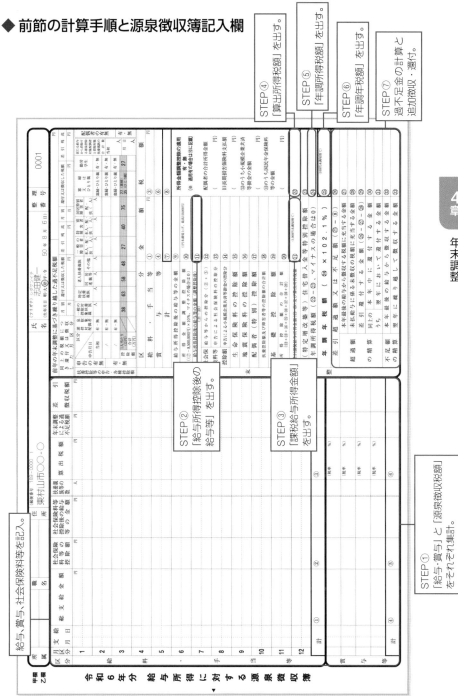

STEP④「算出所得税額」を出す。

STEP⑤「年調所得税額」を出す。

STEP⑥「年調年税額」を出す。

STEP⑦ 過不足金の計算と追加徴収・還付。

STEP②「給与所得控除後の給与等」を出す。

STEP③「課税給与所得金額」を出す。

STEP①「給与・賞与」と「源泉徴収税額」をそれぞれ集計。

給与、賞与、社会保険料等を記入。

4章 年末調整

147

「給与所得者の扶養控除等（異動）申告書」

- 年末調整の基本となる、全従業員から回収する書類。
- 申告書裏面の注意事項にある添付書類を忘れないこと。

⊕ 全員が提出、変更があったときも提出

「給与所得者の扶養控除等（異動）申告書」（以下申告書）は原則的にその年最初の給与の支給までに従業員全員に記入して提出してもらいます。年の途中で以下のようなできごとがあったら、その都度申告をしてもらいます。

┃年の途中で異動申告が必要なとき

- 控除対象者（扶養される人）が就職、結婚などをした。
- 従業員本人が障害者、寡婦、勤労学生などに該当することになった。
- 同一生計配偶者や扶養親族が障害者に該当することになった。
- 退職等で配偶者や家族が控除対象者となった。　　　　　　　など

申告書が提出されたら内容を確認し、源泉徴収簿（146ページ）の「扶養控除等の申告」欄と食い違いがないか確認します。

では、実際に「給与所得者の扶養控除等（異動）申告書」の内容について説明していきます。

⊕ 全員が記入する欄の「従たる給与～」について

氏名、生年月日、個人番号（マイナンバー）等は従業員全員が記入しますが、右隣にある見慣れない文言が並ぶ「従たる給与についての扶養控除等申告書の提出」欄について質問があるかもしれません。

これは2か所以上で働いて給与をもらっている従業員に対する確認です。複数の会社で働いていたとしても、「給与所得者の扶養控除等（異動）申告書」は「主」（メイン）にあたるひとつの会社にしか提出できません。「従」

POINT **中途入社の社員も提出**：年末調整だけでなく月々の源泉所得税額を決めるためにも必要。中途入社の社員には最初の給与の前に提出してもらう。

◆「給与所得者の扶養控除等（異動）申告書」の内容

「A源泉控除対象配偶者」欄。配偶者の年収150万円以上ならこちらに記入せず「配偶者控除等申告書」を提出する。

全員が記入する欄。

「従たる給与についての扶養控除等申告書」のチェック欄。

令和6年分　給与所得者の扶養控除等（異動）申告書　扶

あなたの氏名　シダケンイチ　志田健一

あなたの個人番号

あなたの住所又は居所　〒189-0000　東村山市〇〇-〇

あなたの生年月日　昭和50年 8月 6日

世帯主の氏名　志田健一

あなたとの続柄　本人

配偶者の有無　有・無

A 源泉控除対象配偶者（注1）　志田良子　明大昭平 51・7・6　480,000　東村山市〇〇-〇

主たる給与から控除を受ける

B 控除対象扶養親族（16歳以上）

1　志田一　シダハジメ　長男　大昭平 15・6・6

2　志田守　シダマモル　父　明大昭 28・1・1　480,000　立川市〇〇-〇

C 障害者、寡婦、ひとり親又は勤労学生

D 他の所得者が控除を受ける扶養親族等

住民税に関する事項

16歳未満の扶養親族（平21.1.2以後生）　1　志田優香　シダユウカ　長女　平 23・5・6　東村山市〇〇-〇　0円

退職手当等を有する配偶者・扶養親族

「16歳未満の扶養親族」欄。B欄に含まれない子どもを記入。

「C障害者、寡婦、ひとり親又は勤労学生」欄。勤労学生は証明書の添付必要。

「D他の所得者が控除を受ける扶養親族等」欄。子どもが配偶者の扶養に入っているときなどに記入。

「B控除対象扶養親族」欄。チェック欄も忘れずに。

（副業などサブ的な仕事）にあたる会社には提出はせず、年末調整も主たる会社で受けることになります。

　まず、以下のすべてに当てはまる従業員は全員が記入する欄を埋めるだけで申告書の作成が終了です。

- ●配偶者や扶養親族がいない。
- ●従業員本人が寡婦や寡夫、ひとり親ではない。
- ●従業員本人が障害者および勤労学生ではない。
- ●配偶者および扶養親族に障害者に該当する人がいない。

◉→「A源泉控除対象配偶者」欄

　配偶者の控除に対する区分は「源泉控除対象配偶者」「同一生計配偶者」「控除対象配偶者」に分類されています。

　この欄に記入する源泉控除対象配偶者は次の要件に当てはまる人です。

- 給与所得者（従業員のこと）と生計を一にする配偶者（事実婚不可）。
- 給与所得者の所得見積額が900万円以下。
- 配偶者の所得見積額が95万円（給与所得だけの場合は150万円）以下。
- 配偶者が青色事業専従者として給与の支払を受けていない。
- 配偶者が白色事業専従者ではない。

　上記の条件に該当するなら「A源泉控除対象配偶者」欄に記入しますが、配偶者の年収が150万円以上の場合は記載は不要です。

　代わりに「給与所得者の基礎控除申告書 兼 給与所得者の配偶者控除等申告書 兼 年末調整に係る定額減税のための申告書 兼 所得金額調整控除申告書」（154ページ）を従業員に提出してもらいます。

　なお、青色事業専従者と白色事業専従者とは、個人事業をしている人の家族で、その事業より給与をもらっている人のことです。

◉→「B控除対象扶養親族」欄

　ここには、以下の要件をすべて満たす扶養親族を記入します。

- 給与所得者と生計を一にすること。
- 配偶者以外の親族（6親等以内の血族および3親等内の姻族）または里子や市町村長から養護を委託された老人。
- その年の所得見積額が48万円以下（給与所得だけの場合は103万円）。
- 青色申告者の事業専従者としてその年に一度も給与を受けていない。
- 白色申告者の事業専従者ではない。
- 年齢が16歳以上。

　次の場合は、「B控除対象扶養親族」にチェックを入れるか、該当欄に○を書きます。

 生計を一にする：「生計を一にする」や「同一生計」は同じ財布から生活費が出ている状態のこと。必ずしも一緒に住んでいる必要はない。

扶養親族がアルバイト等をしている場合、その年の所得見積額（48万
円以下）を記入します。

「16歳未満の扶養親族」欄

B欄に当てはまらない16歳未満の親族（扶養控除の代わりに児童手当
がある）はこちらに記入します。

「C障害者、寡婦、ひとり親又は勤労学生」欄

これまでのA、B欄とちがい、ここは従業員自身が該当する可能性もあ
ります。

また、児童手当がある代わりに扶養控除が該当しない16歳未満の子ど
もであっても、障害がある場合は障害者控除が適用されます。

障害者（特別障害者）の要件は細かく決められているので、申告書の裏
面の記載をしっかり確認してから、該当欄に○を記入します。右側の欄に
障害者手帳の交付年月日、障害の等級などの記入が必要です。

つづいて勤労学生の要件を説明します。

給与所得者（従業員）本人が、高等学校、大学、一定の要件を備えた各
種学校などに通っていて、その年の所得見積額が75万円以下（給与所得
だけの場合は130万円以下）、給与所得以外の所得が10万円以下であるこ
とが要件です。

「□勤労学生」にチェックを入れるだけでなく、文部科学大臣（厚生労
働大臣）の証明書の写しと、学校長や法人代表者の証明書を添付してもら
います。右側の「障害者又は勤労学生の内容」欄には学校名、入学年、所
得の種類と見積額を記入します。

では、最後に寡婦、ひとり親について説明します。

以前は、寡婦、寡夫という表現になっていましたが、令和2（2020）年から寡婦、ひとり親という表現に変更となりました。これは、シングルマザーも公平に控除を受けられるようにしたものです。世の中の変化にともない、離婚する人や未婚のまま子どもを産み・育てる人が増えています。これまでの寡婦、寡夫控除では、未婚のシングルマザーは対象外となっていましたが、法改正により含まれるようになったのです。

従業員本人が、以下の要件に当てはまる場合、寡婦、ひとり親となります。寡婦、ひとり親については、用紙の右側の欄への記入は必要ありません。

> ### 寡婦
> - 「ひとり親」に該当しない。
> - 「夫と死別・離婚後、結婚（事実婚含む）していない」「夫の生死不明」のいずれかに該当し、扶養親族がいる。
> - 合計所得が500万円以下。
>
> ### ひとり親
> - 「現在、結婚（事実婚含む）していない」「夫（妻）の生死不明」のいずれかに該当し、生計が一緒の所得48万円以下の子どもがいる。
> - 合計所得が500万円以下。

🔜「Ｄ 他の所得者が控除を受ける扶養親族等」欄

同居している家族のなかに働いて給与を受けとっている人が2人以上いる場合、扶養親族はどちらか1人の扶養控除しか受けられません。従業員

Check! 扶養控除の申告書を提出しない人がいると……

「給与所得者の扶養控除等（異動）申告書」は、会社に提出するものですが、従たる給与がない（別の会社からの給与がない）、扶養する家族がいない、パートだからといった理由から、提出を怠る人がいた場合、どうなるでしょうか。
この場合は、税務では主たる給与として扱われなくなります。つまり、源泉徴収税額票の甲欄ではなく、乙欄（117ページ図）扱いとなり、会社が源泉徴収すべき所得税を少なく徴収したという事実に変わってしまうのです。該当する人の申告書は入手漏れをないようにする注意が必要です。

 単身児童扶養者：当該受給者の合計所得金額が135万円以下であれば住民税が非課税となる。

が共働きで、子どもは配偶者の方が扶養親族として申告している場合、従業員はこの欄に子どもの名前と配偶者の名前を記入します。

給与所得者の扶養控除等（異動）申告書から控除額を計算

申告書で扶養控除、障害者控除などの対象者の人数を確認したら、控除額の合計額を出して源泉徴収簿（146ページ）などに記録しておきます。

◆ 扶養控除額等の金額

扶養控除 （年齢16歳以上の人）	一般の控除対象扶養親族		38万円
	特定扶養親族（年齢19歳以上23歳未満の人）		63万円
	老人扶養親族	同居老親等以外の者	48万円
		同居老親等	58万円
障害者控除	一般の障害者		27万円
	特別障害者		40万円
	同居特別障害者		75万円
寡婦控除			27万円
ひとり親			35万円
勤労学生控除			27万円

通常、秋ごろになると国税庁からその年度の『年末調整のしかた』が発表されます。改正点や留意事項、手順などが説明されていますので、あらかじめ目を通しておくとよいでしょう。国税庁のホームページからダウンロードできます。

「給与所得者の基礎控除申告書 兼 給与所得者の配偶者控除等申告書 兼 年末調整に係る定額減税のための申請書 兼 所得金額調整控除申告書」

- 複数の申告書がひとつになった書類。
- それぞれの申告書ごとに所得の要件がある。

⊛ 申告書のそれぞれの要件を確認

　「給与所得者の基礎控除申告書 兼 給与所得者の配偶者控除等申告書 兼 年末調整に係る定額減税のための申請書 兼 所得金額調整控除申告書」（以下申告書）は複数の控除に関する申告書で、年末調整でそれぞれの控除を受ける予定の従業員に、年内最後の給与の支払日前日までに提出してもらいます。なお、収入金額が2,500万円を超える従業員はこれらの控除を受けることはできません。

　従業員が提出した申告書の内容に基づいて、配偶者控除の額または配偶者特別控除の額を「源泉徴収簿」（146ページ）の「配偶者（特別）控除額」欄に、「配偶者の本年中の合計所得金額の見積額」は「配偶者の合計所得金額」欄に記入します。

　それぞれ適用要件が異なりますので、ひとつずつ説明していきます。

▎ 所得の要件

合計所得金額の見積額が
　2,500万円以下➡「給与所得者の基礎控除申告書」を作成。
　1,805万円以下➡「給与所得者の配偶者控除等申告書 兼 年末調整に係る定額減税のための申請書」を作成。

給与の収入金額が
　850万円超➡「所得金額調整控除申告書」を作成。

POINT **3つの控除が1枚の申告書に：**様式の変更は記入漏れや書き間違いなどのミスにつながりやすい。大幅な変更があった場合は変更点や注意事項を確認しておくこと。

◆「給与所得者の基礎控除申告書 兼 給与所得者の配偶者控除等申告書 兼 年末調整に係る定額減税のための申請書 兼 所得金額調整控除申告書」

※この書類は国税庁による令和6 (2024) 年7月時点の様式案。
最新の情報は国税庁のホームページをご確認ください。

「給与所得者の配偶者控除等申告書
兼 年末調整に係る定額減税のための
申告書」(157ページ)。

「給与所得者の基礎控除申告書」
(155ページ)。

「所得金額調整控除申告書」
(159ページ)。

●「給与所得者の基礎控除申告書」欄

　作成では、まず「あなたの本年中の合計所得金額の見積額の計算」を埋めていきます。記入した収入金額を次ページの「給与所得金額の計算方法」の表に当てはめて（1）、所得金額を計算します（2）。そして「給与所得以外の所得」を記入して（3）、2と3を合計します。

　「あなたの本年中の合計所得金額の見積額」（2＋3）を左下にある「控除額の計算」の表に当てはめて「判定」欄にチェックを入れ、該当する控除額（48万円、32万円、16万円）を右下にある「基礎控除の額」に記入します。「判定」欄の（A）（B）（C）（D）に該当するようなら、「区分Ⅰ」に該当するアルファベットを記入し（4）、「本人の定額減税対象」にチェックを入れます。

◆「給与所得者の基礎控除申告書」欄

●給与所得金額の計算方法

給与の収入金額ⓐ	給与所得の金額
1円以上　550,999円以下	0円
551,000円以上　1,618,999円以下	ⓐ－550,000円
1,619,000円以上　1,619,999円以下	1,069,000円
1,620,000円以上　1,621,999円以下	1,070,000円
1,622,000円以上　1,623,999円以下	1,072,000円
1,624,000円以上　1,627,999円以下	1,074,000円
1,628,000円以上　1,799,999円以下	ⓐ÷4（千円未満切捨）＝ⓑ →ⓑ×2.4＋100,000円
1,800,000円以上　3,599,999円以下	ⓐ÷4（千円未満切捨）＝ⓑ →ⓑ×2.8－80,000円
3,600,000円以上　6,599,999円以下	ⓐ÷4（千円未満切捨）＝ⓑ →ⓑ×3.2－440,000円
6,600,000円以上　8,499,999円以下	ⓐ×90％－1,100,000円
8,500,000円以上	ⓐ－1,950,000円

1 記入した収入金額を表の「給与の収入金額ⓐ」に当てはめる。

2 「給与所得の金額」の式に当てはめて計算した所得金額を記入する。

◆ 給与所得者の基礎控除申告書 ◆

○ あなたの本年中の合計所得金額の見積額の計算

所 得 の 種 類	収 入 金 額	所 得 金 額
(1) 給 与 所 得	4,800,000 円	3,400,000 円
(2) 給与所得以外の所得の合計額		円
あなたの本年中の合計所得金額の見積額 （(1)と(2)の合計額）		3,400,000 円

3 「給与所得以外の所得の合計額」を記入する。

○ 控除額の計算

判	☑	900万円以下	(A)	定額減税対象48万円	
	☐	900万円超	950万円以下	(B)	
	☐	950万円超	1,000万円以下	(C)	
	☐	1,000万円超	1,805万円以下	(D)	
定	☐	1,805万円超	2,400万円以下	48万円	
	☐	2,400万円超	2,450万円以下	32万円	
	☐	2,450万円超	2,500万円以下	16万円	

※ 「区分Ⅰ」、「基礎控除の額」及び「本人定額減税対象」欄は上記の「控除額の計算」の表を参考に記載してください。

区分Ⅰ
(A)
（左のA～Dを記載）

基 礎 控 除 の 額
480,000 円

本人定額減税対象
☑

4 2と3の合計額を左の「控除額の計算」の表に当てはめ、該当する金額（48万円、32万円、16万円）を右下の「基礎控除の額」に記入。「区分Ⅰ」に（A）（B）（C）（D）も当てはまるなら記入し、「本人定額減税対象」欄にチェック。

WORD **その他所得：**譲渡所得、山林所得、一時所得（賞金、懸賞当選金、競馬・競輪の払戻金、保険の一時金や満期返戻金など）、利子所得、上場株式等の配当所得や譲渡所得。

「給与所得以外の所得の合計額」にあたるもの

- **事業所得**（個人事業主としておこなっている事業の所得）
- **雑所得**（副業の所得、貸金の利子、生命保険契約等に基づく年金、公的年金など）
- **配当所得**　　●**不動産所得**　　●**退職所得**
- **その他所得**（譲渡所得、山林所得など）

「給与所得者の配偶者控除等申告書 兼 年末調整に係る定額減税のための申請書」欄

　合計所得金額の見積額（前ページの2と3の合計額）が1,000万円を超える、または配偶者の合計所得金額の見積額が133万円を超える従業員は、この配偶者（特別）控除を受けることはできません。また、所得が1,805万円を超える従業員は定額減税を受けることができません。

　作成は「給与所得者の基礎控除申告書」と手順は同じです。まず「配偶者の本年中の合計所得金額の見積額の計算」をおこないます。

　記入した配偶者の収入金額を前ページの「給与所得金額の計算方法」の表に当てはめて（1）、表の右側にある「給与所得の金額」の式から所得金額を計算します（2）。そして「給与所得以外の所得の合計額」を記入して（3）、2と3を合計し「配偶者の本年中の合計所得金額の見積額」を出します。

　「配偶者の本年中の合計所得金額の見積額」（2＋3）が該当する「判定」にチェックを入れ、「区分II」に該当する①～④の丸数字を記入します（4）。

　「給与所得者の基礎控除申告書」（前ページ）の「区分I」と、4で出した「区分II」を当てはめて「配偶者控除の額」または「配偶者特別控除の額」の金額を記入します（5）。「判定」が①②の配偶者は定額減税の対象になるため「配偶者定額減税対象」にチェックを入れます。

　次ページ「配偶者（特別）控除の控除額早見表」を使うと、控除を受ける納税者本人（従業員）の所得金額と配偶者の合計所得金額から、控除額がわかります。

申告書の記入例と控除額早見表は次ページ！

◆「給与所得者の配偶者控除等申告書 兼 年末調整に係る定額減税のための申請書」

2「給与所得金額の計算方法」の式に当てはめて計算した所得金額を記入する。

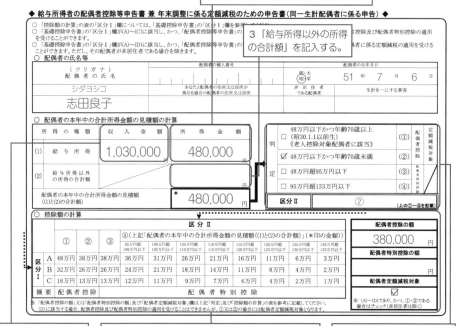

3「給与所得以外の所得の合計額」を記入する。

◆ 給与所得者の配偶者控除等申告書 兼 年末調整に係る定額減税のための申請書（同一生計配偶者に係る申告）◆

○「控除額の計算」の表の「区分Ⅰ」欄については、「基礎控除申告書」の「区分Ⅰ」欄を参照してください。
○「基礎控除申告書」の「区分Ⅰ」欄が(A)〜(C)に該当し、かつ、「配偶者控除等申告書」の…控除及び配偶者特別控除の適用を受けることができます。
○「基礎控除申告書」の「区分Ⅰ」欄が(A)〜(D)に該当し、かつ、「配偶者控除等申告書」の…者に係る定額減税の適用を受けることができます。ただし、その配偶者が非居住者である場合を除きます。

1記入した収入金額を156ページの表の「給与の収入金額③」に当てはめる。

5「給与所得者の基礎控除申告書」（156ページ）の「区分Ⅰ」と4の「区分Ⅱ」を当てはめ、「配偶者控除の額」または「配偶者特別控除の額」に金額を記入。①②の配偶者は「配偶者定額減税対象」にチェック。

4「配偶者の本年中の合計所得金額の見積額」が該当する金額「判定」欄にチェックを入れ、「区分Ⅱ」に丸数字を記入。

◆ 配偶者（特別）控除の控除額早見表

		控除を受ける納税者本人の合計所得金額		
		900万円以下	900万円超 950万円以下	950万円超 1,000万円以下
配偶者の合計所得金額	95万円以下	38万円	26万円	13万円
	95万円超 100万円以下	36万円	24万円	12万円
	100万円超 105万円以下	31万円	21万円	11万円
	105万円超 110万円以下	26万円	18万円	9万円
	110万円超 115万円以下	21万円	14万円	7万円
	115万円超 120万円以下	16万円	11万円	6万円
	120万円超 125万円以下	11万円	8万円	4万円
	125万円超 130万円以下	6万円	4万円	2万円
	130万円超 133万円以下	3万円	2万円	1万円

 所得金額調整控除：令和2（2020）年度よりスタート。所得税額の増加が見込まれる人の負担を軽くするために設けられた所得控除。

⟫⟫ 「所得金額調整控除申告書」欄

　所得金額調整控除は収入金額850万円超であることが控除を受ける条件です。こちらは計算の必要はありません。まず、該当する「要件」欄にチェックを入れ（1）、チェックした内容に関して「☆扶養親族等」欄と「★特別障害者」欄を記入します（2）。

　控除額は会社で計算するので前述の2つの申告書とちがって従業員が控除額を記載する欄はありません。

◆「所得金額調整控除申告書」

1 該当する「要件」欄をチェック。

2 チェックした内容に関して「☆扶養親族等」欄と「★特別障害者」欄を記入。

所得金額調整額

給与所得控除の上限額が220万円から195万円に引き下げられたため、収入が850万円を超える人は税の負担が大きくなる。そこで、同一世帯内に23歳未満の扶養親族または特別障害者の扶養親族がいる人の負担を増やさないため、所得金額を調整することになった。

給与等の収入金額850万円を超える場合、次の①〜③のいずれかに該当する場合には、「調整額」の金額が控除される。

| 給与等の収入金額850万円超 | ＋ | ①納税者本人が特別障害者である。
②23歳未満の扶養親族がいる。
③特別障害者である同一生計配偶者または扶養親族がいる。 |

（給与等の収入金額※ － 850万円）× 10% ＝ 調整額

※1,000万円を超える場合は1,000万円

159

「給与所得者の保険料控除申告書」

- 申告書内に記載されている計算手順通りに進める。
- 社会保険料は給与から控除されていないものを記入する。

❖ 4つの控除がまとまった申告書

「給与所得者の保険料控除申告書」（以下「申告書」）とは、従業員が年末調整で保険料の控除を受けるために必要な手続きです。

「申告書」で控除が受けられるのは次の4つです。

┃「給与所得者の保険料控除申告書」で控除できる保険料

- 生命保険料控除
- 地震保険料控除
- 社会保険料控除
- 小規模企業共済等掛金控除

4つの控除が1枚にまとまっている「申告書」は、年末調整の前に従業員に配布して該当部分を記入してもらったあとに、回収してください。その際、保険料の支払いを証明する以下の書類も添付してもらいます。

┃「給与所得者の保険料控除申告書」の添付書類

- **生命保険料**…生命保険会社等が発行した証明書類。
- **地震保険料**…損害保険会社等が発行した証明書類。
- **社会保険料**…国民健康保険料、国民年金の保険料や国民年金基金の加入員として負担した掛け金について、厚生労働省または各国民年金基金が発行した証明書類。
- **小規模企業共済等掛金**…独立行政法人中小企業基盤整備機構や国民年金基金連合会、地方公共団体が発行した証明書類。

回収した「申告書」は記入漏れなどがないか内容を確認しましょう。問題がないようなら、源泉徴収簿（146ページ）の該当欄に控除額を記入しておきます。

 小規模企業共済等掛金の控除：本人分のみが控除となり、配偶者や親族の分を控除することはできない。

⮞⮞「生命保険料控除」欄

　控除の対象となるのは、所得者（従業員）本人が保険料や掛金を支払った「一般の生命保険料」「介護医療保険料」「個人年金保険料」です。

　これらの保険金や年金の受取人は、従業員本人または配偶者か親族であることが条件です。保険の契約をしている従業員には、10月上旬頃に契約している保険会社から「保険料控除証明書」が送付されるので、「申告書」と一緒に提出してもらいます。

▌生命保険料控除の条件

- 従業員本人が保険料の掛金を支払っている。
- 保険金や年金の受取人が従業員本人である。
- 受取人が従業員本人でない場合は、配偶者か親族である。

▌一般の生命保険料

契約時期から新・旧に分けられ、それぞれ計算式が異なります。

新保険料…平成24（2012）年1月1日以後の契約。
旧保険料…平成23（2011）年12月31日以前の契約。

▌介護医療保険料

平成24（2012）年1月1日以後に契約した保険料です。

▌個人年金保険料

一般の生命保険料と同様の区切りで新・旧に分けられます。

　その年に支払った保険料が対象ですが、払込期日が翌年以後の保険料も含めて一括して払い込んだ「前納保険料」については、その年の分の保険料を次の計算式で出します。

　例えば、3年分の30万円を前納した場合、年1回の支払いだとしたら本来は毎年10万円を支払いますので、その年の保険料は10万円となります。なお、前納分を含めて保険会社がその年の保険料の証明書を発行してくれるケースでは、その証明書を従業員から受けとります。

●前納保険料から今年分の保険料を出す計算式

前納保険料の総額 × 本年中に訪れる払込期日の回数 ÷ 払込期日の総回数

「地震保険料控除」欄

　従業員本人か家族が所有して住んでいる家屋や家財にかけた保険である必要があり、生命保険料控除と同様に証明書の添付が必要です。

　「地震保険料控除」には「Ⓐのうち旧長期損害保険料の金額の合計額」という欄があります。

　以下の要件に当てはまる契約なら、保険料が**旧長期損害保険料**に該当します。

旧長期損害保険料の要件

- ●平成18（2006）年までに契約した。
- ●保険期間または満了後に満期返戻金の特約があり、期間が10年以上。
- ●平成19（2007）年1月1日以降に契約変更をしていない。

　地震保険料の控除額は下表に当てはめて算出します。

◆ 地震保険料の控除額の計算

支払った保険料の区分	支払った保険料	地震保険料控除額
①地震保険料	50,000円以下	支払金額の全額
	50,000円超	一律 50,000 円
②旧長期損害保険料	10,000円以下	支払金額の全額
	10,000円超20,000円以下	（支払金額）×1／2＋5,000 円
	20,000円超	15,000 円
①②両方がある	―	①②それぞれの方法で計算した金額の合計額（最高 50,000 円）

旧長期損害保険料： 平成19（2007）年に損害保険料控除は廃止されたが、「旧長期損害保険料」は経過措置として地震保険料控除の対象となっている。

⮞ 【社会保険料控除】欄

給与等から控除される社会保険料以外に、**本人または配偶者や親族の社会保険料**を支払った場合に控除が適用されます。

次のようなケースに該当します。

> **社会保険料控除の対象**
>
> ● 会社が社会保険に加入していないなどの理由で、従業員本人が国民年金保険料や国民健康保険料を支払った。
> ● 前職を退職後、再就職までの間に社会保険料を自分で支払った。
> ● 同一生計の20歳以上の子ども等の国民年金保険料を支払った。
> ● 同一生計の配偶者等の国民年金保険料、国民健康保険料を支払った。

保険料の支払いを証明する書類を添付する点は生命保険料控除や地震保険料控除と同様ですが、大きく異なるのは**控除額に上限がなく負担した金額がすべて控除される**点です。

⮞「小規模企業共済等掛金控除」欄

「社会保険料控除」と同様、給与等から控除されていない小規模企業共済等掛金を記入します。小規模企業共済等掛金には次の3つがあり、支払った全額が控除されます。

> **小規模企業共済等掛金**
>
> ● 独立行政法人中小企業基盤整備機構の共済契約の掛金
> ● 確定拠出年金法に規定する
>   ➡企業型年金加入者掛金（企業型 DC）
>   ➡または個人型年金加入者掛金（iDeCo）
> ● 心身障害者扶養共済制度に関する契約の掛金

近年はiDeCoに加入している従業員が増えてきています。加入している場合は、金融機関から従業員に送付される「小規模企業共済掛金控除証明書」を受け取ります。

◆「給与所得者の保険料控除申告書」

保険料控除証明書などに記載されている新旧区分を記入する。

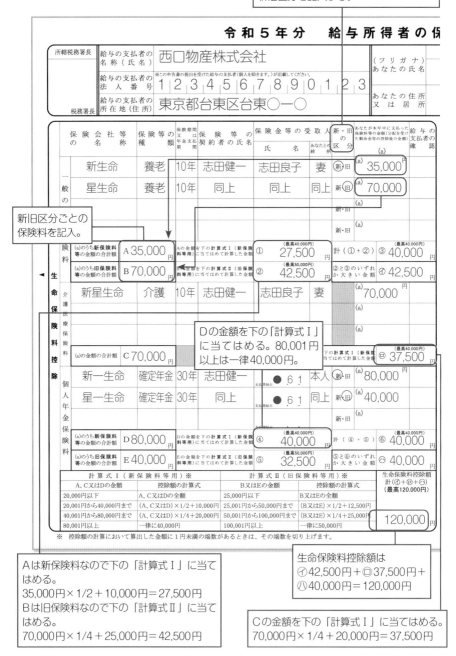

令和5年分　給与所得者の保

所轄税務署長	給与の支払者の名称（氏名）	西口物産株式会社
税務署長	給与の支払者の法人番号	1 2 3 4 5 6 7 8 9 0 1 2 3
	給与の支払者の所在地（住所）	東京都台東区台東○一○

※この申告書の提出を受けた給与の支払者（個人を除きます。）が記載してください。

新旧区分ごとの保険料を記入。

保険会社等の名称	保険等の種類	保険期間又は年金支払期間	保険等の契約者の氏名	保険金等の受取人 氏名／あなたとの続柄	新・旧の区分	あなたが本年中に支払った保険料等の金額（分配を受けた剰余金等の控除後の金額）(a)	給与の支払者の確認
新生命	養老	10年	志田健一	志田良子／妻	新・旧	(a) 35,000円	
星生命	養老	10年	同上	同上／同上	新・旧	(a) 70,000円	
					新・旧	(a)	
					新・旧	(a)	

一般の保険料

| (a)のうち新保険料等の金額の合計額 | A 35,000円 | Aの金額を下の「計算式Ⅰ（新保険料等用）」に当てはめて計算した金額 | ① 27,500円 | 計（①＋②）(最高40,000円) ㋑ 40,000円 |
| (a)のうち旧保険料等の金額の合計額 | B 70,000円 | Bの金額を下の「計算式Ⅱ（旧保険料等用）」に当てはめて計算した金額 | ② 42,500円 | ②と③のいずれか大きい金額 42,500円 |

生命保険料控除

介護医療保険料

新星生命	介護	10年	志田健一	志田良子／妻		(a) 70,000円
					新・旧	(a)
					新・旧	(a)

Dの金額を下の「計算式Ⅰ」に当てはめる。80,001円以上は一律40,000円。

| (a)の金額の合計額 | C 70,000円 | | | 下の計算式Ⅰ（新保険料等用）に当てはめて計算した金額 ㋺ 37,500円 (最高40,000円) |

個人年金保険料

新一生命	確定年金	30年	志田健一	● 6 1 支払開始日／本人	新・旧	(a) 80,000円
星一生命	確定年金	30年	同上	● 6 1 支払開始日／同上	新・旧	(a) 40,000円
					新・旧	(a)

| (a)のうち新保険料等の金額の合計額 | D 80,000円 | Dの金額を下の「計算式Ⅰ（新保険料等用）」に当てはめて計算した金額 | ④ 40,000円 (最高40,000円) | 計（④＋⑤）(最高40,000円) ⑥ 40,000円 |
| (a)のうち旧保険料等の金額の合計額 | E 40,000円 | Eの金額を下の「計算式Ⅱ（旧保険料等用）」に当てはめて計算した金額 | ⑤ 32,500円 (最高50,000円) | ⑤と⑥のいずれか大きい金額 ㋩ 40,000円 |

計算式Ⅰ（新保険料等用）※

A、C又はDの金額	控除額の計算式
20,000円以下	A、C又はDの全額
20,001円から40,000円まで	(A、C又はD)×1/2＋10,000円
40,001円から80,000円まで	(A、C又はD)×1/4＋20,000円
80,001円以上	一律に40,000円

計算式Ⅱ（旧保険料等用）※

B又はEの金額	控除額の計算式
25,000円以下	B又はEの全額
25,001円から50,000円まで	(B又はE)×1/2＋12,500円
50,001円から100,000円まで	(B又はE)×1/4＋25,000円
100,001円以上	一律に50,000円

生命保険料控除額 計（㋑＋㋺＋㋩）（最高120,000円） 120,000円

※　控除額の計算において算出した金額に1円未満の端数があるときは、その端数を切り上げます。

Aは新保険料なので下の「計算式Ⅰ」に当てはめる。
35,000円×1/2＋10,000円＝27,500円
Bは旧保険料なので下の「計算式Ⅱ」に当てはめる。
70,000円×1/4＋25,000円＝42,500円

生命保険料控除額は
㋑42,500円＋㋺37,500円＋
㋩40,000円＝120,000円

Cの金額を下の「計算式Ⅰ」に当てはめる。
70,000円×1/4＋20,000円＝37,500円

保険料控除申告書

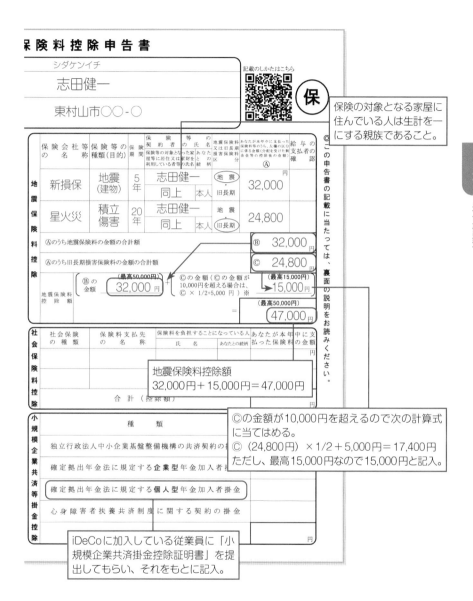

シダケンイチ

志田健一

東村山市○○-○

記載のしかたはこちら

保

保険の対象となる家屋に住んでいる人は生計を一にする親族であること。

◎この申告書の記載に当たっては、裏面の説明をお読みください。

	保険会社等の名称	保険等の種類(目的)	保険期間	保険等の契約者の氏名 保険等の対象となった家屋等に居住又は家財を利用している者等の氏名	あなたとの続柄	地震保険料又は旧長期損害保険料区分	あなたが本年中に支払った保険料等のうち、左欄の区分に係る金額(分配を受けた剰余金等の控除後の金額) Ⓐ	給与の支払者の確認
地震保険料控除	新損保	地震(建物)	5年	志田健一 同上	本人	地震・旧長期	円 32,000	
	星火災	積立傷害	20年	志田健一 同上	本人	地震・旧長期	24,800	

Ⓐのうち地震保険料の金額の合計額　　　　　　　　　　Ⓑ 32,000 円

Ⓐのうち旧長期損害保険料の金額の合計額　　　　　　　Ⓒ 24,800 円

地震保険料控除額　｛(最高50,000円) Ⓑの金額 32,000 円 ＋ Ⓒの金額(Ⓒの金額が10,000円を超える場合は、Ⓒ×1/2＋5,000円)※ (最高15,000円) 15,000 円 ＝ (最高50,000円) 47,000 円

社会保険料控除	社会保険の種類	保険料支払先の名称	保険料を負担することになっている人 氏名 / あなたとの続柄	あなたが本年中に支払った保険料の金額
				円

地震保険料控除額
32,000円＋15,000円＝47,000円

合計(控除額)　　　　　　　　　　　　　　　　　　円

Ⓒの金額が10,000円を超えるので次の計算式に当てはめる。
Ⓒ(24,800円)×1/2＋5,000円＝17,400円
ただし、最高15,000円なので15,000円と記入。

小規模企業共済等掛金控除	種　　類	
	独立行政法人中小企業基盤整備機構の共済契約の掛金	円
	確定拠出年金法に規定する企業型年金加入者掛金	
	確定拠出年金法に規定する個人型年金加入者掛金	
	心身障害者扶養共済制度に関する契約の掛金	

iDeCoに加入している従業員に「小規模企業共済掛金控除証明書」を提出してもらい、それをもとに記入。

165

住宅借入金等特別控除

- 所得税から一定の割合の額が控除され、納めた税金が戻る仕組み。
- 住宅を建てた初年度は従業員自身で確定申告が必要。

➔➔ ローン残高に応じて納めた所得税が戻ってくる

　住居の購入や改築には大きな費用がかかるので、たいていの場合ローンを組んで費用を調達します。

　「住宅借入金等特別控除」は一般的には「住宅ローン減税」と呼ばれています。住宅ローンを利用した場合に一定の割合の金額を所得税から控除する（納税額が減る）もので、控除を受けることで経済的な負担を軽くすることができます。

　「住宅借入金等特別控除」は、省エネ・耐震対応の有無や、**床面積**といった一定の要件を満たした**新築・中古マイホーム**を購入した場合などに、一定期間、ローン残高に応じた金額が所得税から差し引かれ還付される制度です。

　令和3（2021）年までは、この控除期間が10年でしたが、令和4（2022）年以降に購入した住宅は13年に延長されました。ただし、控除率は、これまでの1.0％だったものが0.7％と少なくなり、毎年の控除額（減税額）は減ってしまっています。

　例えば、令和3（2021）年に購入し、銀行からの借入金の残高が1,000万円だった場合、1％の10万円の控除を受けられましたが、令和4（2022）年に購入した住宅が同じ条件ならば、0.7％の7万円の控除に減ったということです。その一方で、控除期間が10年間から、13年間に延びているため、控除総額で比べると一概には減ったとはいえず、ケースによって異なるということです。

　なお、令和3（2021）年以前に購入やリフォームで生じた住宅ローン減税については、これまで通りの控除率で計算されます。

床面積：登記簿に表示されている床面積により判断する。マンションは階段や通路などの共有部分は床面積に含めず、登記簿上の専有部分の床面積で判断する。

令和4（2022）年以降の「住宅借入金等特別控除」は、以下の4つに分類されています。

◆「住宅借入金等特別控除」対象住宅の要件

住宅の種類	長期優良住宅・低炭素住宅		ZEH水準省エネ住宅		省エネ基準適合住宅		その他の住宅	
	省エネや耐震、劣化対策などの認定を受けた住宅		省エネや太陽光発電などを備えている住宅		省エネ対策を行っている住宅		左に当てはまらない住宅	
対象住宅	床面積50㎡以上で、居住用であること （2023年までの建築確認＆所得1,000万円までの人で新築なら40㎡）							
対象者	10年以上のローンがあり、所得が2,000万円以下							
借入限度額	令和4〜5年	令和6〜7年	令和4〜5年	令和6〜7年	令和4〜5年	令和6〜7年	令和4〜5年	令和6〜7年
	5,000万円	4,500万円	4,500万円	3,500万円	4,000万円	3,000万円	3,000万円（中古：2,000万円）	2,000万円※1
控除率	0.7%							
控除期間	13年							10年

中古の場合は、借入限度額3,000万円、控除期間10年
※1　令和5（2023）年までに建築確認の新築。それ以外は対象外（0円）

> 金融機関等からのローンが対象です。知人や親族からお金を借りても適用外です。居住用であることも条件なので、別荘では控除は受けられません。

⊙ 1年目に従業員の確定申告が必要

　前ページの表で示したように、令和4（2022）年以降の「住宅借入金等特別控除」の控除期間は13年に及びます。ただし、会社が年末調整で還付手続きをおこなうのは住宅取得2年目以降の分からで、**入居1年目は従業員が自分で確定申告をする必要があります。**

　なお、令和3（2021）年以前に購入・リフォームした住宅に対する「住宅借入金等特別控除」は、その時点の法律等に沿った控除率や条件に従います。

◆ 住宅取得から確定申告まで

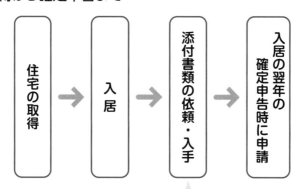

主な添付書類	入手・依頼先
残高証明書	金融機関等
登記事項証明書 請負（売買）契約書等	法務局、本人
給与等の源泉徴収票等	職場
長期優良住宅等であることを証明する書類	建築士、工務店、自治体等

POINT **住宅借入金特別控除と他制度**：「マイホームを買い換えた場合の譲渡損失の損益通算及び繰越控除の特例」と併用可。

◆「住宅借入金等特別控除」～確定申告から年末調整までの流れ

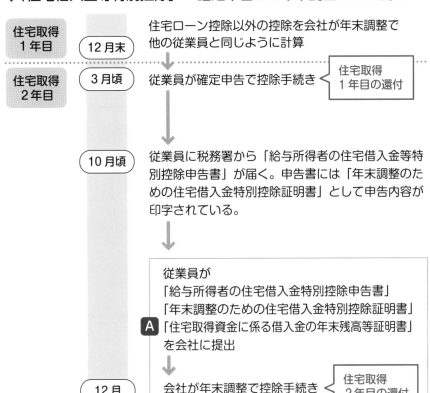

住宅取得1年目	12月末	住宅ローン控除以外の控除を会社が年末調整で他の従業員と同じように計算
住宅取得2年目	3月頃	従業員が確定申告で控除手続き　住宅取得1年目の還付
	10月頃	従業員に税務署から「給与所得者の住宅借入金等特別控除申告書」が届く。申告書には「年末調整のための住宅借入金特別控除証明書」として申告内容が印字されている。

従業員が
「給与所得者の住宅借入金特別控除申告書」
「年末調整のための住宅借入金特別控除証明書」
A 「住宅取得資金に係る借入金の年末残高等証明書」
を会社に提出

	12月	会社が年末調整で控除手続き　住宅取得2年目の還付

住宅取得3年目　A を繰りかえし

税務署から届く「給与所得者の住宅借入金等特別控除申告書」を紛失しないよう従業員に注意喚起しておきましょう。紛失した場合は従業員本人が税務署で再発行の手続きをします。

🔁 従業員が年末調整で提出する書類

　確定申告をした翌年から年末調整で控除を受けられるようになります。従業員からは以下の書類を提出してもらう必要があります。

> ▎**年末調整で提出してもらう書類**
>
> 「給与所得者の（特定増改築等）住宅借入金特別控除申告書 兼（特定増改築等）住宅借入金等特別控除計算明細書」（申告書と証明書は兼用）
>
> 「住宅取得資金に係る借入金の年末残高等証明書」
> （住宅ローンを利用している金融機関から送付される）

住宅取得資金に係る借入金の年末残高等証明書

住宅取得資金の借入れ等をしている者	住　所	東村山市○○-○				
	氏　名	志田健一				
住宅借入金等の内訳		1　住宅のみ　　2　土地等のみ　　③　住宅及び土地等				
住宅借入金等の金額	年末残高				39,000,000 円	
	当初金額	2023 年 1 月 1 日			40,000,000 円	
償還期間又は賦払期間		2023 年 1 月から 2052 年 12 月まで の 30 年			月間	
居住用家屋の取得の対価等の額 又は増改築等に要した費用の額					40,000,000 円	
（摘要）						

170

POINT **申告書の一括交付**：年末調整用の「住宅借入金等特別控除申告書」は確定申告で申請すれば適用対象年分の申告書が一括交付される。

◆「給与所得者の（特定増改築等）住宅借入金等特別控除申告書兼（特定増改築等）住宅借入金等特別控除計算明細書」

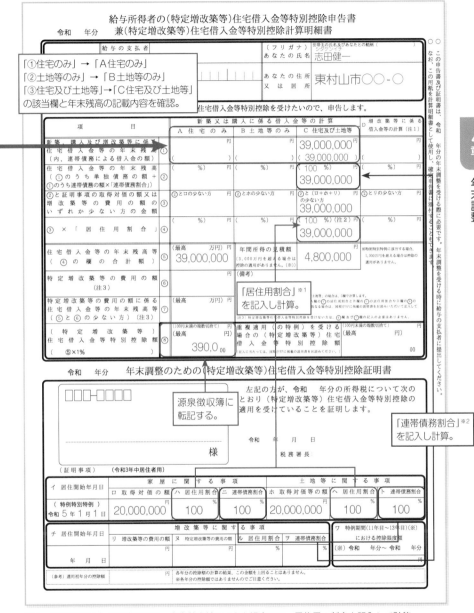

※1　「居住用割合」は通常100％。自宅兼店舗のような場合のみ、居住用の割合を記入して計算。

※2　「連帯債務割合」は、従業員本人のみ返済していく場合は100％。夫婦や親子など複数人で返済していく場合は、その割合を記入して計算。

源泉徴収簿の作成

- 各書類の情報を転記して「年末調整」欄を完成させる。
- 「年末調整のための算出所得税額の速算表」の利用で計算を簡略化。

➡ 源泉徴収簿の「年末調整」欄の作成

　これまで、源泉徴収簿の「年末調整」欄を埋めるために必要な書類について説明してきました。

　ここからは、一年の給与の総支給額や社会保険料等の控除額などを集計し、各書類の情報をまとめて「年末調整」欄を完成させていきます。

➡ ⑨「給与所得控除後の給与等の金額」を出す

　「源泉徴収簿」の左側にある「給料・手当等」を記入し、総支給金額と算出税額の合計（①と③）を右側の「年末調整欄」の①と③にそれぞれ転記します。

　「賞与欄」の④と⑥も同じように転記し、①＋④＝⑦、③＋⑥＝⑧を記入します。

　⑦から**給与所得控除額**を引いて⑨「給与所得控除後の給与等の金額」を出しますが、収入金額によって導き方が異なります。

給与等が660万円未満の人

➡「給与所得控除後の給与等の金額の表」に給与等の金額を当てはめて、「給与所得控除後の給与等の金額」を出す。

給与等が660万円以上の人

➡⑦から「給与所得控除額」を引いて⑨を出す。「給与所得控除額」は「給与所得控除額の表」の該当する式を当てはめて計算する。

WORD **給与所得控除額**：給与所得の金額は、収入金額から給与所得控除額を差し引いて計算する。給与所得控除額は給与等の収入金額に応じて異なる。

◆ 年末調整欄の作成１

※書類は令和6（2024）年7月時点の様式案。最新の情報は国税庁のホームページでご確認ください。

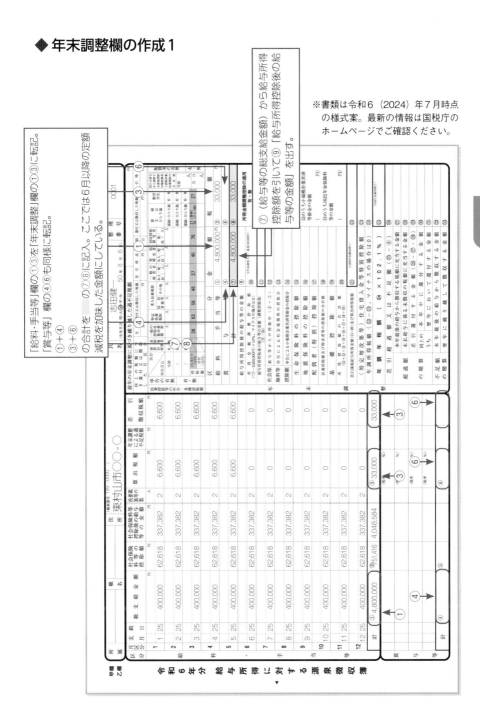

「給料・手当等」欄の①③を「年末調整」欄の①③に転記。「賞与等」欄の④⑥も同様に転記。

①＋④
③＋⑥
の合計を 　　の⑦⑧に記入。ここでは6月以降の定額減税を加味した金額にしている。

⑦（給与等の総支給金額）から給与所得控除額を引いて⑨（給与所得控除後の給与等の金額）を出す。

4章
年末調整

173

◆ 年末調整欄の作成 2

⑦ （給与等の総支給額） − **給与所得控除額** = ⑨（給与所得控除後の給与等の金額）

給与等の収入金額が660万円以上の人は表1の計算で「給与所得控除額」を出す。

●表1　給与所得控除額の表

給与等の収入金額 （源泉徴収前の金額）	給与所得控除額
660万円超　850万円以下	収入金額×10％＋110万円
850万円超	195万円（上限）

給与等の収入金額が660万円未満の人は⑨「給与所得控除後の給与等の金額」を表2に当てはめて出す。

●表2　年末調整等のための給与所得控除後の給与等の金額の表

		令和5年分の年末調整等のための給与所得控除後の給与等の金額の表						
（一）								（～2,171,999円）

給与等の金額		給与所得控除後の給与等の金額	給与等の金額		給与所得控除後の給与等の金額	給与等の金額		給与所得控除後の給与等の金額
以上	未満		以上	未満		以上	未満	
円	円	円	円	円	円	円	円	円
551,000円未満		0	1,772,000	1,776,000	1,163,200	1,972,000	1,976,000	1,300,400
			1,776,000	1,780,000	1,165,600	1,976,000	1,980,000	1,303,200
			1,780,000	1,784,000	1,168,000	1,980,000	1,984,000	1,306,000
			1,784,000	1,788,000	1,170,400	1,984,000	1,988,000	1,308,800
			1,788,000	1,792,000	1,172,800	1,988,000	1,992,000	1,311,600
551,000	1,619,000	給与等の金額から500,000円を控除した金額	1,792,000	1,796,000	1,175,200	1,992,000	1,996,000	1,314,400
			1,796,000	1,800,000	1,177,600	1,996,000	2,000,000	1,317,200
			1,800,000	1,804,000	1,180,000	2,000,000	2,004,000	1,320,000
			1,804,000	1,808,000	1,182,800	2,004,000	2,008,000	1,322,800
			1,808,000	1,812,000	1,185,600	2,008,000	2,012,000	1,325,600
1,619,000	1,620,000	1,069,000	1,812,000	1,816,000	1,188,400	2,012,000	2,016,000	1,328,400
1,620,000	1,622,000	1,070,000	1,816,000	1,820,000	1,191,200	2,016,000	2,020,000	1,331,200
1,622,000	1,624,000	1,072,000	1,820,000	1,824,000	1,194,000	2,020,000	2,024,000	1,334,000
1,624,000	1,628,000	1,074,000	1,824,000	1,828,000	1,196,800	2,024,000	2,028,000	1,336,800
1,628,000	1,632,000	1,076,800	1,828,000	1,832,000	1,199,600	2,028,000	2,032,000	1,339,600
1,632,000	1,636,000	1,079,200	1,832,000	1,836,000	1,202,400	2,032,000	2,036,000	1,342,400
1,636,000	1,640,000	1,081,600	1,836,000	1,840,000	1,205,200	2,036,000	2,040,000	1,345,200
1,640,000	1,644,000	1,084,000	1,840,000	1,844,000	1,208,000	2,040,000	2,044,000	1,348,000
1,644,000	1,648,000	1,086,400	1,844,000	1,848,000	1,210,800	2,044,000	2,048,000	1,350,800
1,648,000	1,652,000	1,088,800	1,848,000	1,852,000	1,213,600	2,048,000	2,052,000	1,353,600
1,652,000	1,656,000	1,091,200	1,852,000	1,856,000	1,216,400	2,052,000	2,056,000	1,356,400
1,656,000	1,660,000	1,093,600	1,856,000	1,860,000	1,219,200	2,056,000	2,060,000	1,359,200
1,660,000	1,664,000	1,096,000	1,860,000	1,864,000	1,222,000	2,060,000	2,064,000	1,362,000
1,664,000	1,668,000	1,098,000	1,864,000	1,868,000	1,224,800	2,064,000	2,068,000	1,364,800
1,668,000	1,672,000	1,100,800	1,868,000	1,872,000	1,227,600	2,068,000	2,072,000	1,367,600

POINT **所得控除の種類：**「保険料控除申告書」「配偶者控除等申告書」「扶養控除等（異動）申告書」で計算する所得控除は全部で11種類。

⑳（差引課税給与所得金額）と㉒（算出所得税額）を出す

次に所得控除の合計額を出しましょう。

「扶養控除等の申告」欄は「扶養控除等（異動）申告書」（148ページ）の内容を転記し、控除合計額を⑱（扶養控除額及び障害者等の控除額の合計額）に記入します。「給与所得者の基礎控除申告書 兼 給与所得者の配偶者控除等申告書 兼 年末調整に係る定額減税のための申請書 兼 所得金額調整控除申告書」（154ページ）、「給与所得者の保険料控除申告書」（160ページ）を参照して⑫〜⑲まで記入し、⑳（所得控除額の合計額）を出します。⑪から⑳を引いて㉑（差引課税給与所得金額）を出し（1,000円未満切捨）、次に㉑を次ページの「年末調整のための算出所得税額の速算表」に当てはめて㉒（算出所得税額）を出します。

◆ 年末調整欄の作成 3

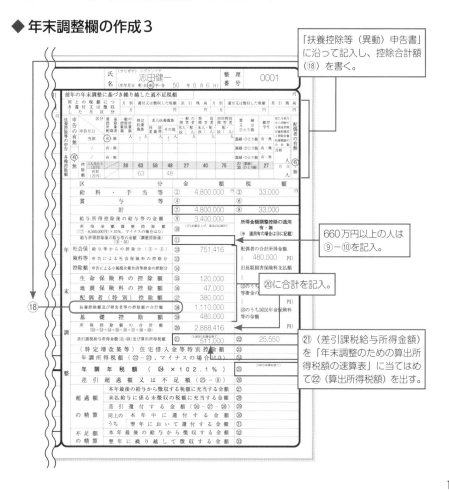

「扶養控除等（異動）申告書」に沿って記入し、控除合計額（⑱）を書く。

660万円以上の人は⑨−⑩を記入。

⑳に合計を記入。

㉑（差引課税給与所得金額）を「年末調整のための算出所得税額の速算表」に当てはめて㉒（算出所得税額）を出す。

◆「年末調整のための算出所得税額の速算表」

課税給与所得金額（A）		税率（B）	控除額（C）	税額（A）×（B）－（C）
	195万円以下	5%	—	(A)×5%
195万円超	330万円以下	10%	97,500円	(A)×10%－97,500円
330万円超	695万円以下	20%	427,500円	(A)×20%－427,500円
695万円超	900万円以下	23%	636,000円	(A)×23%－636,000円
900万円超	1,800万円以下	33%	1,536,000円	(A)×33%－1,536,000円
1,800万円超	1,805万円以下	40%	2,796,000円	(A)×40%－2,796,000円

※1,805万円超は年末調整の対象外。

⤷ ㉔「年調所得税額」を出す

「住宅借入金等特別控除」（166ページ）の適用がある場合は、㉒「算出所得税額」から㉓「（特定増改築等）住宅借入金等特別控除額」を引いて㉔「年調所得税額」を出します。

令和6（2024）年は定額減税があります。定額減税については、源泉徴収簿の欄外などに記載し、その分も考慮に入れて年末調整額を決定します。

㉔を使って年調年税額を出します。㉔「年調所得税額」×102.1%＝㉕「年調年税額」です。100円未満切捨にして記入します。

㉕「年調年税額」から給与・賞与から控除した源泉徴収税額（⑧）を引くと㉖「差引超過額又は不足額」が出るので、「超過額の精算」または「不足額の精算」に金額を記入します。これは次節で説明します。

Check! 復興特別所得税とは？

税額を計算するときの102.1%の2.1%は令和19（2037）年までにかかるプラスアルファの税金です。

平成23（2011）年の東日本大震災からの復興のために必要な財源を確保することを目的としたもので、「復興特別所得税」といいます。復興特別所得税は源泉所得税と一緒に徴収し、納税しなければなりません。

POINT **差引超過額と不足額の処理：**超過の場合は12月の給与に加算または別途還付。不足は12月の給与から控除。額が大きいときは1月、2月に徴収してもよい。

◆ ㉕（年調年税額）を出す

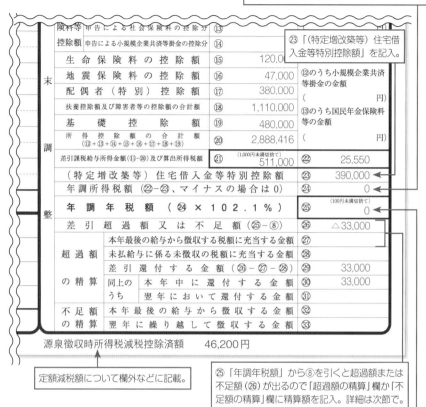

㉒「算出所得税額」－㉓＝㉔「年調所得税額（マイナスの場合は「0」）。

㉓「（特定増改築等）住宅借入金等特別控除額」を記入。

険料等	申告による社会保険料の控除分	⑬		
控除額	申告による小規模企業共済等掛金の控除分	⑭		
	生 命 保 険 料 の 控 除 額	⑮	120,0	
末	地 震 保 険 料 の 控 除 額	⑯	47,000	
	配 偶 者 （ 特 別 ） 控 除 額	⑰	380,000	
	扶養控除額及び障害者等の控除額の合計額	⑱	1,110,000	
調	基 礎 控 除 額	⑲	480,000	
	所 得 控 除 額 の 合 計 額（⑫＋⑬＋⑭＋⑮＋⑯＋⑰＋⑱＋⑲）	⑳	2,888,416	
	差引課税給与所得金額(⑪−⑳)及び算出所得税額	㉑	(1,000円未満切捨て) 511,000	㉒ 25,550
	（ 特 定 増 改 築 等 ） 住 宅 借 入 金 等 特 別 控 除 額	㉓	390,000	
整	年調所得税額（㉒−㉓、マイナスの場合は 0）	㉔	0	
	年 調 年 税 額 （ ㉔ × 1 0 2 . 1 ％ ）	㉕	(100円未満切捨て) 0	
	差 引 超 過 額 又 は 不 足 額（㉕−⑧）	㉖	△33,000	
超 過 額	本年最後の給与から徴収する税額に充当する金額	㉗		
	未払給与に係る未徴収の税額に充当する金額	㉘		
の 精 算	差 引 還 付 す る 金 額 （㉖−㉗−㉘）	㉙	33,000	
	同上の うち	本 年 中 に 還 付 す る 金 額	㉚	33,000
		翌 年 に お い て 還 付 す る 金 額	㉛	
不 足 額	本 年 最 後 の 給 与 か ら 徴 収 す る 金 額	㉜		
の 精 算	翌 年 に 繰 り 越 し て 徴 収 す る 金 額	㉝		

⑫のうち小規模企業共済等掛金の金額
（　　　　　円）

⑬のうち国民年金保険料等の金額
（　　　　　円）

源泉徴収時所得税減税控除済額　　46,200 円

定額減税額について欄外などに記載。

㉕「年調年税額」から⑧を引くと超過額または不足額（㉖）が出るので「超過額の精算」欄か「不足額の精算」欄に精算額を記入。詳細は次節で。

㉕「年調年税額」を計算。100円未満の端数は切捨。

Check! 定額減税と年末調整

令和6（2024）年は定額減税があり、要件を満たす従業員と、その配偶者等のうち要件を満たす者は、1人につき所得税3万円＋住民税1万円が控除されます。従業員の要件は合計所得が1,805万円以下の日本の居住者です。配偶者の要件は配偶者控除の対象者などです。

年税額の精算

- 年調年税額と源泉徴収税額を比較する。
- 超過額があれば還付、不足額があれば追加徴収する。

➡ 年調年税額から源泉徴収を引く

　前節の作業で「年調年税額」を出すことができました。年調年税額は1年間の給与に対する所得税（復興特別所得税含む）を計算するために必要な数字です。

　年調年税額とすでに源泉徴収した金額を比較して過不足額を計算しましょう。年調年税額と源泉徴収した金額のどちらが多いかによって、還付金または追加徴収の金額を確定することができます。

　では、「年末調整」欄の該当部分を埋めていきましょう。

➡ ㉖「差引超過額又は不足額」を出す

　㉕「年調年税額」から給与・賞与から控除した源泉徴収税額を引きます。源泉徴収税額は⑧欄の数字が該当します。

　㉕−⑧の計算で、㉖「差引超過額又は不足額」がわかります。

▌過不足金の確認

　㉕「年調年税額」 ＜ ⑧「給与と賞与から源泉徴収した額」

　➡ 税金を納めすぎ（超過額）→還付

　㉕「年調年税額」 ＞ ⑧「給与と賞与から源泉徴収した額」

　➡ 税金が不足（不足額）→追加徴収

POINT **還付・追加徴収：**その年最後の給与で還付・追加徴収の精算をする。

➡️「超過額の精算」欄を記入

㉖（差引超過額又は不足額）が「差引超過額又は不足額」のどちらに該当するか○で囲んで示します。

> マイナスの場合 ➡ 「差引超過額」　　プラスの場合 ➡ 「不足額」

金額に応じて「差引超過額」か「不足額」を○で囲んだあとに、㉖に金額を記入します。

「差引超過額」を○で囲んだということは還付があるということですので、「超過額の精算」欄に進みます。

「不足額」を○で囲んだということは追加徴収があるということなので、「不足額の精算」に進みます。

◆ 差引超過額または不足額の出し方

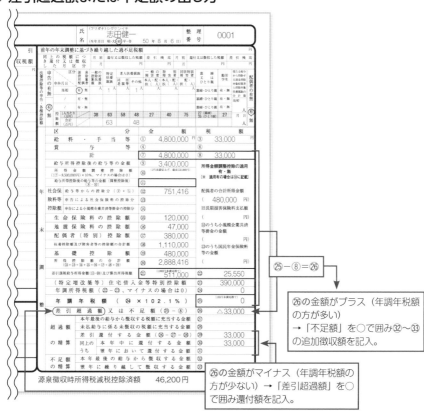

源泉徴収票の作成と交付・提出

- 市区町村への提出と従業員本人への交付は必ずおこなう。
- 税務署への提出は条件が合致した従業員のみ。

➡ 源泉徴収簿から作成

　源泉徴収票とは、その年に会社が従業員に支払った給与の総額、源泉徴収税額、年末調整の情報などをまとめたものです。内容は源泉徴収簿とほぼ共通しているので記入のために計算をする必要はなく、源泉徴収簿が完成していればその情報を転記していくことで完成します。

　令和6（2024）年は定額減税があり、その情報は「（摘要）」欄に記載します。

　源泉徴収票は4枚複写と3枚複写があります。

4枚複写

1枚目と2枚目は「給与支払報告書」という名称➡市区町村に提出。
3枚目と4枚目は「源泉徴収票」という名称➡3枚目は税務署に提出。
4枚目を従業員本人に交付。

3枚複写

1枚目と2枚目は「給与支払報告書」という名称➡市区町村に提出。
3枚目は「源泉徴収票」という名称➡本人に交付。

➡ 税務署に提出する従業員・しない従業員

　4枚複写の場合は税務署に3枚目の「源泉徴収票」を提出しますが、3枚複写の場合は税務署に提出する必要はありません。

　税務署に源泉徴収票の提出が必要な従業員は次ページの通りです。

　ほとんどの従業員は4枚複写の対象者になります。

POINT　**源泉徴収票の交付先**：従業員以外に、外注スタッフやアルバイト・パート、報酬を支払った弁護士、司法書士、税理士等にも交付します（182ページのCheck!）。

◆「源泉徴収票」を税務署に提出する人

	対象者		要件
年末調整をした人	役員（取締役、執行役、会計参与、監査役、理事、監事、清算人、相談役、顧問等）、またはその年に役員であった人。		その年の給与等の支払金額が150万円を超える。
	従業員		その年の給与等の支払額が500万円を超える。
年末調整をしなかった人	「給与所得者の扶養控除等申告書」を提出した人。	その年に退職した人、災害により被害を受けたため源泉所得税及び復興特別所得税の徴収の猶予または還付を受けた人。	その年の給与等の支払金額が250万円を超える（ただし役員は50万円を超える）。
		給与等の金額が2,000万円を超えて年末調整をしなかった。	全員。
	「給与所得者の扶養控除等申告書」を提出しなかった人。		その年の給与等の支払金額が50万円を超える。

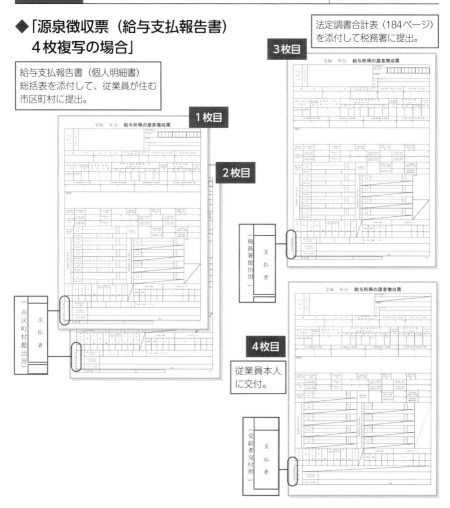

◆「源泉徴収票（給与支払報告書）4枚複写の場合」

給与支払報告書（個人明細書）総括表を添付して、従業員が住む市区町村に提出。

1枚目

2枚目

法定調書合計表（184ページ）を添付して税務署に提出。

3枚目

4枚目

従業員本人に交付。

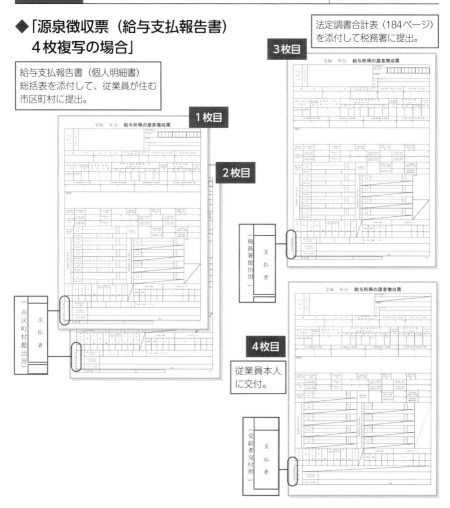

⊕ 「給与支払報告書」は全従業員の分を市区町村へ提出

「給与所得の源泉徴収票」は、従業員の給与額などの条件によっては、税務署へ提出する必要はありません。しかし、市区町村へ提出する「給与支払報告書」は、翌年1月31日までに退職者を含むすべての従業員の分を提出しなくてはいけません。

令和2（2020）年度から、住民税の特別徴収が徹底されることになりました。普通徴収に該当する従業員がいる場合は、「給与支払報告書」の提出のときに普通徴収の理由を届け出る必要があります。

切替理由は以下の4つになっています。

- 退職者・5月末までに退職予定（休職者を含む）。
- 給与の毎月支給額が少なく、特別徴収しきれない。
- 給与が毎月は支給されない（不定期支給）。
- 他の事業主から特別徴収されている。

Check! 外部スタッフに渡す「源泉徴収票」

法人ではない個人事業主の外部スタッフや税理士や社会保険労務士に報酬を支払う場合、約10.21％の源泉所得税を差し引いた額を支払います（124ページ欄外）。会社は税務署やそれぞれの人に対して年間の総額を通知します。このとき使用するのも源泉徴収票ですが、給与所得者向けのものとは異なる様式になっています。

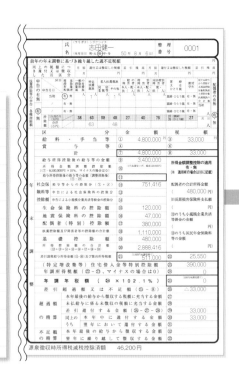

POINT **給与支払報告書の提出が遅れたとき**：提出の遅れで市区町村での計算作業も遅れると、12か月で分割して控除するはずの住民税が11か月や10か月に分割され1回の負担が大きくなる。

◆「給与所得の源泉徴収票」

中途入社で前職の給与も合わせて年末調整をしたなら、前職の給与も含めた金額。この金額から源泉徴収票を税務署に提出するか判断する。

年 ＝年末調整をした従業員のみ記入。

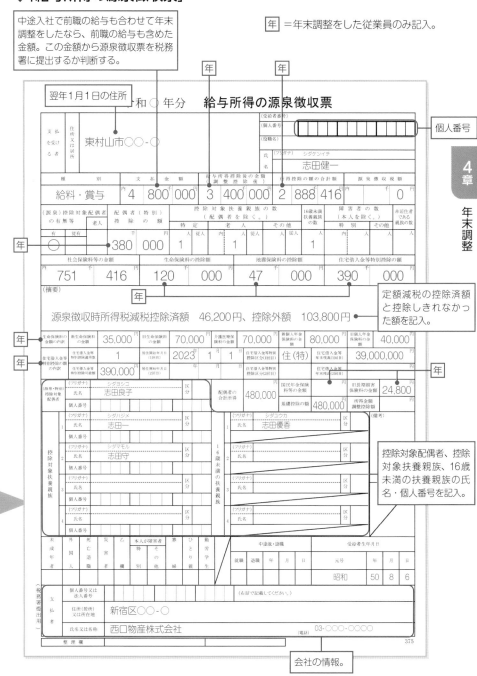

翌年1月1日の住所

定額減税の控除済額と控除しきれなかった額を記入。

控除対象配偶者、控除対象扶養親族、16歳未満の扶養親族の氏名・個人番号を記入。

個人番号

会社の情報。

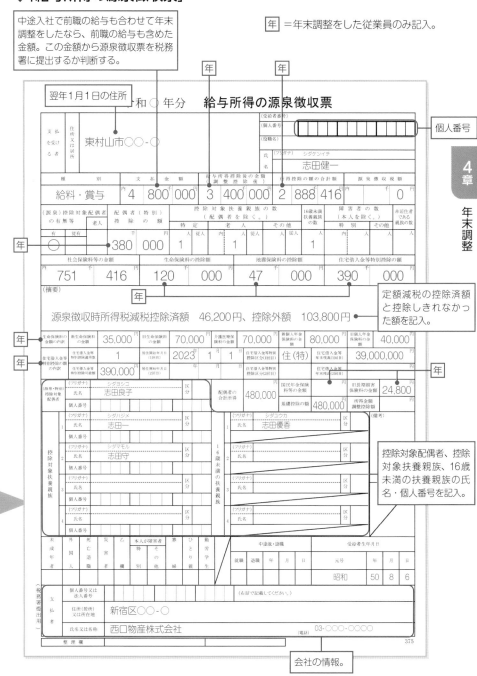

4章

年末調整

183

「法定調書合計表」の作成・提出

- 「法定調書合計表」は、お金の流れを税務署に報告するための書類。
- 全6種の内容を一枚の書類にまとめて記載する。

⏩ 翌年1月31日までに税務署に提出

法定調書は税務署に提出が義務づけられている資料のことです。「所得税法」「相続税法」「租税特別措置法」「内国税の適正な課税の確保を図るための国外送金等に係る調書の提出等に関する法律」の法律のもと、50種類以上の書類があります。

そのうち会社が提出する法定調書は次の6つです。

> ▌提出が必要な法定調書
> ....
> 1. 給与所得の源泉徴収票（前節）
> 2. 退職所得の源泉徴収票
> 3. 報酬、料金、契約金および賞金の支払調書
> 4. 不動産の使用料等の支払調書
> 5. 不動産等の譲受けの対価の支払調書
> 6. 不動産等の売買又は貸付けのあっせん手数料の支払調書

上記の6つをまとめたのが「給与所得の源泉徴収票等の法定調書合計表」です。原則として支払いの確定した日の翌年1月31日までに税務署に提出することになっています。

POINT **法定調書を適切に提出しないと**：税務署から「お尋ね」とう問い合わせの文書が届くか、税務調査を受けることになる。

◆ 給与所得の源泉徴収票等の法定調書合計表

給与を支払ったすべての人数。

源泉徴収票の源泉徴収税額欄が「0円」だった人数。

「2　退職所得の源泉徴収票合計表」の欄。

「1　給与所得の源泉徴収票合計表」の欄。

F E 0 1 0 4

提出用

令和 □□ 年分 給与所得の源泉徴収票等の法定調書合計表
（所得税法施行規則別表第5（8）、5（24）、5（25）、5（26）、6（1）及び6（2）関係）

署番号 □□□□□□

平成28年1月1日以後提出用

| 税務署受付印 | 令和　年　　月　　日提出
税務署長　殿 | 事業種目 | | 整理番号 | |

住所又は所在地　新宿区○○-○
電話（　03 - ○○○-○○○○ ）

（フリガナ）ニシグチブッサンカブシキガイシャ
氏名又は名称　西口物産株式会社

個人番号又は法人番号

（フリガナ）ニシグチ タロウ
代表者氏名　西口太郎

作成担当者　鈴木花子

作成税理士署名　　電話（　　　　）

税理士番号 □□□□□

調書の提出区分
新規=1 追加=2
訂正=3 無効=4　1

提出媒体
本店等一括提出　有 ○ 否 ○
翌年以降送付　有 ○ 否 ○

○提出媒体欄には、法定調書の種類別にコードを記載してください。（電子=14、FD=15、MO=16、CD=17、DVD=18、書面=30、その他=99）

○平成27年分以前の合計表を作成する場合には、「個人番号又は法人番号」欄に何も記載しないでください。

1　給　与　所　得　の　源　泉　徴　収　票　合　計　表　（375）

区　分	人　員	Aのうち、源泉徴収票を提出するもの	支　払　金　額	源　泉　徴　収　税　額
④俸給、給与、賞与等の総額	6	1	214800000	4500000
Bのうち、内国法人の役員分の賞与				
源泉徴収票を提出するもの	5		21,000,000	450,000
災害減免法により徴収猶予したもの			（摘要）該当なし	

2　退　職　所　得　の　源　泉　徴　収　票　合　計　表　（316）

区　分	人　員	支　払　金　額	源　泉　徴　収　税　額	（摘要）
⑤退職手当等の総額				該当なし
⑥のうち、源泉徴収票を提出するもの				

3　報　酬、料　金、契　約　金　及　び　賞　金　の　支　払　調　書　合　計　表　（309）

区　分	人　員	細　人　記　入	支　払　金　額	源　泉　徴　収　税　額
原稿料、講演料等の報酬又は料金（1号該当）				
弁護士、税理士等の報酬又は料金（2号該当）	1		600,000	12,600
診療報酬（3号該当）				
職業野球選手、騎手、外交員等の報酬又は料金（4号該当）				
芸能等の出演、演出等の報酬又は料金（5号該当）				
ホステス等の報酬又は料金（6号該当）				
契約金（7号該当）				
賞金（8号該当）				
計				
Ⓐのうち、支払調書を提出するもの				

区　分	人　員	支　払　金　額	源　泉　徴　収　税　額	（摘要）
Ⓐのうち、所得税法第174条第10号に規定する内国法人に対する賞金				
災害減免法により徴収猶予したもの				

4　不　動　産　の　使　用　料　等　の　支　払　調　書　合　計　表　（313）

区　分	人　員	支　払　金　額
使用料等の総額	1	1,320,000
Aのうち、支払調書を提出するもの	1	1,320,000
（摘要）		

6　不　動　産　等　の　売　買　又　は　貸　付　けのあっせん手数料の支払調書合計表　（314）

区　分	人　員	支　払　金　額
あっせん手数料の総額		
Aのうち、支払調書を提出するもの		
（摘要）	該当なし	

5　不　動　産　等　の　譲　受　けの対価の支払調書合計表　（376）

区　分	人　員	支　払　金　額
譲受けの対価の総額		
Aのうち、支払調書を提出するもの		
（摘要）	該当なし	

通信日付印	確　認	提　出　年　月　日	身元確認
税務署整理欄			
区		分	
	A B C D E F G H		

Ⓐ欄のなかで源泉徴収票を添付する人数と金額を記入。中途入社の社員の前職の源泉徴収税額も含める。

「4　不動産の使用料等の支払調書合計表」の欄
「5　不動産等の譲受けの対価の支払調書合計表」の欄
「6　不動産等の売買又は貸付けのあっせん手数料の支払調書合計表」の欄

支払がない場合は各（摘要）欄に「該当なし」と記入。

「3　報酬、料金、契約金及び賞金の支払調書合計表」の欄

⏩ 100枚以上はe-TaxやCD、DVDで提出

　税務署に法定調書を提出する際は、書面の代わりにe-TaxやCD、DVDなどで提出することも認められています。

　なお、法定調書の枚数が100枚以上の場合はe-TaxやCD、DVDでの提出が義務づけられています。

⏩ お金の動きを把握する法定調書

　税務署が公平に正確に課税をするためには、お金の動きを正しく把握しておかなくてはいけません。そのために法定調書の提出が義務づけられているのです。

　例えば、会社から個人事業主の外注スタッフに対して60万円の報酬を支払ったとしましょう（下記POINT）。

　このとき、会社は法定調書のうちの「報酬、料金、契約金および賞金の支払調書」を税務署に提出します。

　一方、報酬を受けとった外注スタッフは、自ら確定申告することで税務署にお金の動きを知らせます。

　会社と外注スタッフからの報告が一致することで、税務署はお金の動きを確認でき、適切に課税することができるのです。

POINT **支払調書を出すケース**：職業や年間の支払金額の合計で支払調書を出すか決まる。集金人などは支払金額合計が50万円を超えたら、弁護士や税理士、作家等は5万円を超えたら出す。

社会保険・労働保険の届出

社会保険の被保険者

- 従業員は基本的に全員被保険者。
- パート・アルバイトも条件を満たせば被保険者になる。

➡ 条件によってパートやアルバイトも加入が必須

　従業員（正社員）は、国籍・性別・年齢・賃金の額などに関係なく被保険者となります。パートやアルバイトの社会保険加入要件は、週の所定労働時間、および月の所定労働日数が、正社員の4分の3以上です。週と月の両方が4分の3以上になると、社会保険に加入させなければなりません。

　なお、令和6（2024）年10月から従業員数51人以上の企業は、次ページの4つの要件を満たした人を加入させなければならなくなりました。つまり、51人以上の企業は次ページの要件で、50人以下の企業は上記の要件になります。

➡ 被保険者とされない人も条件によっては被保険者に

　雇用期間などによって被保険者とされない人であっても、一定の条件を満たすと被保険者となります。

▌社会保険の4つのメリット

① もらえる年金が増える。

② 障害を負ったときにもらえる年金が増える。

③ 傷病手当金（254ページ）や出産手当金（244ページ）などの給付が充実している。

④ 保険料は会社が半分負担。

社会保険に加入することで、従業員にはこのようなメリットがあります。

POINT **社会保険の加入義務**：すべての法人、または従業員を常時5人以上雇用している個人事業主（一部業種を除く）は、社会保険に加入しなくてはいけない。

◆ パート・アルバイトが被保険者となる要件

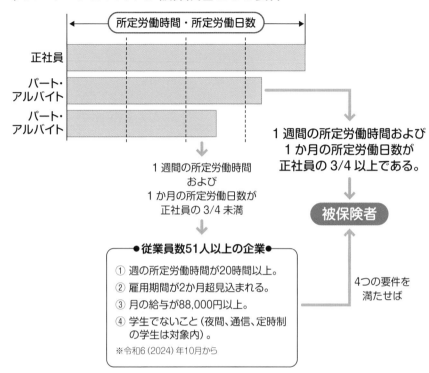

正社員

パート・
アルバイト

パート・
アルバイト

所定労働時間・所定労働日数

1週間の所定労働時間
および
1か月の所定労働日数が
正社員の 3/4 未満

1週間の所定労働時間および
1か月の所定労働日数が
正社員の 3/4 以上である。

被保険者

4つの要件を
満たせば

●従業員数51人以上の企業●

① 週の所定労働時間が20時間以上。
② 雇用期間が2か月超見込まれる。
③ 月の給与が88,000円以上。
④ 学生でないこと（夜間、通信、定時制の学生は対象内）。
※令和6 (2024) 年10月から

◆ 被保険者とされない人が被保険者となる条件

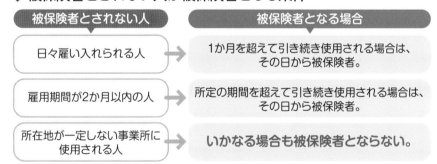

被保険者とされない人

日々雇い入れられる人

雇用期間が2か月以内の人

所在地が一定しない事業所に
使用される人

被保険者となる場合

1か月を超えて引き続き使用される場合は、
その日から被保険者。

所定の期間を超えて引き続き使用される場合は、
その日から被保険者。

いかなる場合も被保険者とならない。

社会保険の被扶養者

- 被扶養者は、同居していなくても認められるケースと、同居が条件のケースがある。
- 給与以外でも収入とみなされ、収入の上限は年齢によって異なる。

被扶養者は保険料免除で保障が受けられる

社会保険では、被保険者（従業員）の家族が被扶養者（扶養家族）として認められると、従業員が加入している社会保険に加入できます。

例えば、夫が被保険者（従業員）で専業主婦の妻を扶養家族とした場合、妻は夫の社会保険に加入したことになり、**妻本人が社会保険料を支払う必要はありません。**

この場合、妻がパートで働いていても一定の条件を満たしていれば、専業主婦と同様、配偶者の健康保険に加入することができます。

また、従業員の病気・ケガ・死亡・出産に際して保険が給付されますが、扶養家族に同様のことがあったときも給付があります。

つまり、扶養家族になることで**保険料が免除され、従業員とほぼ同じ保障が受けられる**ようになるのです。

被扶養者（扶養家族）の条件

扶養家族の範囲や同居の有無などは次のように定められています。

扶養家族になるときの条件

1. 被保険者（従業員）の直系尊属（父母、祖父母、曽祖父母）、配偶者（事実婚含む）、子、孫、兄弟姉妹で、従業員に生計を維持されている人
   ➡ 同居の必要なし（図の●の人）

2. 従業員の収入で生活している次の人
   ➡ 同居の必要あり（図の◗の人）
   ① 従業員の三親等以内の親族（義父母等）
   ② 従業員の内縁の配偶者の父母・連れ子
   ③ 内縁の配偶者が亡くなったあとの父母および子

※後期高齢者医療制度の被保険者（75歳以上）は除く。

同居：被保険者と同じ家に住んでいること。同じ敷地内でも住所表示が異なると同居ではない。同居していても家計が別々なら同居と認められない。

◆ 扶養家族として認められる三親等内の親族

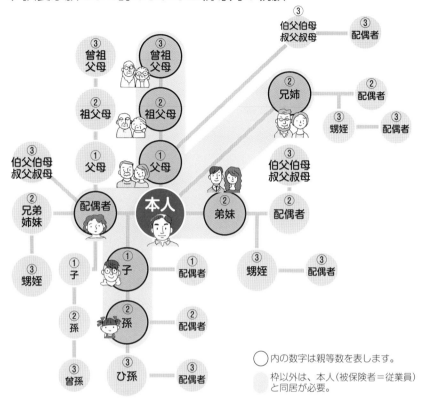

◯内の数字は親等数を表します。

枠以外は、本人（被保険者＝従業員）と同居が必要。

⬥ 被扶養者の収入

　定められた収入を超えると扶養家族と認められません。収入の上限は年齢によって異なります。

▌扶養家族になるときの収入の条件

扶養家族の収入とみなされるもの
- 給与（パート・アルバイト・内職等）　● 各種年金収入　● 恩給
- 事業収入（自営業・農業・漁業・林業等）　● 不動産収入
- 雇用保険からの給付金、健康保険からの傷病手当金や出産手当金
- 被保険者以外からの仕送り（生活費、養育費等）
- その他継続性のある収入

扶養家族の年齢と収入限度額

59 歳以下 ➡ 年収 130 万円未満
60 歳以上（または障害年金受給者）➡ 年収 180 万円未満

定時決定 (算定基礎届)

- 給与の変動と保険料の誤差を正す作業。
- 毎年7月に届出を提出する。

⇒ 標準報酬月額と実際の給与のズレを正す「定時決定」

月々の社会保険の保険料は従業員の月給を元にして決まります。しかし、時間外労働や休日労働の時間数などによって、従業員の給与が月によって変動することは珍しくありません。その度に、社会保険料を計算し直すのは大変です。

そこで、「標準報酬月額」というものを算出し、1年間はこの標準報酬月額を「保険料額表(110ページ)」に当てはめて月々の社会保険料を弾き出します。

実際の給与から標準報酬月額を弾き出す作業を「定時決定」といい、年に一回おこなうことになっています。

定時決定では4、5、6月支給分の給与の平均額を報酬月額とし、そこから標準報酬月額を求め、年金事務所などにその結果を記した「健康保険・厚生年金保険 被保険者報酬月額算定基礎届」(「算定基礎届」)を提出します。

その後、年金事務所などから届いた「健康保険 厚生年金保険 被保険者標準報酬決定通知書」に基づいて、9月から翌年8月までの保険料を控除します。

⇒ 定時決定の対象者

7月1日時点の被保険者が対象となります。海外勤務で日本にいない、休職、欠勤でも対象となります。

対象から外れるのは次の人です。

POINT　給与の変動：昇給・降給のほか、各種手当、残業代、雇用形態の変化などで給与は変動する。

◉ 4～6月の給与と支払基礎日数を確認

会社によっては「末締めの翌月10日払い」のように、その月の給与が前月の労働によるケースもありますが、定時決定では支払われた月で考えていきます。例えば3月中の給与が3月末締め4月10日払いだったら、「4月分の給与」として取り扱います。

報酬月額の計算には「支払基礎日数」が必要です。

月給制の場合は暦日数が支払基礎日数となり、休日や有給休暇も含めます。一方、日給制・時給制だと、「出勤日数に有給休暇を足した日数」が支払基礎日数となります。

正社員は支払基礎日数が1か月に17日以上で対象月となり、それ以下の日数の場合は計算に含めません。

例えば、正社員の支払基礎日数が「4月は17日、5月は10日、6月は18日」だったら、4月と6月の報酬月額の合計を2で割って平均を出します。

パートの場合は17日以上の月が1か月以上ある場合はその月の平均、4、5、6月のいずれも17日未満なら15日以上の月の平均が支払基礎日数です。

◆「定時決定」の流れ

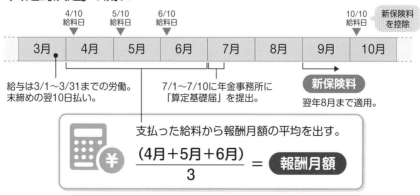

支払った給料から報酬月額の平均を出す。

$$\frac{(4月＋5月＋6月)}{3} = 報酬月額$$

◆「健康保険 厚生年金保険 被保険者報酬月額算定基礎届 70歳以上被用者算定基礎届」

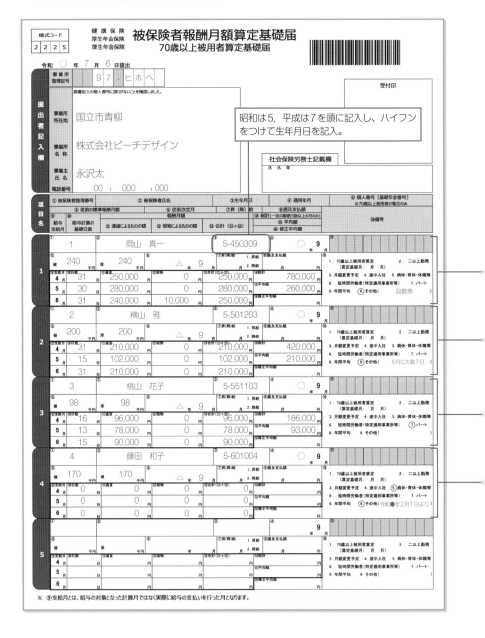

報酬月額の求め方

①月給制・欠勤控除がないケース

$$\frac{250,000円（4月）+ 280,000円（5月）+ 250,000（6月）}{3} = \boxed{260,000 円}$$

現物支給があった場合は時価や標準価格に基づいた金額を記入し、備考欄の「9.その他」に○を
つけて内容を記入する。

**②月給制・欠勤控除のため支払基礎日数が17日未満の月がある
ケース**

$$\frac{210,000円（4月）+ 210,000円（6月）}{2} = \boxed{210,000 円}$$

③パート・支払基礎日数が3か月とも17日未満のケース

15日以上ある月の平均で計算する。

$$\frac{96,000円（4月）+ 90,000円（6月）}{2} = \boxed{93,000 円}$$

④病気休業・育児休業・休職等のケース

休業する前の標準報酬月額を記入し、備考欄の当てはまる事由に○をつけ、
「9.その他」欄に休業等の開始時期を記入する。

標準報酬月額を計算して
社会保険料を決める。

5章

社会保険・労働保険の届出

随時改定（月額変更届）

- 定時決定の対象となる4、5、6月の期間以外で給与額が大きく変動した場合の対処。
- 変更した給与額を届け出て適正な保険料を出す。

定時決定を待たずに標準報酬月額を見直し

　毎年7月に手続きをする「定時決定」（前節）は、年一回おこなう標準報酬月額の見直しの手続きです。給与に対して適正な社会保険料になるよう調整をすることが目的で、「算定基礎届」を提出して決まった標準報酬月額は9月から翌年の8月まで適用されます。

　しかし、7月の定時決定の前に給与額が大きく変わってしまうこともあります。

　その場合、定時決定をおこなう7月の前に標準報酬月額（108ページ）を改定する「随時改定」の手続きをする必要があります。「健康保険 厚生年金保険 被保険者報酬月額変更届」を提出することから、随時改定手続きは月変と呼ばれています。

　次の3つの要件すべてに合致すると、随時改定の対象となります。

「随時改定」の3つの要件

① 昇給または降給等により固定的賃金に変動があった。

② 変動があった月からの3か月間に支給された報酬（残業手当等の非固定的賃金を含む）の平均月額と、これまでの標準報酬月額を保険料額表の報酬月額に当てはめたときに2等級以上の差が生じた。

③ 3か月とも支払基礎日数が17日（特定適用事業所に勤務する短時間労働者は11日）以上である。

WORD　**固定的賃金**：基本給、役職手当、家族手当、通勤手当など毎月一定額で支払われるもの。非固定的賃金は時間外手当など毎月一定額ではないもの。

随時改定が必要になるケース

　定時決定は毎年のことですし、年金事務所や健康保険組合から書類も送付されてくるので「うっかり」することはないでしょう。

　一方、随時改定は該当者が出たときに発生する手続きであり、社内で社会保険の手続きをしている担当者が気がつかなくては標準報酬月額の見直しがなされません。毎月の給与計算の際に「随時改定の該当者の有無」をチェックする習慣をつけておきましょう。

　具体的に次のようなケースは対象者になると考えられるので、前ページの「3つの要件」に当てはまるか確認をしてください。

> **従業員に次の変化があったら随時改定が必要か確認**
>
> ● 昇給や降給があった。
> ● 引っ越しで通勤手当が変更になった。
> ● 結婚して家族手当が支給されるようになった。
> ● 子どもが生まれて家族手当が増えた。
> ● パートから正社員になった。
> ● 時給制から月給制になった。
> ● 転勤で勤務地が変更になった。

　随時改定が発生する場合は、同時に社会保険の被扶養者異動届なども必要となることがあるので、そちらの確認・手続きとも連動させましょう。

Check!　**特定適用事業所に勤務する短時間労働者とは？**

前ページの「随時改定」の3つの要件の「特定適用事業所」と「短時間労働者」はそれぞれ以下のような内容になります。

●特定適用事業所

法人・個人・地方公共団体に属する適用事業所、国に属する適用事業所であり、被保険者（短時間労働者を除く）の総数が常時50人（令和6（2024）年10月から）を超える事業所

●短時間労働者

189ページ図にある「従業員51人以上の企業」の①〜④の要件すべてにあてはまる人。

⊙ 随時改定の流れ

　例えば手当の増額などで固定的賃金に変動があった場合、昇給後3か月分の報酬月額の平均をもとに新しい標準報酬月額を計算し、4か月目に手続きをすると、手続きの翌月（固定的賃金の変動から5か月目）の給与から新しい保険料で控除します。

　下の図の「随時改定」では、7月に昇給があり固定的賃金に変動がありました。そこで昇給後3か月分（7、8、9月分）の報酬月額を平均し、10月に改定手続きをしました。手続きの翌月である11月（11月支給分の給与）から翌年9月（9月支給分の給与）まで、新保険料となります。

　さらに、例えば翌年の4月に毎年のようにおこなわれている定時昇給があれば、再び4、5、6月分をもとに手続きをおこないます。

◆ 随時改定のタイミングと標準報酬月額の適用期間

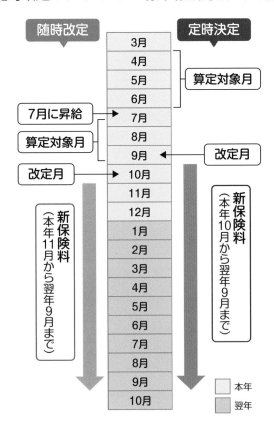

198

◆「健康保険 厚生年金保険 被保険者報酬月額変更届　70歳以上被用者月額変更届」

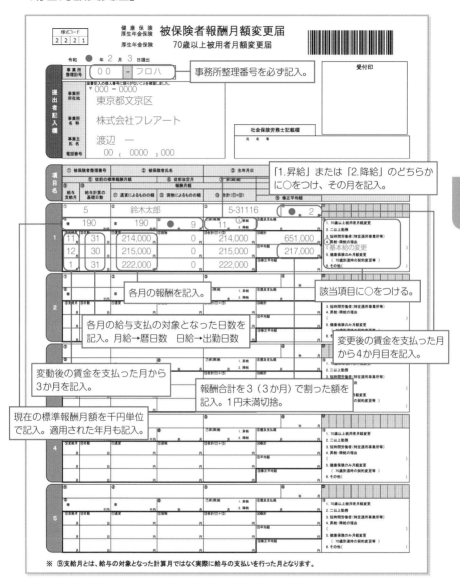

199

「算定基礎届」の特例／ 「月額変更届」の特例

- 算定基礎届も月額変更届も、「一定の3か月」を基準に保険料を算定するもの。
- 特例の要件を満たすと1年間の給与の平均から保険料が算定できる。

「算定基礎届」の特例

定時決定では「算定基礎届」を提出して、4、5、6月の3か月の給与の平均額から保険料を算出します。

ところが、この時期が極端に忙しくて残業も多いような会社では、そこから計算した保険料は高額になってしまいます。反対に、その時期が閑散期にあたり、ほとんど残業代がないような会社では、保険料が低く算定されてしまうことになるので適切な保険料とはいえません。

保険料の不均衡が発生するケース

- 4、5、6月が繁忙期 ➡ 残業代・手当等が増えて給与アップ ➡ 保険料も高額に!
- 4、5、6月が閑散期 ➡ 残業代・手当等がなくて給与は最小限 ➡ 保険料が低額に!

こうしたアンバランスを正すために、4、5、6月の3か月ではなく、年間給与の平均から保険料を算出できるようにしたのが「算定基礎届」の特例です。

「算定基礎届」の特例の要件

① 「4、5、6月で算出した標準報酬月額（108ページ）」と**「年間平均で出した標準報酬月額」**の間に2等級以上の差がある。

② ①の差が例年発生することが見込まれる。

③ 被保険者が同意している。

年間平均で出した標準報酬月額：変動月以降3か月間の固定的賃金の平均に、変動月前の9か月および変動月以降3か月間の非固定賃金の平均額を加えた額から算出。

要件を満たす場合、「算定基礎届」と一緒に「年間報酬の平均で算定することの申立書（定時決定用）」「保険者算定申立に係る例年の状況、標準報酬月額の比較及び被保険者の同意等（定時決定用）」を年金事務所等に届け出ます。

⟫ 「月額変更届」の特例

随時改定は「月額変更届」を提出して、定時決定の対象期間以外で発生した給与の大きな変動を保険料に反映させるものです。

ただ、ある限定された3か月間の平均給与月額から保険料を算出すると適当でない場合があります。

例えば、たまたま残業手当が多くつく繁忙期に子どもが生まれて家族手当がついた場合など、ふだんはつかない残業代と新たな家族手当も含めて保険料が計算されるため、等級が上がって社会保険料が高額になってしまいます。

そこで、大きな給与変動があった月から3か月間ではなく、年間の平均給与月額をもって月額変更するのが「月額変更届」の特例です。

▎「月額変更届」の特例の要件

① 「現在の標準報酬月額」と「変動月以降3か月の平均報酬月額」との間に2等級以上の差がある。

② 「変動月以降3か月間の平均給与月額で出した標準報酬月額」と「年間平均で出した標準報酬月額」の間に2等級以上の差がある。

③ ②の差が例年発生することが見込まれる。

④ 「現在の標準報酬月額」と「年間平均で出した標準報酬月額」の間に1等級以上の差がある。

⑤ 被保険者が同意している。

要件を満たす場合、「年間報酬の平均で算定することの申立書（随時改定用）」「月額変更届」と一緒に「被保険者算定申立に係る例年の状況、標準報酬月額の比較及び被保険者の同意等（随時改定用）」を年金事務所等に届け出ます。

労働保険に加入すべき事業所

- 原則的にすべての事業所・従業員が対象。
- 支店・支社を設立したら加入。

⟫ パートやアルバイトも要件に合致したら被保険者

　労災保険と雇用保険をまとめて労働保険といい、従業員（パート・アルバイト含む）を1人でも雇用していれば業種や規模に関わらず**加入の義務**があります。加入は会社単位ではなく事業所単位でおこなうため、支店・支社などを設立したら加入が必要です。

　労災保険も雇用保険もすべての従業員が加入対象となりますが、雇用保険は65歳未満を「一般被保険者」、65歳以上を「**高年齢被保険者**」と分類しています。

　雇用保険ではパートやアルバイトの加入要件を次のように定めています。

> **パートやアルバイトが雇用保険の被保険者になる要件**
> ....
> ① 1週間の所定時間が20時間以上。
> ② 31日以上引き続き雇用される見込みがある。

　ただし、事業主や役員は労働保険の対象外です。本来、労働保険とは労働者を保護するためのものなので、使用者（会社の役員）は加入できないのです。

WORD **高年齢被保険者**：65歳以上でも「週の所定労働時間が20時間以上」「31日以上の雇用見込みがあること」を満たす場合は雇用保険の加入が必要。

◆ 労働保険の概要

	雇用保険	労災保険
保険料負担額	・会社と被保険者で分担。	・会社が全額負担。
被保険者	・原則としてすべての従業員。 ・満65歳未満は一般被保険者、満65歳以上は高年齢被保険者。 ・パートタイマーなどは「1週間の所定時間が20時間以上」「31日以上引き続き雇用される見込みがある」が条件。 ・高年齢被保険者が2つ以上の事業所で働く場合、条件を合算して20時間以上にできるが、本人がハローワークに申し出なければならない（マルチジョブホルダー制度）。	・原則として正社員・パートを問わずすべての従業員。
内容	・失業した場合など、生活の安定、再就職を支援する。	・業務上や通勤時に起きた事故やケガに対する補償。

⊷ 保険事故別「労働保険・社会保険のカバー範囲」

労働保険、社会保険それぞれのカバー範囲があり、それによってさまざまなケースに対応できるようになっています。

◆ 労働保険・社会保険のカバー範囲

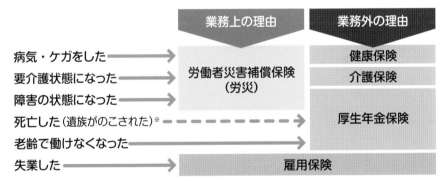

※死亡したときは、業務上の理由でも厚生年金からも保険金がカバーされる。

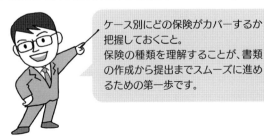

ケース別にどの保険がカバーするか把握しておくこと。
保険の種類を理解することが、書類の作成から提出までスムーズに進めるための第一歩です。

203

労働保険の加入手続き

- 支店・支社を設立したときの手続き。
- 「労災保険」と「雇用保険」の保険料の徴収を一緒におこなう「一元適用事業」と別々におこなう「二元適用事業」がある。

⇒ 一元適用事業と二元適用事業

　労働保険は労災保険と雇用保険の総称で、「仕事中にケガをした」場合は労災保険、「失業した」場合は雇用保険というように、それぞれがカバーする補償の範囲は異なりますが、原則的に保険料の徴収は労災保険・雇用保険を一緒におこないます（一元適用事業）。しかし、農林水産業や建設業等は、業務上、労災保険と雇用保険を区別する必要があるので、保険料の申告・納付を別々におこないます（二元適用事業）。

　加入は事業所単位なので、ここでは支店・支社を設立したとき、一元適用事業と二元適用事業で異なる労働保険の加入手続きについて説明します。

◆ 一元適用事業の手続き

労災保険と雇用保険の保険料の申告・納付等を一元的に取り扱う。
手続きの順番に注意。①の手続きをおこなったあと、または同時に②の手続きをおこなう。③④の手続きは①の手続き後におこなう。

●一元適用事業の手続きで必要な書類

書類	いつまで	どこに
①保険関係成立届	保険関係が成立した日の翌日から起算して10日以内	労働基準監督署
②概算保険料申告書	保険関係が成立した日の翌日から起算して50日以内	労働基準監督署、労働局、日本銀行（代理店、歳入代理店（全国の銀行・信用金庫の本店又は支店、郵便局）でも可）のいずれか
③雇用保険適用事業所設置届	設置の日の翌日から起算して10日以内	ハローワーク
④雇用保険被保険者資格取得届	資格取得の事実があった日の翌月10日まで	ハローワーク

二元適用事業：農林水産業、建設業以外に、「都道府県・市町村のおこなう事業」「都道府県・市町村に準ずるもののおこなう事業」「港湾運送」なども含まれる。

◆ 一元適用事業の場合

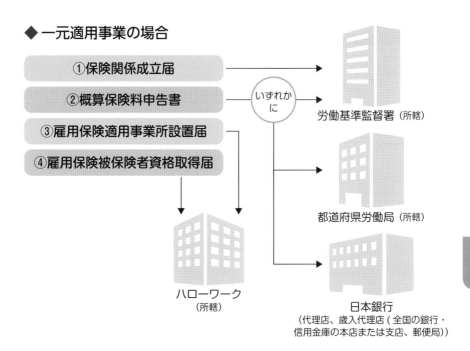

① 保険関係成立届

② 概算保険料申告書

③ 雇用保険適用事業所設置届

④ 雇用保険被保険者資格取得届

いずれかに

労働基準監督署（所轄）

都道府県労働局（所轄）

ハローワーク（所轄）

日本銀行
（代理店、歳入代理店 (全国の銀行・信用金庫の本店または支店、郵便局)）

◆ 二元適用事業の労災保険手続きで必要な書類

事業実態から労災保険と雇用保険の適用の仕方を区別する必要があるので、保険料の申告・納付等を二元的（別個）におこなう。農林漁業・建設業等が二元適用事業となる。

●二元適用事業の労災保険手続きで必要な書類

書類	いつまで	どこに
①保険関係成立届	保険関係が成立した日の翌日から起算して 10 日以内	労働基準監督署
②概算保険料申告書	保険関係が成立した日の翌日から起算して 50 日以内	労働基準監督署、労働局、日本銀行（代理店、歳入代理店 (全国の銀行・信用金庫の本店又は支店、郵便局) でも可) のいずれか

◆二元適用事業の労災保険の手続き

①の手続きをおこなったあと、または同時に②の手続きをおこなう。

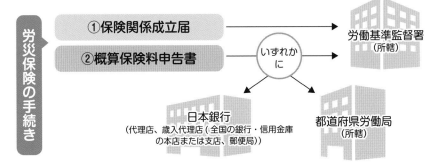

◆二元適用事業の雇用保険手続きで必要な書類

書類	いつまで	どこに
①保険関係成立届	保険関係が成立した日の翌日から起算して10日以内	ハローワーク
②概算保険料申告書	保険関係が成立した日の翌日から起算して50日以内	労働局か日本銀行（代理店、歳入代理店（全国の銀行・信用金庫の本店又は支店、郵便局）でも可）
③雇用保険適用事業所設置届	設置の日の翌日から起算して10日以内	ハローワーク
④雇用保険被保険者資格取得届	資格取得の事実があった日の翌月10日まで	ハローワーク

◆二元適用事業の雇用保険の手続き

①の手続きをおこなったあと、または同時に②〜④の手続きをおこなう。

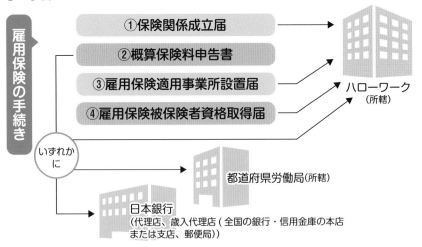

POINT **二元適用事業の意味:** 例えば労災保険は建設現場ごとのものでも雇用保険は建設終了後にも変更はない。そこで労災保険と雇用保険を別々に取り扱う。

⮞ 保険手続きをしていないときに労災事故が発生したら

事業主は、1人でも従業員を雇ったら労働保険の手続きをおこない、保険料を納める義務があります。

労働保険の手続きをするように指導を受けたにもかかわらず従わなかった場合、行政庁が手続きを進めて労働保険料を決定します。

その後、労働保険料を遡って徴収されるほか、追徴金まで徴収されてしまいます。適用事業所となった場合は速やかに労働保険の手続きをしましょう。

行政庁から指導を受けたにもかかわらず手続きを怠り、その間に労災に該当する事故が発生し労災給付があった場合は、「故意」に手続きをおこなわなかったものとして、納付すべきだった労働保険料と追徴金を徴収されるほか、労災保険から支給された給付金の100％（全額）を徴収されます。

また、行政指導はなかったものの、1年を超えて手続きを怠り、その間に労災が発生した場合は、「重大な過失」として、保険給付額の40％を追徴されます。

Check! 支店・支社を設立したときの社会保険

労働保険と同様に、社会保険（厚生年金保険、健康保険、介護保険）も事業所単位で加入します。そのため、支店・支社を設立したら、社会保険の加入手続きをしなければなりません。

支店・支社が「適用事業場」という扱いになった場合、加入が必須となります。採用や給与計算などを支店・支社でおこなっていると適用事業場と判断されます。労働保険も同様で、適用事業場という扱いになったときに、加入手続きが必要で、適用事業場扱いになるかは、つねに複数の従業員が勤務していることなどによって判断されます。

支店・支社の設立に伴い従業員を採用した場合は、入社の手続きもおこないます（262ページ〜）。

適用事業場扱いにならない場合は、採用した従業員の入社の手続きだけをおこなうことになります。

労働保険の年度更新

労働保険料の申告・納付をする年度更新

- 労働保険料の申告・納付は年に１回。
- 前年度の保険料の精算と今年度の概算保険料を納める。

労働保険料は年に１回、申告・納付

雇用保険と労災保険の保険料は、「**労働保険料**」として１年分を年に１回、申告・納付します。これを年度更新といいます。

●前年度の確定保険料の算出

前年４月１日から当年３月31日の期間で労働保険料を計算します。確定保険料は、「前年度に実際に従業員に支払った賃金総額×保険料率」で計算し、例年６月１日～７月10日の間に申告します。

●今年度の概算保険料の申告・納付

確定保険料は前年度の保険料です。概算保険料は前年度の保険料である確定保険料をもとに、当年度の保険料を概算で計算して申告・納付するものです。

●今年度の確定保険料と前年度に納付した概算保険料の精算

今年度の確定保険料と前年度に納付した概算保険料の差を精算します。

増加概算保険料の申告・納付で年度更新の負担を軽くする

新規事業の開始などで従業員が増加すると労働保険料も増え、翌年度の年度更新での納付額の負担が大きくなってしまいます。

そこで、年度の途中で「増加概算保険料の申告」をして、増加した保険料の申告・納付をすることもできます。

▌増加概算保険料の申告・納付の要件

① 年度更新時の予定よりも賃金総額が2倍になった。

② 増加後と増加前の概算保険料額の差額が13万円以上。

①と②を満たすと増加概算保険料の申告・納付ができる。

　例えば、概算保険料として20万円納付していたとします。ところが、年度途中で従業員が増えて保険料額が60万円に膨れ上がってしまいました。増加概算保険料の申告・納付をしていないと、次の年度更新の際に納める保険料額は、不足分の40万円に今後の60万円を足した合計100万円となってしまいます。

　しかし、年度の途中で増加概算保険料40万円を申告・納付しておけば、年度更新での納付額は60万円となり負担を軽くすることができます。

　増加概算保険料の申告・納付は増加が見込まれた日の翌日から30日以内におこなわなくてはいけません。通常の年度更新は労働局から通知書や納付書が送られてきますが、**増加概算保険料の申告・納付は自主申告**する必要があります。

　ちなみに、保険料の大幅増は、人件費が増えて会社自体が右肩上がりの可能性が高く、このようなときの節税対策として、この申告は有効です。

◆「年度更新」の流れ

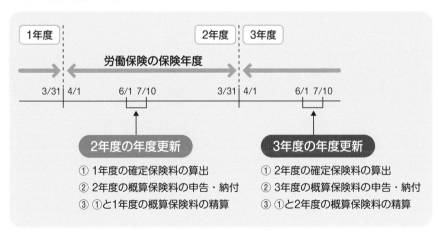

209

申告書の作成
（確定保険料・一般拠出金算定基礎賃金集計表／労働保険概算・確定保険料申告書）

- 従業員の情報を確認後、集計表を作成。
- 集計表をもとに申告書を完成させる。

⇒ 労災保険・雇用保険の対象者を整理

　年度更新に必要な書類は、労働保険番号、事業所の所在地・名称、保険料率等が印字された状態で、都道府県労働局から送付されてきます。

　申告する労働保険料は、全従業員に支払った賃金総額に事業に応じて決められた保険料率を掛けて算定します。

　一般的な企業の雇用保険の料率は、1,000分の15.5でそのうち会社側の負担は1,000分の9.5、従業員側の負担は1,000分の6です。

　労災保険料の料率は、業種により大きく異なります。

　危険の多い業種は労災保険料率が高くなり、反対に危険の少ない業種の料率は低くなっています。

　例えば、林業は1,000分の52、水力発電施設の建築事業は1,000分の34、道路新設事業は1,000分の11、交通運輸事業は1,000分の4、通信・放送・新聞・出版業は1,000分の2.5のようになっています。詳細は、厚生労働省のホームページの「労災保険率表」で確認できます。

　上記以外に一般拠出金もあり、料率は一律1,000分の0.02です。

　「全従業員に支払った賃金総額」ですが、雇用保険の場合は雇用保険の資格のないパート・アルバイト等に支払った賃金は含みません。一方、労災保険はパート・アルバイト等を含めた、すべての労働者に支払われた賃金総額を対象とします。

　次ページの情報を事前に整理しておきましょう。

一般拠出金：石綿（アスベスト）健康被害者の救済費用に充てるもので、労災保険適用事業場の全事業主が対象。

年度更新で整理しておく情報

●労災保険の対象者
○正規・非正規の常用労働者。
○出向先として受け入れている出向労働者。
○派遣元として契約している派遣労働者。
○日雇い労働者。

●雇用保険の対象者
労災保険の対象者のうち日雇い労働者を除いて、1週間の所定労働時間が20時間以上で、31日以上の雇用見込がある労働者。

●雇用保険から除く対象者
○季節的に雇用される者で4か月以内の期間を定めて雇用される者。
○昼間学生。

◆ 雇用保険料率 （令和6年度）

負担者 事業の種類	①労働者負担 （失業等給付・育児休業給付の保険料率のみ）	②事業主負担		①＋② 雇用保険料率
		失業等給付・育児休業給付の保険料率	雇用保険二事業の保険料率	
一般の事業	6/1,000	9.5/1,000	6/1,000	3.5/1,000	15.5/1,000
農林水産・清酒製造の事業	7/1,000	10.5/1,000	7/1,000	3.5/1,000	17.5/1,000
建設の事業	7/1,000	11.5/1,000	7/1,000	4.5/1,000	18.5/1,000

⊙ 「確定保険料・一般拠出金算定基礎賃金集計表」の作成

　前年の4月1日から本年の3月31日の期間に支払った賃金総額を、労災保険対象者分と雇用保険対象者分別に「確定保険料・一般拠出金算定基礎賃金集計表」に記入します。

賃金の範囲には、基本賃金に残業代や賞与、通勤手当、住宅手当などが含まれますが、退職金や役員報酬などは含まれません。

⇢「労働保険概算・確定保険料申告書」の作成

　「確定保険料・一般拠出金算定基礎賃金集計表」の情報をもとにして「労働保険概算・増加概算・確定保険料・一般拠出金申告書」を作成します。

◆「確定保険料・一般拠出金算定基礎賃金集計表」と「労働保険 概算・増加概算・確定保険料 石綿健康被害救済法一般拠出金 申告書」

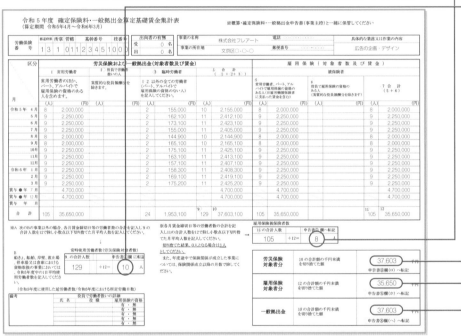

期限 保険関係が成立した日の翌日から50日以内。

どこに 所轄の労働基準監督署または都道府県労働局、金融機関。

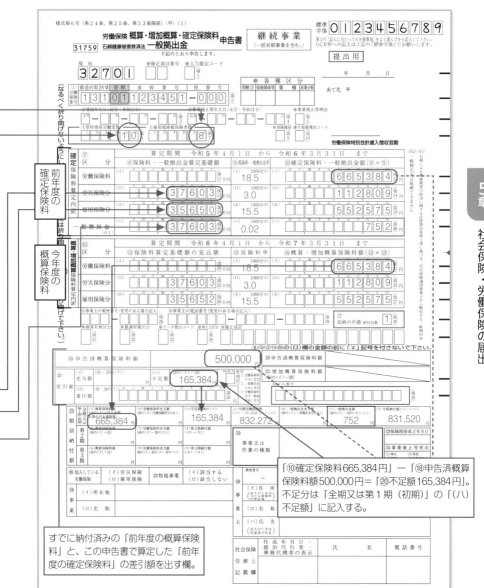

すでに納付済みの「前年度の概算保険料」と、この申告書で算定した「前年度の確定保険料」の差引額を出す欄。

「⑩確定保険料665,384円」－「⑱申告済概算保険料額500,000円＝「⑳不足額165,384円」。不足分は「全期又は第1期（初期）」の「（ハ）不足額」に記入する。

従業員の年齢別社会保険の手続き

　従業員がある年齢になると、個別の社会保険の手続き等が必要になるので注意しておきましょう。

　このとき、「年齢到達日」に気をつけなくてはいけません。

　社会保険制度の「年齢到達日」は原則的には誕生日の前日です。ただし、75歳のみ到達日は「誕生日当日」となっています。

◆ 年齢別の社会保険手続き

年齢	社会保険	変更内容・届出書類	届出先	給与計算の変更
40歳	介護保険	介護保険料の控除開始	なし	あり
60歳	雇用保険	「雇用保険被保険者六十歳到達時等賃金証明書」	ハローワーク	なし
65歳	介護保険	介護保険料の控除終了	なし	あり
70歳	厚生年金	「健康保険 厚生年金保険 被保険者資格喪失届」（280ページ） 「健康保険 厚生年金保険 70歳以上被用者該当届」（269ページ）	年金事務所	あり
75歳	健康保険	「健康保険 厚生年金保険 被保険者資格喪失届」（280ページ）	年金事務所	あり

　上記表の「雇用保険被保険者六十歳到達時等賃金証明書」は「高年齢雇用継続基本給付金」または「高年齢再就職給付金」の支給を受けるときに申請します（238ページ）。

　さて、高年齢者雇用安定法では、65歳までの定年引き上げ、継続雇用、定年制の廃止のいずれかの対処を会社に求めていましたが、令和3（2021）年4月の改正では、70歳までの定年引き上げ、継続雇用、定年制の廃止、業務委託契約などの制度を導入する努力義務が課せられました。

　人生100年時代に合わせ得た制度が企業に求められています。

6章

社会保険と労働保険の手続き実例

労働災害とは ～業務災害と通勤災害

- 業務上のケガや病気を補償する労働災害は大きく分けて「業務災害」と「通勤災害」がある。
- 要件を満たさないと補償は受けられない。

業務災害に該当するケース

労働災害（労災）とは、業務が原因となったケガ、病気、障害、死亡のことを指します。労災に見舞われた場合は、「労働者災害補償保険（労災保険）」によって治療費や生活費などが補償されます。

労災には業務が原因の「業務災害」と、通勤時のトラブルが原因の「通勤災害」があり、業務災害か通勤災害かで書類の様式が異なります。

業務災害も通勤災害も、それぞれ業務との関連性がなくてはいけません。

業務災害ならば、所定労働時間内や残業時間内に、事業場施設内などで業務に従事していることが条件となり、次のようなケースで受けたケガは業務災害とは認められません。

業務上のケガと認められないケース

① 就業中におこなった私的行為や、業務から外れた行為をした結果、災害を被った場合。

② 故意に災害を発生させた場合。

③ 個人的なうらみなどにより、第三者から暴行を受けて被災した場合。

④ 地震、台風などの天災によって被災した場合（事業場の立地条件、作業条件、作業環境等が天災の被害を受けやすいなら業務災害となる）。

 第三者行為災害：仕事で道路を通行中に看板などの落下物に当たる、通勤時に交通事故に遭うなど、第三者の行為によって生じた災害。労災保険給付の対象とならないこともある。

また、業務が原因となった病気と認められるためには次の3つの要件を満たす必要があります。

①物理的因子、化学物質、負荷の大きい作業形態、病原体等の因子が職場に存在している。

②健康を損なうほどの有害因子にさらされた。

③発症の経過と病態が有害因子と関係がある。

⊙ 通勤災害に該当するケース

通勤災害とは、通勤が原因のケガや病気、死亡を指します。

就業に伴い、①住居と就業場所の往復　②就業場所からほかの就業場所への移動　③単身赴任先住居と帰省先住居との間の移動　を合理的な経路・方法でおこなった場合に「通勤」と認められます。

なお、取引先への移動など業務に従事しているときのケガは業務災害として扱われるケースが多くなっています。

◆ 通勤の形態

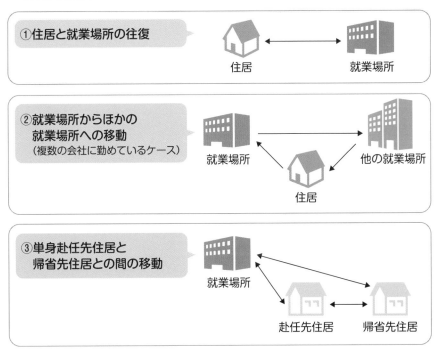

①住居と就業場所の往復

住居　　就業場所

②就業場所からほかの
就業場所への移動
（複数の会社に勤めているケース）

就業場所　　他の就業場所

住居

③単身赴任先住居と
帰省先住居との間の移動

就業場所

赴任先住居　　帰省先住居

※②と③には一定の要件が定められている。

労災保険の手続き

- ケガや病気の原因が「業務」か「通勤」にあるのかを確認。
- 障害が残ったり介護が必要となった場合も給付が受けられる。

➡ 原因・状況によって手続きが異なる

　業務や通勤が原因でケガをしたり病気になった場合、次のような補償が受けられます。具体的な手続きについては該当ページを参照してください。

● 療養（補償）給付（222ページ）

どんなとき 業務または通勤でケガや病気をしたとき。

内 容 業務災害では「療養補償給付」、通勤災害では「療養給付」が給付されます。

手続きは？ 労災病院・指定医療機関を受診した場合…病院経由で所轄労働基準監督署へ以下を提出。

　　業務災害➡「療養補償給付たる療養の給付請求書」（様式第5号）

　　通勤災害➡「療養給付たる療養の給付請求書」（様式第16号の3）

　　指定医療機関等以外を受診した場合…病院を経由せず以下を所轄労働基準監督署に提出。

　　業務災害➡「療養補償給付たる療養の費用請求書」（様式第7号）

　　通勤災害➡「療養給付たる療養の費用請求書」（様式第16号の5）

● 休業（補償）給付（224ページ）

どんなとき 業務または通勤でケガや病気をして休業したとき。

内 容 休業4日目から支給。1日につき**給付基礎日額**の60%、給付基礎日額の20%が特別支給金として支給されます。

手続きは？ 以下を労働基準監督署に提出。

　　業務災害➡「休業補償給付支給請求書」（様式第8号）

　　通勤災害➡「休業給付支給請求書」（様式第16号の6）

給付基礎日額：原則として労働基準法の平均賃金に相当する額。平均賃金＝事故が発生した日の直前3か月間の従業員の賃金総額÷その期間の暦日数。

● 傷病（補償）年金（225ページ）

どんなとき 療養（補償）給付を受けている傷病が療養開始後1年6か月経過しても治らないとき。

内　容 給付基礎日額の245日〜313日分の年金が支給されます。

手続きは？ 以下を労働基準監督署に提出。

療養開始後1年6か月を経過しても治っていないとき…「傷病の状態等に関する届」（様式第16号の2）

● 障害（補償）給付（228ページ）

どんなとき 傷病が治癒しても体に一定の障害が残ったとき。

内　容 障害の程度に応じて「障害（補償）年金」か「障害（補償）一時金」に決まります。

手続きは？ 以下を労働基準監督署に提出。

業務災害→「障害補償給付支給請求書」（様式第10号）

通勤災害→「障害給付支給請求書」（様式第16号の7）

● 介護（補償）給付（228ページ）

どんなとき 障害（補償）年金または傷病（補償）年金の第1級または2級で、常時または随時介護が必要なとき。

内　容 月を単位として支給。

手続きは？ 以下を労働基準監督署に提出。

業務災害・通勤災害ともに→「介護補償給付 介護給付 支給請求書」（様式第16号の2の2）

● 遺族（補償）給付（232ページ）

どんなとき 従業員が業務上の事由または通勤で死亡したとき。

内　容 「遺族（補償）年金」と「遺族（補償）一時金」があります。

手続きは？ 以下を労働基準監督署に提出。

業務災害→「遺族補償年金支給請求書 遺族特別支給金 遺族特別年金支給請求書」（様式第12号）

通勤災害→「遺族年金支給請求書 遺族特別支給金 遺族特別年金支給申請書」（様式第16号の8）

● 葬祭料（葬祭）給付（232ページ）

どんなとき 従業員が業務上の事由または通勤で死亡したとき。

内　容 死亡した従業員の葬祭をおこなう者に支給。

手続きは？ 以下を労働基準監督署に提出。

　　　業務災害→「葬祭料請求書」（様式第16号）

　　　通勤災害→「葬祭給付請求書」（様式第16号の10）

● 遺族（補償）一時金（232ページ）

どんなとき 従業員が業務上の事由または通勤で死亡したとき。

内　容 遺族（補償）年金を受ける遺族がいないときなどに支給。

手続きは？ 以下を労働基準監督署に提出。

　　　業務災害→「遺族補償一時金支給請求書」（様式第15号）

　　　通勤災害→「遺族一時金支給請求書」（様式第16号の9）

⇛ 労災指定病院以外を受診すると手続きが煩雑に

　従業員が仕事中にケガをしたときは、受診する医療機関によって負担が全く異なります。労災指定病院を受診した場合は治療費の自己負担は一切なく、労災手続きも病院が進めてくれます。

　一方、労災指定病院以外を受診すると治療費は一旦自己負担となり、労災手続きも事業主や従業員がおこなわねばなりません。

Check! ▶ 複数事業労働者への労災給付

複数の会社で働く人を「複数事業労働者」といいます。
複数事業労働者が労災保険給付を受ける際は、複数の会社の賃金額を合算して給付額を決めます。労働時間や心身への負荷も複数の会社を総合的に評価して労災認定されることになります。

 業務上疾病：脳・心臓疾患、精神障害、石綿による疾病などのほか、上肢障害（腱鞘炎、肘・肩の痛みなど）も労災に認定されることもある。

◆ 労災の手続き

労災指定病院を受診した場合

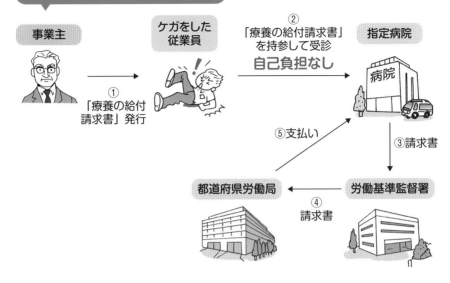

労災指定病院以外を受診した場合

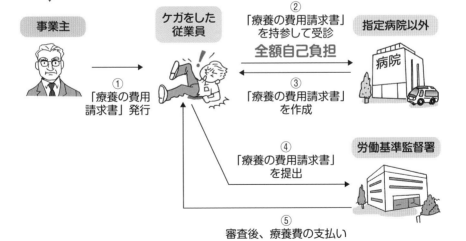

従業員が業務・通勤で ケガや病気をしたとき

～療養（補償）給付

- 労災病院等を受診したら「療養の給付」、その他を受診したときは「療養の費用の支給」となる。
- 違いは自己負担をするかしないか。

◆ 業務災害用「療養補償給付及び複数事業労働者 療養給付たる 療養の給付請求書」

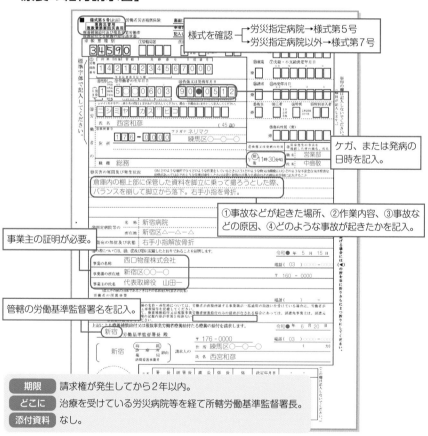

様式を確認 → 労災指定病院 → 様式第5号
→ 労災指定病院以外 → 様式第7号

ケガ、または発病の日時を記入。

①事故などが起きた場所、②作業内容、③事故などの原因、④どのような事故が起きたかを記入。

事業主の証明が必要。

管轄の労働基準監督署名を記入。

期限	請求権が発生してから2年以内。
どこに	治療を受けている労災病院等を経て所轄労働基準監督署長。
添付資料	なし。

POINT **通院費：**従業員の居住地または勤務先から原則片道2kmを超える労災指定病院への通院など、いくつかの条件を満たせば通院費も支給される。

⇒ 労災指定病院なら自己負担なし

　従業員が業務や通勤が原因でケガや病気の治療が必要となったとき受けられる補償です。業務災害の場合は「療養補償給付」、通勤災害の場合は「療養給付」が支給されます。

　労災病院で治療したときの給付は「療養の給付」となり、手続きは医療機関が進めてくれるうえ、治療費を自己負担する必要もなく、薬剤も支給されます（現物給付）。

　労災指定病院以外の医療機関を受診すると「療養の費用の支給」となります。この場合、従業員が一度治療費等を支払い、手続き後に負担した分が給付される仕組みになっています。

◆ 通勤災害用「療養給付たる療養の給付請求書」

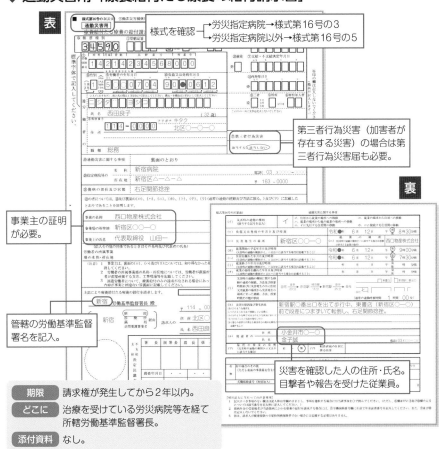

6章

社会保険と労働保険の手続き実例

期限　請求権が発生してから2年以内。

どこに　治療を受けている労災病院等を経て所轄労働基準監督署長。

添付資料　なし。

223

従業員が業務・通勤のケガや病気で休業するとき
～休業（補償）給付、傷病（補償）年金

- 補償を受けるためには3つの要件を満たしていることが必要。
- 業務災害の場合に待機期間（3日間）の補償は会社がおこなう。

休業（補償）給付の要件は3つ

　業務や通勤が原因で従業員がケガをしたり病気になった場合、状態によっては休業が必要となることがあります。そのようなケースでは、労災の手続きをして、従業員の休業中の給与を補償します。

　業務災害の場合は「休業補償給付支給請求書」（様式第8号）、通勤災害の場合は「休業給付支給請求書」（様式第16号の6）を労働基準監督署に提出してください。

　休業（補償）給付を請求するためには、次の3つの要件を満たす必要があります。

▌休業（補償）給付請求の3つの要件

① 業務や通勤が原因でケガまたは病気になって療養している。
② 療養のために働くことができない。
③ 働けないので給与がない。

　3つの要件を満たしていたら、休業期間の4日目から給付基礎日額をベースに計算した「①休業（補償）給付」と「②休業特別支給金」の両方が支給され、合わせて給付基礎日額の80％の補償が受けられることになります。

①休業（補償）給付…給付基礎日額×60％×休業日数 ┐ 両方を
②休業特別支給金……給付基礎日額×20％×休業日数 ┘ 受けられる

POINT **障害（補償）給付**：障害等級第1級から第7級までに該当したら「年金」、障害等級第8級から第14級までに該当したら「一時金」が支給される。

休業の１～３日目までは待期期間といって、業務災害の場合は事業主が１日につき平均賃金の60％を補償することになっていますが、通勤災害の場合は必要ありません。

　通勤災害の待機期間中の休業補償は不要ですが、欠勤扱いにしないために、従業員が希望するなら待期期間中を有給休暇として処理してもよいでしょう。

⏩ 1年6か月経過したら「傷病（補償）年金」

　療養開始から１年６か月が過ぎたとき「①ケガや病気が治っていない」「②傷病等級に該当する障害が残っている」なら、傷病補償年金（通勤災害は傷病年金）が支給されます。

◆ 休業（補償）給付の流れ

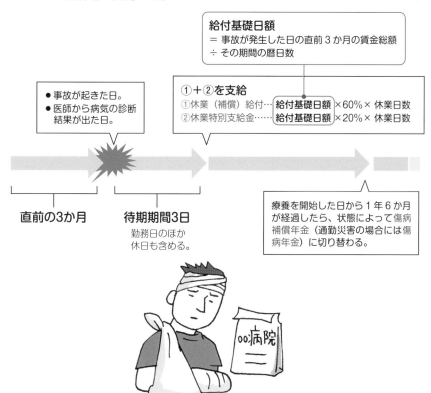

給付基礎日額
＝ 事故が発生した日の直前３か月の賃金総額
÷ その期間の暦日数

●事故が起きた日。
●医師から病気の診断結果が出た日。

①＋②を支給
①休業（補償）給付……給付基礎日額×60％×休業日数
②休業特別支給金……給付基礎日額×20％×休業日数

直前の3か月

待期期間3日
勤務日のほか休日も含める。

療養を開始した日から１年６か月が経過したら、状態によって傷病補償年金（通勤災害の場合には傷病年金）に切り替わる。

◆ 業務災害用「休業補償給付支給請求書 複数事業労働者休業給付支給請求書 休業特別支給金支給申請書」

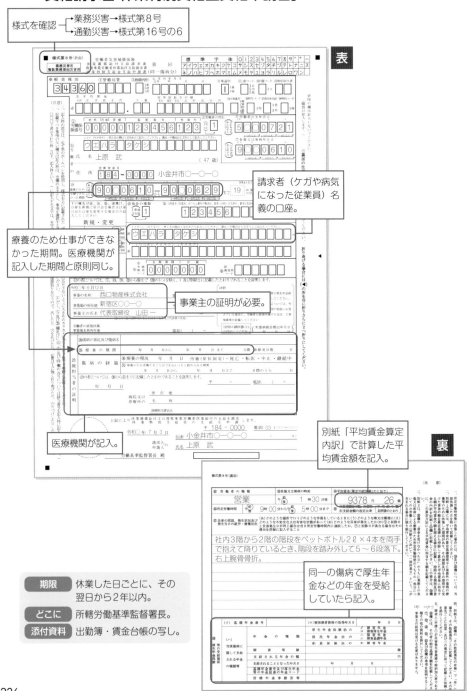

様式を確認 ─┬→ 業務災害→様式第8号
　　　　　　 └→ 通勤災害→様式第16号の6

表

請求者（ケガや病気になった従業員）名義の口座。

療養のため仕事ができなかった期間。医療機関が記入した期間と原則同じ。

事業主の証明が必要。

医療機関が記入。

別紙「平均賃金算定内訳」で計算した平均賃金額を記入。

裏

同一の傷病で厚生年金などの年金を受給していたら記入。

期限	休業した日ごとに、その翌日から2年以内。
どこに	所轄労働基準監督署長。
添付資料	出勤簿・賃金台帳の写し。

226

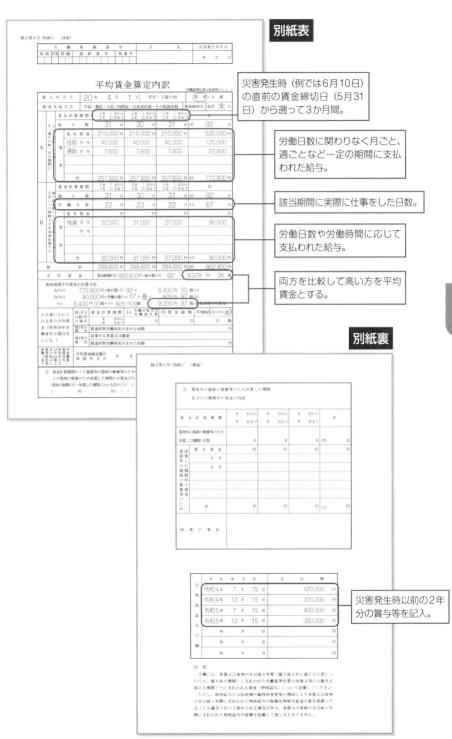

別紙表

様式第8号(別紙1)(表面)

労　働　保　険　番　号					氏　　　名	災害発生年月日
府県	所掌	管轄	基幹番号	枝番号		年　月　日

平均賃金算定内訳

（労働基準法第12条参照のこと。）

雇 入 年 月 日		20 年　4 月　1 日			常用・日雇の別		（常 用）・日 雇

災害発生時（例では6月10日）の直前の賃金締切日（5月31日）から遡って3か月間。

| 賃 金 支 給 方 法 | | 月給・週給・日給・時間給・出来高払制・その他請負制 | | | 賃金締切日 | 毎月 末 日 |

		賃 金 計 算 期 間	3月 1日から 3月31日まで	4月 1日から 4月30日まで	5月 1日から 5月31日まで	計
A	月よ ての 払の 賃つ っ金 た	総 日 数	31 日	30 日	31 日	㋑ 92 日
		基 本 賃 金	210,000 円	210,000 円	210,000 円	630,000 円
	賃金	技能 手 当	40,000	40,000	40,000	120,000
		通勤 手 当	7,600	7,600	7,600	22,800
		計	257,600 円	257,600 円	257,600 円	㋺ 772,800 円

労働日数に関わりなく月ごと、週ごとなど一定の期間に支払われた給与。

		賃 金 計 算 期 間	3月 1日から 3月31日まで	4月 1日から 4月30日まで	5月 1日から 5月31日まで	計
B	日若くは時間 又は出来高払制その 他の請負制によっ て支払ったもの	総 日 数	31 日	30 日	31 日	㋩ 92 日
		労 働 日 数	22 日	23 日	22 日	㊁ 67 日
		基 本 賃 金	円	円	円	円
		残業 手 当	32,000	31,000	27,000	90,000
		手 当				
		計	32,000 円	31,000 円	27,000 円	㋭ 90,000 円

該当期間に実際に仕事をした日数。

労働日数や労働時間に応じて支払われた給与。

総		計	289,600 円	288,600 円	284,600 円	㋬ 862,800 円
平 均 賃 金			賃金総額(㋬) 862,800円÷総日数(㋑) 92 ＝ 9,378 円 26 銭			

両方を比較して高い方を平均賃金とする。

最低保障平均賃金の計算方法					
A(㋺)	772,800円÷総日数(㋑) 92 ＝		8,400 円 00 銭(ト)		
B(㋭)	90,000円÷労働日数(㊁) 67 ×75 ＝		805 円 97 銭(チ)		
	8,400 円00 銭(ト)＋(チ) 805 円 97 銭 ＝		9,205 円 97 銭 (最低保障平均賃金)		

日日雇い入れら れる者の平均賃 金（昭和38年労 働省告示第52号 による。）	第(1)号又 は第(2)号 の場合	賃 金 計 算 期 間	㋣ 労働日数又は 労働総日数	賃 金 総 額	平均賃金(㋣分の㋠×73)
		月　日から 月　日まで	日	円	円　銭
	第(3)号の 場合	都道府県労働局長が定める金額			円
	第(4)号の 場合	従事する事業又は職業			
		都道府県労働局長が定めた金額			円

| 漁業及び林業水
産の事業に従事
する労働者の平
均賃金（昭和24
年労働省告示第
5号による。） | | 平均賃金協定額の
承認年月日 | 年　月　日 | | 職種 | 平均賃金協定額 | 円 |

① 賃金計算期間のうち業務外の傷病の療養等のため休業した期間の日数及びその期間中の賃金を業務上の傷病の療養のため休業した期間の日数及びその賃金とみなして算定した平均賃金
（賃金の総額(㋬)−休業した期間にかかる②の(リ)）÷
（　　円−　　　　　円）÷（　総日数(㋑)−休業した期間の日数　）＝

別紙裏

様式第8号(別紙1)(裏面)

② 業務外の傷病の療養等のため休業した期間
及びその期間中の賃金の内訳

賃 金 計 算 期 間		月　日から 月　日まで	月　日から 月　日まで	月　日から 月　日まで	計
業務外の傷病の療養等のため 休業した期間の日数		日	日	日	(ヌ) 日
休業した期間中の傷病の療養のための賃金	基 本 賃 金	円	円	円	円
	手 当				
	手 当				
	計	円	円	円	(リ) 円
休 業 の 事 由					

	支 払 年 月 日			支 払 額	
生	令和4年	7 月	15 日	420,000 円	
特別給与の額	令和4年	12 月	15 日	370,000 円	
	令和5年	7 月	15 日	400,000 円	
	令和5年	12 月	15 日	350,000 円	
	年	月	日	円	
	年	月	日	円	
	年	月	日	円	

災害発生時以前の2年分の賞与等を記入。

〔注 意〕

②欄には、負傷又は発病の日以前2年間（雇入後2年に満たない者については、雇入後の期間）に支払われた労働基準法第12条第4項の3箇月を超える期間ごとに支払われる賃金（特別給与）について記載してください。
ただし、特別給与の支払時期の臨時的変更等の理由により負傷又は発病の日以前1年間に支払われた特別給与の総額を特別支給金の算定基礎とすることが適当でないと認められる場合以外は、負傷又は発病の日以前1年間に支払われた特別給与の総額を記載して差し支えありません。

227

業務・通勤のケガや病気で障害が残ったとき
～障害（補償）給付、介護（補償）給付

- 障害の等級によって給付額は異なる。
- レントゲン写真などの資料を必要に応じて添付する。

⊙ 申請の際は添付書類に注意

　業務や通勤で負ったケガや病気が治癒したものの、体に障害が残っているなら障害の程度（障害等級）に応じて給付金が支給されます。

　業務災害の場合は「障害補償給付支給請求書」（様式第10号）、通勤災害の場合は「障害給付支給請求書」（様式第16号の7）を労働基準監督署に提出しますが、医師の診断書を必ず添付しなくてはいけません。

　また、必要に応じてレントゲン写真等の資料や、同じケガや病気で障害厚生年金、障害基礎年金等の支給を受けている場合はその支給額を証明する書類を添付することになっています。

⊙ 介護が必要な場合は「介護（補償）給付請求書」

　障害（補償）給付または傷病（補償）年金（224ページ）を受けている従業員で、障害等級が第1級・2級にあたり、常に介護が必要なケースでは「介護補償給付」（業務災害）または「介護給付」（通勤災害）がさらに支給されます。「介護（補償）給付支給請求書」（様式第16号の2の2）という書類に医師の診断書等を添付して労働基準監督署に提出します。

　ただし、障害者支援施設（生活保護を受給している）、老人保健施設、特別養護老人ホームなどに入所していたら介護（補償）給付の支給はありません。

POINT　**請求の時効**：障害（補償）給付はケガや病気が治った日の翌日から5年を経過すると時効となり請求権がなくなってしまう。

⟫ 介護（補償）給付の支給の要件

支給には次のような要件があります。

1　一定の障害の状態に該当している

障害の状態によって「常時介護」と「随時介護」に分けられます。常時介護、随時介護の状態は以下のようになっています。

●常時介護

①精神神経・胸腹部臓器に障害が残っていて常時介護が必要な状態に該当する（障害等級第1級3・4号、傷病等級第1級1・2号）。

②「両目が失明するとともに、障害または傷病等級第1級・2級の障害がある」「両上肢および両下肢が亡失または用廃※の状態」など、①と同等の介護が必要な状態。

※用廃とは関節の可動域が大きく損なわれている状態。さらに筋力も大きく低下していたら「全廃」となる。

●随時介護

①精神神経・胸腹部臓器に障害が残っていて、随時介護が必要な状態に該当する（障害等級第2級2号の2・3、傷病等級第2級1・2号）。

②障害等級第1級または傷病等級第1級に該当し、常時介護が必要な状態ではない。

2　現に介護を受けている

民間の有料介護サービス、親族、友人知人に介護を受けている必要があります。

3　病院または診療所、介護老人保健施設、介護医療院、障害者支援施設などに入っていない

施設に入所している間は、施設で十分な介護を受けられるため、支給対象となりません。

◉▶「介護（補償）給付請求書」の請求手続き

　「介護（補償）給付支給請求書」（様式第16号の2の2）という書類に、医師または歯科医師の診断書を添付して、所轄の労働基準監督署に提出します。介護の費用がかかっている場合は、費用がかかった日数と金額がわかる書類も一緒に提出します。

◆ 請求の手続き

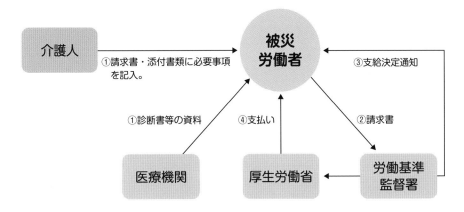

Check! ▶ 労災での「治癒」の考え方

　健康だったときの状態に完全に回復した状態のほかに、「傷や病状が安定しこれ以上の医療効果が期待できない状態」も「治癒」となります。つまり、症状が残っていても医療効果が期待できないようなら「治癒」とされ、医療費である「療養（補償）給付」（222ページ）は支給されません。

症状が残っても
「治癒」となる。

◆業務災害用 「障害補償給付 複数事業労働者障害給付 支給請求書 障害特別支給金 障害特別年金 障害特別一時金 支給申請書」

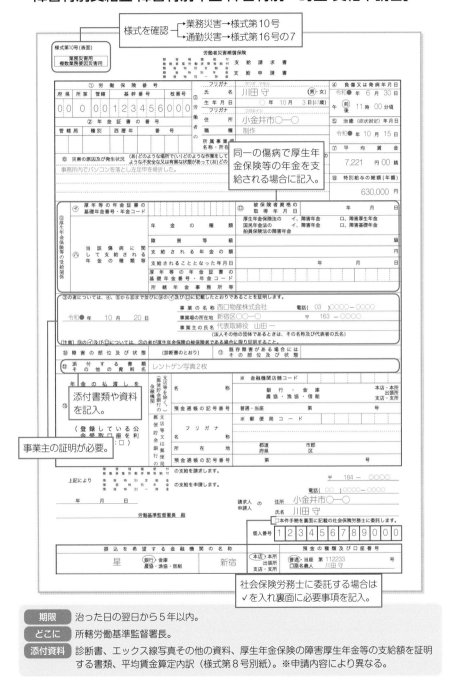

様式を確認 ┌→業務災害→様式第10号
　　　　　　└→通勤災害→様式第16号の7

同一の傷病で厚生年金保険等の年金を支給される場合に記入。

添付書類や資料を記入。

事業主の証明が必要。

社会保険労務士に委託する場合は✓を入れ裏面に必要事項を記入。

期限	治った日の翌日から5年以内。
どこに	所轄労働基準監督署長。
添付資料	診断書、エックス線写真その他の資料、厚生年金保険の障害厚生年金等の支給額を証明する書類、平均賃金算定内訳（様式第8号別紙）。※申請内容により異なる。

業務・通勤で従業員が死亡したとき
〜遺族（補償）給付、葬祭料（葬祭給付）、遺族（補償）一時金

 ・業務上または通勤途中の事故などで従業員が死亡したとき、遺族は年金または一時金を請求できる。

⮞ 遺族への補償のほか葬祭料も支給

　業務や通勤が原因で従業員が亡くなったら、業務災害の場合は遺族補償給付が、通勤災害の場合は遺族給付が遺族に支給されます。

　また、葬祭料（業務災害の場合）、または葬祭給付（通勤災害の場合）が遺族に対して支給されます。

◆ 従業員が業務・通勤で死亡したときの申請書類

業務災害	「遺族補償年金支給請求書 遺族特別支給金 遺族特別年金支給請求書」（様式第12号）
	「葬祭料請求書」（様式第16号）
通勤災害	「遺族年金支給請求書」（様式第16号の8）
	「葬祭給付請求書」（様式第16号の10）

※特別支給金は遺族（補償）給付と同一の用紙で同時に申請する。

⮞ 遺族（補償）年金が支給される人

　遺族（補償）年金の受給資格者は亡くなった従業員と家計が一緒だった配偶者（事実婚含む）・子・父母・孫・祖父母・兄弟姉妹です。

　次の受給資格者のなかで最先順位者である**受給権者**に支給されますが、受給権者が2人以上いる場合は1人を代表者とて支給します。別々に暮らしているなどの事情がないなら、受給権者それぞれに年金を支給することはできないからです。

 受給権者：年金の受給資格者（受給する資格がある者）のうち、最先順位者のこと。最先順位者が死亡や再婚などで受給権を失うと次の順位者が受給権者となる。

▌遺族（補償）年金の受給権者の順位

① 妻（または60歳以上か一定障害の夫）。

② 子（18歳に達する日以後の最初の3月31日までの間にあるか一定障害がある。従業員が死亡時に胎児だった場合は誕生後に受給資格者になる）。

③ 父母（60歳以上か一定障害がある）。

④ 孫（18歳に達する日以後の最初の3月31日までの間にあるか一定障害がある）。

⑤ 祖父母（60歳以上か一定障害がある）。

⑥ 兄弟姉妹（18歳に達する日以後の最初の3月31日までの間にあるか60歳以上または一定障害がある）。

⑦ 55歳以上60歳未満の夫。

⑧ 55歳以上60歳未満の父母。

⑨ 55歳以上60歳未満の祖父母。

⑩ 55歳以上60歳未満の兄弟姉妹。

※⑦～⑩は受給権者となっても60歳になるまでは遺族（補償）年金は受給できない（若年停止）。

◆ 遺族（補償）給付の内容

遺族数	遺族（補償）年金	遺族特別支給金（一時金）	遺族特別年金
1人	給付基礎日額（平均賃金）の153日分（ただし、遺族が55歳以上の妻、または一定の障害状態にある妻の場合は175日分）	300万円	算定基礎日額※の153日分（ただし、遺族が55歳以上の妻、または一定の障害状態にある妻の場合は175日分）
2人	給付基礎日額の201日分		算定基礎日額の201日分
3人	給付基礎日額の223日分		算定基礎日額の223日分
4人以上	給付基礎日額の245日分		算定基礎日額の245日分

※算定基礎日額はケガや死亡原因となった業務や通勤での事故が発生した日、または診断によって病気が確定した日以前の1年間に従業員が受けた特別給与（賞与等）の総額を365で割った額。
例えば、死亡した従業員と家計が一緒だった遺族が妻と18歳未満の子ども2人の合計3人だった場合。遺族（補償）年金は遺族数3人の欄にある給付基礎日額223日分が支給され、遺族特別支給金（一時金）は300万円、遺族特別年金は算定基礎日額の223日分が支給される。

⏩ 遺族（補償）一時金が支給される人

遺族（補償）一時金とは、次のいずれかのケースで支給されるものです。

①従業員が死亡した当時、遺族（補償）年金を受ける遺族がいない。
②遺族（補償）年金の受給権者が最後の順位の人まですべて権利がなくなった。

　①のケースでは、一定条件を満たした遺族に対して給付基礎日額の1,000日分が支給されます。
　②のケースでも一定条件を満たした遺族に対して、すでに支払われた遺族（補償）年金の額が給付基礎日額の1,000日分に満たないとき、その差額が支給されます。
　遺族（補償）一時金は「一時金」なので一度だけの支給になります。
　受給できる遺族は、遺族（補償）年金の受給資格がない遺族です。遺族（補償）一時金の受給権者の順位は以下のようになります。

▌遺族（補償）一時金の受給権者の順位

① 配偶者。
② 子・父母・孫・祖父母（従業員死亡当時、従業員と家計が一緒）。
③ 従業員が死亡したとき、その収入で生計を維持していなかった子・父母・孫及び祖父母。
④ 兄弟姉妹。

Check! 遺族年金は労災以外からも支給される

従業員が亡くなったとき、労災で支給される「遺族（補償）年金」以外にも、厚生年金から支給される遺族厚生年金や国民年金から支給される遺族基礎年金があります。遺族厚生年金や遺族基礎年金から支給される額は、受給者やその家族構成、年金保険料の納付額など、さまざまな条件によって異なります。詳しい情報を年金事務所やハローワークなどに相談して聞きとりながら、遺族を助けになるようスムーズに手続きをおこないましょう。

POINT　**年金の前払い**：遺族（補償）年金を支給する遺族は1回だけ年金の前払いを受けられる。若年停止であっても受けることができる。

◆業務災害用「遺族補償年金 複数事業労働者遺族年金 支給請求書 遺族特別支給金 遺族特別年金 支給申請書」

様式を確認 業務災害→様式第12号
通勤災害→様式第16号の8

期限 死亡の翌日から5年以内。
どこに 所轄労働基準監督署長。
添付資料 下の囲み参照。

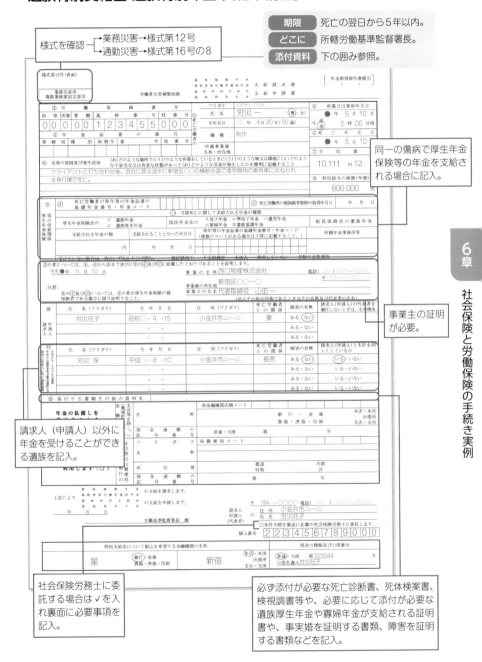

同一の傷病で厚生年金保険等の年金を支給される場合に記入。

事業主の証明が必要。

請求人（申請人）以外に年金を受けることができる遺族を記入。

社会保険労務士に委託する場合は✓を入れ裏面に必要事項を記入。

必ず添付が必要な死亡診断書、死体検案書、検視調書等や、必要に応じて添付が必要な遺族厚生年金や寡婦年金が支給される証明書や、事実婚を証明する書類、障害を証明する書類などを記入。

235

従業員が家族の介護で休業するとき
～介護休業給付

- 手続きは介護休業が終了したあとにおこなう。
- 支給額は最大で給与の67%だが、休業中の給与額で変わる。

⊙ 介護対象者と同居、扶養していなくても取得可能

　雇用保険の被保険者が、配偶者や子、父母などの介護で休業する場合、一定の要件を満たしていれば介護休業給付が支給されます。

　介護休業は介護対象の家族1人につき93日を限度に3回まで分割取得ができます。65歳以上の高年齢被保険者も受給できるほか、同居・扶養していない祖父母、兄弟姉妹、孫も対象となります。

　「介護休業給付金支給申請書」（以下「申請書」）をハローワークに提出して手続きします。

　届出書類の「申請書」と「介護休業給付金支給申請書」のほかに、賃金台帳、出勤簿（タイムカード）、従業員が提出した「介護休業申出書」、介護対象家族の氏名等や被保険者との続柄がわかる書類などを添付する必要があります。

◆ 介護給付の受給資格と対象

受給資格	・家族を介護するために介護休業を取得した被保険者（従業員）であること。 ・介護休業を開始した日の前2年間に、11日以上勤務した月が12か月以上ある。
対象となる介護休業	・ケガや病気、または身体や精神上の障害で2週間以上、常に介護が必要な家族を介護する休業。家族とは配偶者（事実婚含む）、父母、子、孫、祖父母、兄弟姉妹のほか、配偶者の父母も含まれる。 ・被保険者（従業員）は介護休業の初日と最終日を事業主に申し出て実際に取得した休業であること。
支給要件	・介護休業期間の初日から最終日まで継続して被保険者である。 ・支給単位期間（介護休業期間を1か月ごとに区切った期間）に就業していると認められる日数が10日以下である。 ・支給単位期間に支給された給与が、休業開始時の賃金月額の80%未満である。

POINT **受給中に被保険者が死亡したら：** 死亡した月（日）の前月（前の支給対象期間）までの支給申請を生計が同じだった遺族がおこなえる（未支給介護休業給付）。

⏩ 休業期間中の給与の有無で支給額が変わる

支給対象期間は次のようになります。

① 介護休業の開始日から1か月ごとに区切った期間を「支給単位期間」という。1回の介護休業期間は最長3か月となるため、1回の介護休業につき最大で3支給単位期間に対して給付金を支給する。

② 3か月を経過するまでに介護休業を終了し職場復帰した場合は、介護休業を終了した日まで、93日を限度に3回まで給付金を支給する。

　休業期間中に給与が支払われているときと、支払われていないときで支給額が変わります。

　また、給与が支払われている場合は、その給与が休業以前の給与に対してどの程度の割合になるかで支給額が変動します。

▍介護給付の支給額

休業期間中に給与が支払われていない場合

● 支給単位期間が1か月ある場合

> 支給額 ＝ 休業開始時賃金日額※ × 支給日数（30日）× 67%

※休業開始時賃金日額とは、休業を開始する前6か月間の賃金を180で割った金額

● 最後の支給単位期間の場合

> 支給額 ＝ 休業開始時賃金日額 × 支給日数（暦の日数）× 67%

休業期間中に給与が支払われている場合

● 支払われた賃金が休業開始時賃金月額の13%以下の場合

> 支給額 ＝ 休業開始時賃金日額 × 支給日数 × 67%

● 支払われた賃金が休業開始時賃金月額の13%超〜80%未満の場合

> 支給額 ＝ 休業開始時賃金日額 × 支給日数の80%相当額と賃金の差額を支給

● 支払われた賃金が休業開始時賃金月額の80%以上の場合

> 支給額 ＝ 支給されない

60歳以上の従業員の給与が下がるとき ～高年齢雇用継続給付

- 60歳以上の高齢者の給与ダウンをカバーする給付金。
- 60歳以上を引き続き雇う・新たに雇う場合は給付要件を満たすか確認。

⊙ 給与が75％未満になると支給される

　高年齢雇用継続給付は、60歳から65歳までの雇用継続を援助することが目的で、「高年齢雇用継続基本給付金」と「高年齢再就職給付金」があります。

　60歳以上65歳未満の被保険者の給与が、60歳時点に比べて75％未満になった場合、最大15％（令和7（2025）年から10％）分まで給付金が支給されるというものです。

　60歳を超えた人を新たに従業員として雇った場合、「高年齢雇用継続給付金」か「高年齢再就職給付金」の支給対象者かもしれません。採用後にハローワークで支給申請の有無を確認しておきましょう。

┃高年齢雇用継続給付は2種

「高年齢雇用継続基本給付金」	「高年齢再就職給付金」
➡60歳になったあと引き続き働く人が対象。	➡60歳以降に離職し、雇用保険受給中に再就職した人が対象。

⊙ 「高年齢雇用継続基本給付金」は雇用保険の被保険者期間が重要

　従業員が60歳になった、または60歳以上の従業員を新たに雇った場合、雇用保険を受給していないなら「高年齢雇用継続基本給付金」の対象者となります。

　この場合、**60歳時到達日**に雇用保険の被保険者であるか否かで要件が異なります。

60歳到達日：「60歳の誕生日の前日」を指す。8月7日が誕生日であれば、8月6日が「到達日」となる。

◆「高年齢雇用継続基本給付金」の受給資格と支給期間

60歳到達日に 雇用保険の被保険者の場合	60歳到達日に 雇用保険の被保険者ではない場合
① 60歳以上65歳未満の被保険者である。 ② 「被保険者であった期間」が5年以上ある。	① 60歳前に離職した時点で被保険者だった期間が5年以上ある。 ② 60歳前に離職した日の翌日が、60歳後に再雇用された日の前日から起算して1年以内。 ③ ②の期間に求職者給付・就業促進手当を受給していない。

支給期間

① 60歳の誕生日の月から65歳の誕生日の月まで。

② 60歳になったときに受給資格を満たしていない場合は、受給資格を満たした日から65歳の誕生日の月まで。

③ 60歳の時点で被保険者ではなかった場合は、被保険者資格を取得した日または受給資格を満たした日から65歳の誕生日の月まで。

●➡ 「高年齢再就職給付金」は雇用保険を受給しても給付可

「高年齢雇用継続基本給付金」と異なり、雇用保険を受給していても条件に合致すれば給付を受けることができます。

◆「高年齢再就職給付金」の受給資格と支給期間

受給資格

① 安定した職業についた。

② 再就職前に雇用保険の基本手当等の支給を受け、支給残日数が100日以上ある。

③ 直前の離職時に被保険者期間が通算5年以上ある。

④ 再就職のときに再就職手当を受給していない。

支給期間

① 雇用保険の基本手当の残日数が200日以上
　→再就職で被保険者となった日の翌日から2年を経過する月まで。

② 雇用保険の基本手当の残日数が100日以上200日未満
　→再就職で被保険者となった日の翌日から1年を経過する月まで。

③ ①および②において2年
　または1年を経過する前に65歳になったら、支給対象期間に関わらず65歳になった月まで。

⊙ 高年齢雇用継続給付の手続き

　最初に支給を受けようとする支給対象月の初日から起算して4か月以内に「雇用保険被保険者六十歳到達時等賃金証明書」と「高年齢雇用継続給付受給資格確認票・（初回）高年齢雇用継続給付支給申請書」を提出します。その際に、以下のものを添付します。

添付書類…記載した賃金の支払状況が確認できる書類（賃金台帳（23ページ）、労働者名簿（22ページ）、タイムカード等）／被保険者の年齢が確認できる書類（免許証、住民票の写し等）／雇用契約書など。

◆「雇用保険被保険者六十歳到達時等賃金証明書」

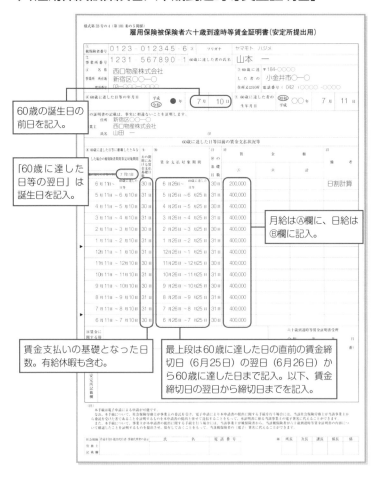

60歳の誕生日の前日を記入。

「60歳に達した日等の翌日」は誕生日を記入。

月給はⒶ欄に、日給はⒷ欄に記入。

賃金支払いの基礎となった日数。有給休暇も含む。

最上段は60歳に達した日の直前の賃金締切日（6月25日）の翌日（6月26日）から60歳に達した日まで記入。以下、賃金締切日の翌日から締切日までを記入。

POINT **同時に給付できない：**高年齢再就職給付金と再就職手当は同時に給付を受けることはできない。両方の受給資格がある場合はどちらかを選択する。

◆「高年齢雇用継続給付受給資格確認票・(初回) 高年齢雇用継続給付支給申請書」

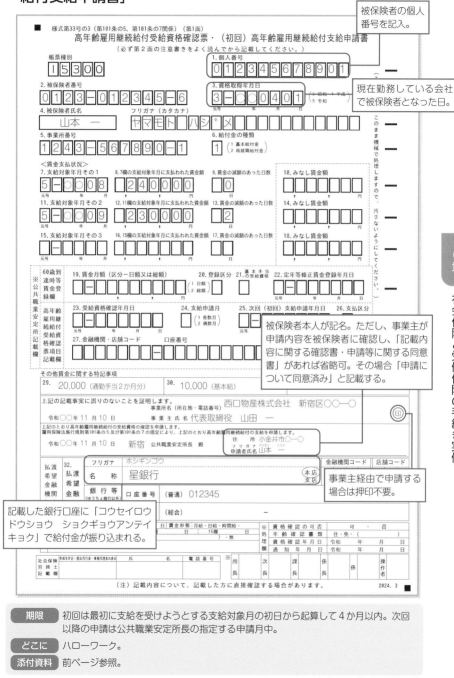

被保険者の個人番号を記入。

現在勤務している会社で被保険者となった日。

被保険者本人が記名。ただし、事業主が申請内容を被保険者に確認し、「記載内容に関する確認書・申請等に関する同意書」があれば省略可。その場合「申請について同意済み」と記載する。

事業主経由で申請する場合は押印不要。

記載した銀行口座に「コウセイロウドウショウ ショクギョウアンテイキョク」で給付金が振り込まれる。

期限 初回は最初に支給を受けようとする支給対象月の初日から起算して4か月以内。次回以降の申請は公共職業安定所長の指定する申請月中。

どこに ハローワーク。

添付資料 前ページ参照。

産前産後休業から育児休業まで

- 産前産後休業と育児休業中、従業員が給付金を受けるための手続き。
- 各種保険料の負担を減らしながら、将来の年金支給額に影響が出ないようにする。

⏩ 労使協定で育児休業のルールを決めておく

　従業員から産前産後休業や育児休業を取得したいと申し出があった場合、会社はそれを拒否することはできません。いずれも法律で定められた従業員の権利だからです（42ページ）。

　産前休業は出産予定日の6週間前（多胎妊娠の場合は14週間前）から取得可能で、産後休業は出産の翌日から8週間となっています。ただし、産後6週間を経過し医師の許可があれば職場復帰が可能です。

　産前産後休業は母体の保護が目的なので、正社員、契約社員、パート・アルバイトであっても決められた期間は休んでもらわなくてはいけません。とくに産後6週間は従業員本人が出勤を希望しても、仕事を休ませることが会社の義務です。

　育児休業については、労使協定（20ページ欄外）で次の取り決めがあれば休業を認めなくてもよいとされています。しかし、こうした取り決めがなければ、入社したばかりの従業員であっても申し出があったら育児休業を認めなくてはいけません。

▌育児休業を認めなくてもよいケース

① 雇用されて1年未満の従業員。
② 出生後1年6カ月以内に雇用関係が終了する従業員。

　さらに令和4（2022）年より産後パパ育休の制度が創設されています。出生後8週間以内に4週間まで、父親が休業を取得できる制度で、これも従業員の権利ですから、申し出があった場合、拒否できません。

POINT **男女で異なる育児休業スタート日**：女性は出産58日目から、男性は配偶者の出産予定日または出産日以降で育児休業を開始した日からが育児休業の給付金の「育児休業を開始した日」となる。

健康保険組合と国（雇用保険）の手続き

従業員が金銭面で負担を感じることなく休業できるように、産前産後休業中は協会けんぽまたは健康保険組合から、育児休業中は国（雇用保険）からさまざまな給付があります。

母体の保護を目的とする産前産後休業は女性しか取得できませんが、育児休業は男女どちらでも取得可能です。

各種保険料の手続きも

給付金の申請のほかに、各種保険料に関する手続きも重要です。

「産前産後休業取得者申出書」や「育児休業等取得者申出書」を提出することで、産前産後休業や育児休業期間中、会社・従業員ともに社会保険料が免除されます。

これによってその期間に保険料を納めなくても、従業員は休業期間中も従来通りの保健医療サービスを受けることができ、老後の年金受給額にも影響が及びません。

また、復職後の保険料を適正な額に修正するために、「育児休業等終了時報酬月額変更届」や「養育期間標準報酬月額特例申出書」を年金事務所または健康保険組合に提出する必要があります。

産前産後休業から育児休業、そして復職までにはさまざまな手続きを進めていくことになります。手続きによっては複数の添付書類が必要なので、その準備もしなくてはいけません。

休業する従業員には引き継ぎ作業を進めてもらわなくてはいけませんが、心身への負担が大きくならないよう配慮しましょう。

手続きに漏れがないよう関係機関に相談しながら進めると安心です。

◆ 出産にあたり必要な手続き

手続き時期	なにを	どこに	内容
出産前または出産後 （産休期間中）	産前産後休業取得者申出書／変更（終了）届	年金事務所・健康保険組合	産前産後休業（産前42日（多胎妊娠の場合は98日）、産後56日）を取得した際に手続きする。保険料の徴収が免除される。
一般的に出産後 （出産前または産休開始の翌日から2年以内）	出産手当金支給申請書	協会けんぽ・健康保険組合	出産で会社を休んだ間に給与の支払いを受けなかった場合は、出産の日（実際の出産が予定日後のときは出産予定日）以前42日（多胎妊娠の場合98日）から出産の翌日以後56日目までの範囲内で、休んだ期間を対象に支給される。出産が予定日より遅れた場合、遅れた期間にも支給。
出産後	出産育児一時金内払金支払依頼書差額申請書	協会けんぽ・健康保険組合	一児につき原則50万円支給。従業員と医療機関等が支給申請・受けとりの契約を結べば協会けんぽ、または健康保険組合から直接医療機関等に支払われる。
出生届提出後5日以内	健康保険被扶養者（異動）届	年金事務所・健康保険組合	生まれた子どもを被扶養者にする。
産前産後休業の変更・終了時	産前産後休業取得者申出書／変更（終了）届	年金事務所・健康保険組合	産前産後休業中の保険料免除を受けている被保険者の休業期間が変更・終了したとき。
産後休業終了後	育児休業等取得者申出書	年金事務所・健康保険組合	育児休業等開始月から終了予定日の翌日の月の前月（育児休業終了日が月の末日の場合は育児休業終了月）まで保険料の徴収が免除される。産後パパ育休も保険料が免除される。
初回・育児休業開始日から4か月を経過した日の月末まで。2回目以降・指定された支給申請日	育児休業給付金支給申請書	ハローワーク	1歳、1歳2か月、1歳6か月または2歳まで支給される。
育児休業期間の変更・終了時	育児休業等取得者申出書 終了届	年金事務所・健康保険組合	育児休業中の保険料免除を受けている被保険者の休業期間が変更・終了したとき。
3歳未満の子の養育開始月から3歳までの間	養育期間標準報酬月額特例申出書	年金事務所・健康保険組合	3歳未満の子の養育開始月から3歳までの間、勤務時間短縮等で標準報酬月額（108ページ）が低下しても、子どもが生まれる前の標準報酬月額に基づく年金額を受けとることができる。
育児休業終了日に養育している子が3歳未満	育児休業等終了時報酬月額変更届	年金事務所・健康保険組合	休業前に比べて報酬が低下した場合、随時改定の要件に該当しなくても、標準報酬月額の見直しができる。

⊙ 出産育児一時金は簡便な直接支払制度で

　出産育児一時金は、健康保険の被保険者や被扶養者が出産したとき、一児につき50万円を支給するものです。

　妊娠22週未満や産科医療補償制度に加入していない医療機関等で出産

 POINT **50万円の差額支給：**医療機関等への支払終了を知らせる「支給決定通知書」が届く前なら「内払金支払依頼書」、届いた後なら「差額申請書」で手続き。

した場合は48.8万円、双子の場合も人数分の支給があります。流産・死産、妊娠4か月以降の出産でも支給されます。

　出産育児一時金では「直接支払制度」を利用することで被保険者の負担が軽減されます。

　被保険者（従業員）本人が医療機関等で直接支払制度の利用を申請すると、従業員に代わって医療機関等が健康保険組合や協会けんぽに一時金の請求をし、直接支払いを受けます。その金額が出産費用に満たない場合、被保険者は不足分だけを病院に支払えばよいのです。反対に、出産費用よりも支給額のほうが多かったら被保険者に差額が支給されます。

⊙ 休業中に従業員が受けとる給付額は？

　産前産後休業中は出産手当金が、育児休業中には育児休業給付金が支給され、それぞれ以下のような額になります。

◆ 出産手当金・育児休業給付金の支給額

> **出産手当金の支給額**
>
> ●休業中に給与の支給がない
>
> $$支給額 = 休業日数^※ \times \frac{直近12か月間の標準報酬月額の平均額}{30} \times 2/3$$
>
> ※休業日数は暦日で計算。
>
> ●休業中に給与の支給がある
>
> $$支給額 = 休業日数 \times \frac{直近12か月間の標準報酬月額の平均額}{30} \times 2/3 - 支給される給与額$$
>
> **育児休業給付金の支給額**
>
> $$1か月あたりの支給額 = 休業開始時賃金日額^{※1} \times 支給日数（30日） \times 67\%^{※2}$$
>
> ※1　休業開始時賃金日額とは、休業を開始する前6か月の賃金を180で割った金額。
> ※2　育児休業の開始から6か月経ったら「休業開始時賃金日額×支給日数（30日）の50%」の計算式になる。

◆「出産手当金支給申請書」

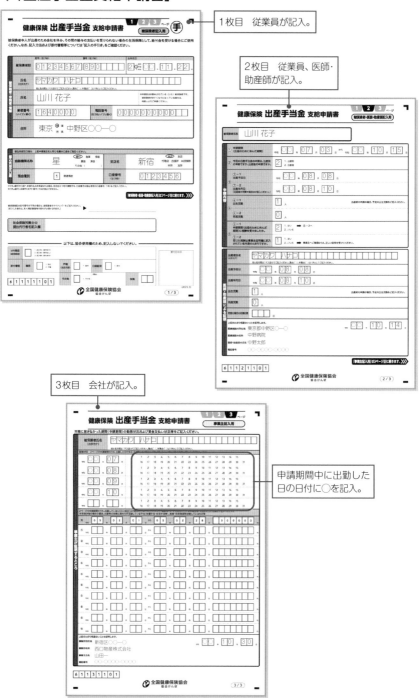

1枚目　従業員が記入。

2枚目　従業員、医師・助産師が記入。

3枚目　会社が記入。

申請期間中に出勤した日の日付に○を記入。

246

◆「産前産後休業取得者申出書 / 変更（終了）届」

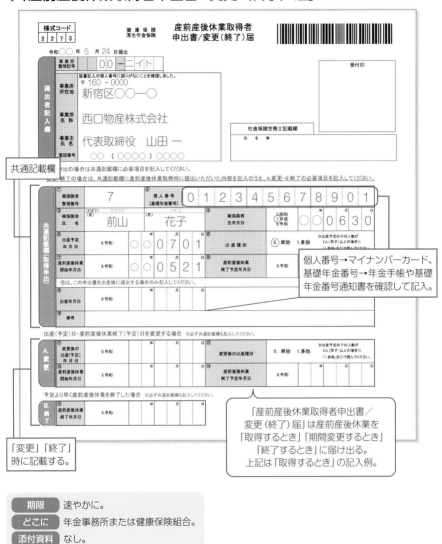

期限　速やかに。
どこに　年金事務所または健康保険組合。
添付資料　なし。

◆「健康保険 被扶養者（異動）届」

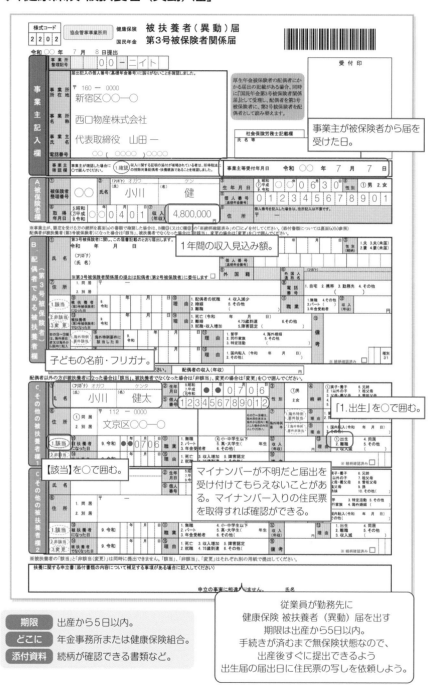

様式コード
2 2 0 2
協会管掌事業所用

健康保険　被扶養者（異動）届
国民年金　第3号被保険者関係届

令和 ○○ 年 7 月 8 日提出

事業主記入欄

事業所整理記号　0 0 － ニイト

届出記入の個人番号（基礎年金番号）に誤りがないことを確認しました。

事業所所在地　〒 160 － 0000　新宿区○○ー○

事業所名称　西口物産株式会社

事業主氏名　代表取締役　山田一

電話番号　○○（○○○○）○○○○

厚生年金保険者の配偶者にかかる届出の記載がある場合、同時に『国民年金第3号被保険者関係届』として受理し、配偶者を第3号被保険者、第2号被保険者を配偶者として読み替えます。

社会保険労務士記載欄　氏名等

受付印

事業主が被保険者から届を受けた日。

事業主確認欄　事業主が確認した場合に　1.確認　で囲んでください。

収入に関する証明の添付が省略されている者は、所得税法上の控除対象配偶者・扶養親族であることを確認しました。

事業主等受付年月日　令和 ○○ 年 7 月 7 日

A 被保険者欄

被保険者整理番号　○○　氏名（フリガナ）オガワ ケン　小川 健

生年月日　④昭和 ○○ 0 6 3 0　性別　①男 2.女

個人番号（基礎年金番号）　0 1 2 3 4 5 6 7 8 9 0 1

個人番号を記入した場合は、住所記入は不要です。

取得年月日　5.昭和 7.平成　○○ 0 4 0 1　収入（年収）　4,800,000

※事業主が、認定を受ける方の続柄を裏面（A）の番欄で確認した場合は、B欄の（又はC欄の）の「※続柄確認済み」の□にレをしてください。（添付書類については裏面(a)(b)参照）
配偶者が被扶養者（第3号被保険者）になった場合は「該当」、被扶養者でなくなった場合は「非該当」、変更の場合は「変更」を○で囲んでください。

B 配偶者である被扶養者欄（第3号被保険者）

第3被保険者に関し、この届書類のとおり届出します。

令和 　年　　月　　日

氏名（フリガナ）（氏名）

1年間の収入見込み額。

個人番号（基礎年金番号）

性別　1.男 2.女　続柄　1.夫（未届）2.妻（未届）

住所　1.同居 2.別居　〒　ー

※第3号被保険者関係届の提出は配偶者（第2号被保険者）に委任します□

電話番号　1.自宅 2.携帯 3.勤務先 4.その他

外国籍

外国人通称名　（フリガナ）

職業　1.無職 4.その他 2.パート 5.年金受給者 3.自営業

収入（年収）　円

1.該当（第3号被保険者該当）2.非該当（第3号被保険者非該当）3.変更　被扶養者（第3号被保険者）になった日　9.令和　年　月　日　理由　1.配偶者の就職 4.収入減少 2.婚姻 5.その他 3.離職

被扶養者（第3号被保険者）でなくなった日　9.令和　年　月　日　理由　1.死亡（令和　年　月　日）4.75歳到達 2.離婚・収入増加 5.その他 3.就職・収入増加 6.障害認定

子どもの名前・フリガナ。

8.海外特例（該当）9.海外特例（非該当）　海外特例該当した日　理由　1.留学 4.海外婚姻 2.同行家族 5.その他 3.特定活動

1.国内転入（令和　年　月　日）2.その他

配偶者の収入（年収）　円

備考　増減 31

※続柄確認済み □

配偶者以外の方が被扶養者になった場合は「該当」、被扶養者でなくなった場合は「非該当」、変更の場合は「変更」を○で囲んでください。

C その他の被扶養者欄 1

氏名（フリガナ）オガワ ケンタ　（氏）小川（名）健太

②生年月日　5.昭和 7.平成 9.令和　○○ 0 7 0 6

⑤個人番号　1 2 3 4 5 6 7 8 9 0 1 2

性別　①男 2.女

続柄　1.実子・養子 6.兄姉 2.1以外の子 7.祖父母 3.父母・養父母 8.曾祖父母 4.義父母 9.兄弟姉妹 5.弟妹 10.その他

「1.出生」を○で囲む。

住所　①同居 2.別居　〒 112 － 0000　文京区○○ー○

7.国内転入（令和　年　月　日）8.その他

1.該当 2.非該当 3.変更

被扶養者になった日　9.令和　●● 0 7 0 6

職業　1.無職 4.小・中学生以下 2.パート 5.高・大学生他 3.年金受給者 6.その他

年収（収入）

理由　1.出生 4.同居 2.離職 5.その他 3.収入減

【該当】を○で囲む。

理由　1.死亡 3.収入増加 5.障害認定 2.離職 6.就職

※続柄確認済み □

C その他の被扶養者欄 2

氏名（フリガナ）（氏）（名）

②生年月日　5.昭和 7.平成 9.令和

⑤個人番号

性別　1.男 2.女

続柄　1.実子・養子 6.兄姉 2.1以外の子 7.祖父母 3.父母・養父母 8.曾祖父母 4.義父母 9.兄弟姉妹 5.弟妹 10.その他

マイナンバーが不明だと届出を受け付けてもらえないことがある。マイナンバー入りの住民票を取得すれば確認ができる。

住所　1.同居 2.別居　〒　ー

1.国内転入（令和　年　月　日）2.その他

1.該当 2.非該当 3.変更

被扶養者になった日　9.令和　職業　1.無職 4.小・中学生以下 2.パート 5.高・大学生他 3.年金受給者 6.その他

年収（収入）

理由　1.出生 4.同居 2.離職 5.その他 3.収入減

理由　1.死亡 3.収入増2 5.障害認定 2.離職 6.就職

備考

※続柄確認済み □

※被扶養者の「該当」と「非該当（変更）」は同時に提出できません。「該当」、「非該当」、「変更」は、それぞれ別の用紙で提出してください。

扶養に関する申立書（添付書類の内容について補足する事項がある場合に記入してください）

申立の事実に相違ありません。　　氏名

従業員が勤務先に
健康保険 被扶養者（異動）届を出す
期限は出産から5日以内。
手続きが済むまで無保険状態なので、
出産後すぐに提出できるよう
出生届の届出日に住民票の写しを依頼しよう。

期限　出産から5日以内。

どこに　年金事務所または健康保険組合。

添付資料　続柄が確認できる書類など。

◆「育児休業給付受給資格確認票・（初回）育児休業給付金支給申請書」

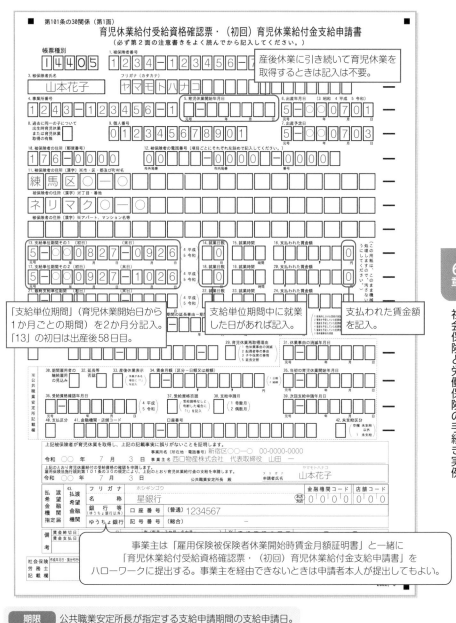

期限 公共職業安定所長が指定する支給申請期間の支給申請日。

どこに ハローワーク。

添付資料 母子手帳の「出生届出済証明」欄のコピー、振込先通帳のコピーの提示、賃金台帳や出勤簿など。

従業員が死亡したときの手続き

- 社会保険・雇用保険の手続きは基本的に「退社」と同様の処理。
- 遺族と連携・確認しながら速やかに手続きを進める。

社内外への対応と各種手続きを同時に進める

従業員が死亡した場合、引き継ぎや顧客への説明など社内外でさまざまな処理が必要となります。こうした業務的な処理と同時並行で各種届出も期日内に提出しなくてはいけません。

社会保険・雇用保険、給与、税金など、それぞれの手続きが必要となりますが保険関係は退職手続き（7章）と同様です。

社会保険の手続き

「健康保険・厚生年金保険被保険者資格喪失届」（280ページ）を年金事務所、または健保組合に死亡した日の翌日から5日以内に提出します。

被保険者の資格喪失日は死亡した日の翌日となり、喪失日の前月までの保険料を納付することになります。

葬儀やその他の処理に追われる遺族は心身共に余裕がない状態でしょう。また、社会保険に関する知識があるとも限りません。以下の手続きについて遺族に説明し、遺族の意向があれば申請を代行しましょう。

遺族がおこなう手続き

●埋葬料
「埋葬料（費）支給申請書」に死亡診断書等を添付する。埋葬をおこなった家族に5万円、家族以外で埋葬をおこなった人には5万円以内を支給。埋葬料は葬儀をおこなわなくても支給される。

●遺族厚生年金、遺族基礎年金
被保険者が亡くなった場合、その被保険者によって生計を維持されていた遺族が受けとることができる。年金の納付状況や受給者の家族構成などによって、両方またはいずれかが支給される。

 遺族厚生年金、遺族基礎年金：遺族厚生年金とは厚生年金から支給される遺族年金のことで、遺族基礎年金は国民年金から支給される遺族年金のこと。

●**傷病手当金**（254ページ）、**高額療養費**（256ページ）
傷病手当金や高額療養費の支給対象であれば、遺族が申請できる。

雇用保険の手続き

「雇用保険被保険者資格喪失届」（282ページ）を死亡した日の翌日から
10日以内にハローワークに提出します。保険料は死亡日までの賃金全額
に保険料率を掛けて計算します。

給与の処理も忘れずに

従業員死亡後に支払うべき給与がある場合、従業員本人の口座は凍結さ
れているので相続人の口座に振り込みます。

社会保険料、雇用保険料は前述したように資格喪失日を元に保険料を計
算して給与から控除します。

住民税は「特別徴収に係る給与所得者異動届出書」（289ページ）を翌
月10日までに市区町村に提出してください。

所得税は「0円」となります。死亡後の給与は「相続人の財産」となり
所得税が課税されないからです。

以上の点に考慮して給与計算を済ませたら、死亡者の年末調整（4章）
を実施して還付徴収をおこない、源泉徴収票を遺族に渡してください。

死亡退職金は所得税・住民税はかからない

死亡後3年以内に退職金の支払いが確定して、死亡退職金を支払った場
合は、退職金を受けとった遺族に対して「退職手当等受給者別支払調書」
を渡し、税務署にも支払調書を提出します。

この場合、故人の退職所得とはならず、相続財産となり相続税が課税さ
れる場合はありますが、その年の所得ではないため、所得税、住民税はか
かりません。

従業員が結婚・離婚したときの手続き

- 結婚・離婚にあたっては、氏名や住所など変更事項を確認。
- マイナンバーとの紐付けがなければ速やかに手続きを。

結婚・離婚で必要な手続き

　従業員が結婚・離婚した場合、社会保険・雇用保険について次の手続きを速やかに進めましょう。氏名や住所の変更については、マイナンバーとの一元化により、年金事務所や協会けんぽへの届出は不要となりました。

　ただし、住所変更により、通勤経路や交通費が変わる場合は、「通勤手当・通勤経路確認書」（267ページ）を確認して通勤手当に反映させます。この確認書は、万が一、通勤災害が生じたときの備えにもなります。

　また、健康保険組合はマイナンバーと紐付けされていないため、氏名変更や住所変更の届出が必要となります。

◆ 従業員が結婚・離婚したときの確認事項

確認事項		提出書類	提出先
氏名が変わるなら	雇用保険	「雇用保険被保険者氏名変更届」	ハローワーク
配偶者が被扶養者になるなら	社会保険	「健康保険被扶養者(異動)届」(248ページ)	年金事務所、健康保険組合または協会けんぽ

> 「給与所得者の扶養控除等（異動）申告書」を提出してもらい所得税の処理。家族手当の変更が必要なら同時に処理をする。

マイナンバーと基礎年金番号等の紐付けがあれば届出不要

　日本年金機構（年金事務所）は、各種事務処理にマイナンバーを利用できることになりました。これによって**基礎年金番号**がわからなくても、マイナンバーがあれば年金相談や照会がおこなえるようになりました。

基礎年金番号：年金加入記録を管理するための番号。1人につきひとつ割り当てられており、年金手帳や基礎年金番号通知書に記載されている。

また、基礎年金番号とマイナンバーが紐付けされていれば、住所変更届や氏名変更届は原則的には不要です。

また、協会けんぽもマイナンバーを利用できるようになり、氏名変更や住所変更の手続きが不要になっています。

ただし、以下の従業員が住所変更した場合は速やかに届出を提出しなくてはいけません。

> **┃住所変更届を提出するケース**
>
> - マイナンバーと基礎年金番号等が紐付けされていない被保険者。
> - マイナンバーがない海外居住者。
> - 短期在留外国人。

⊗ 雇用保険の氏名変更手続きは別の手続きと一緒でOK

雇用保険の被保険者には被保険者歴や給付金の受給歴などの記録・管理のために被保険者番号を割り当てられます。

結婚や離婚などで被保険者の氏名が変わったときは、会社がハローワークに届け出ることが必要です。

しかし、現在は手続きが簡素化され、次のような手続きが発生したときに、同時に氏名変更の手続きをすればよくなりました。

◆ 同時に氏名変更ができる手続き

- 被保険者でなくなったことの届出（282ページ）
- 育児休業・介護休業開始時の賃金の届出
- 育児または介護のための休業または所定労働時間短縮の開始時の資金の届出
- 育児休業給付金の支給申請手続き（242ページ）
- 介護休業給付金の手続き（236ページ）
- 高年齢雇用継続基本給付金の支給申請手続き（238ページ）
- 高年齢再就職給付金の支給申請手続き（238ページ）　　　　　など

従業員が業務外のケガや病気で休業したとき

- 休業中は健康保険から補償が受けられる。
- 3日間の待機期間を完了していることなどの要件に注意。

⟫ 被保険者資格を喪失していても支給を受けられる

　業務が原因で従業員が病気になったりケガをしたときは、治療（222ページ）や休業（224ページ）に対して労災保険から給付を受けることができます。一方、業務外でケガや病気をした場合は健康保険から傷病手当金を受けることができます。

▌傷病手当金の支給要件

① 業務外の事由によるケガや病気で療養中である。
② ケガや病気の療養のため仕事ができない。
③ 3日連続して仕事を休み4日目以降にも休んだ日がある（待機完成）。
④ 給与の支払いがないこと（支払いがあっても傷病手当金の日額より少ない場合は差額を支給）。

　従業員が被保険者資格を喪失していても、次の条件に該当していれば傷病手当金の支給を受けることができます。

▌被保険者資格を喪失していたら?

- 資格喪失日の前日までに被保険者期間が継続して1年以上ある（任意継続被保険者期間は除く）。
- 資格喪失日の前日時点で傷病手当金の支給を受けている、または受けられる状態（支給要件の①〜④を満たしている）。

　支給される期間は、通算で1年6か月です。そのため休業後に回復して業務に復帰した後に、再び休業したとしても支給を受けられます。

POINT　**任意継続被保険者制度**：会社を辞めても一定の要件を満たせば最長2年間個人で引き続き加入できる制度。届出・保険料の納付などは加入者自身でおこなう。

◆ 傷病手当金の支給期間と支給額

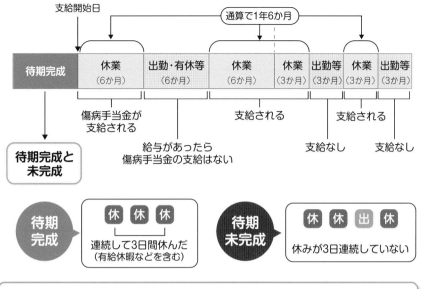

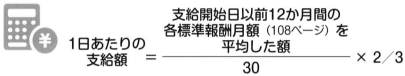

$$1日あたりの支給額 = \frac{支給開始日以前12か月間の各標準報酬月額（108ページ）を平均した額}{30} \times 2／3$$

⊙ 傷病手当金の申請

　傷病手当金の給付を受けるには、従業員本人が「健康保険 傷病手当金支給申請書」（以下、「申請書」）の手続きをします。

　「申請書」は複数ページからなっていて、従業員本人が記入するページ以外に、休業した日や給与額を証明するために会社が記入するページもあります。休業の原因や期間を証明するために担当医師などが記載するページもあります。

　近年では、精神疾患による傷病手当金の申請が増えています。メンタルヘルスの強化は、会社の大きなテーマのひとつです。

治療費が高額になったとき
〜高額療養費制度

- 自己負担限度額を超えた分の医療費を払い戻すことができる。
- 手続きは被保険者である従業員本人がおこなう。

自己負担限度額は年齢や所得で異なる

　1か月間（1日から末日まで）に医療機関や薬局に支払った額が自己負担限度額を超えた場合、「高額療養費制度」を利用すると超えた分が払い戻されます。つまり、どんなに医療費が高額になったとしても、被保険者自身は自己負担限度額内の負担で済むのです。

　高額療養費制度の手続きは従業員本人がおこないますが、従業員が該当する状況であればアドバイスできるように制度内容を把握しておきましょう。自己負担額は年齢や所得によって次のように決められています。

　市販で売られている頭痛薬やアレルギー薬などの一部も療養費として認められています。パッケージに「セルフメディケーション 税控除対象」と記されている薬が該当します。

◆ 自己負担限度額

●被保険者が70歳未満

被保険者の所得区分	自己負担限度額	多数該当[1]
区分・ア (標準報酬月額(108ページ)83万円以上)	252,600円＋ (総医療費[2]－842,000円)×1%	140,100円
区分・イ (標準報酬月額53〜79万円)	167,400円＋ (総医療費－558,000円)×1%	93,000円
区分・ウ (標準報酬月額28〜50万円)	80,100円＋ (総医療費－267,000円)×1%	44,400円
区分・エ (標準報酬月額26万円以下)	57,600円	44,400円

※1　多数該当とは、診療月以前から1年間に3回以上の高額療養費の支給を受けた（受けられる）場合のことで、4回目から自己負担限度額が軽減される。

※2　総医療費とは保険適用される医療費のすべて（10割）のこと。

 高額医療費貸付制度：高額療養費支給見込額の8割相当を無利子で貸し付ける制度。一時的でも自己負担が厳しい場合の対処に有効。

●被保険者が70歳以上75歳未満

被保険者の所得区分	自己負担限度額		多数該当
	個人ごと （外来）	世帯ごと （入院を含む）	
現役並み所得者 区分・現役並みⅢ （標準報酬月額83万円以上で高齢受給者証の負担割合3割）	252,600円＋ （総医療費－842,000円）×1%		140,100円
区分・現役並みⅡ （標準報酬月額53〜79万円で高齢受給者証の負担割合3割）	167,400円＋ （総医療費－558,000円）×1%		93,000円
区分・現役並みⅠ （標準報酬月額28〜50万円で高齢受給者用の負担割合3割）	80,100円＋ （総医療費－267,000円）×1%		44,400円
区分・一般（現役並み・低所得者以外）	18,000円 （年間上限144,000円）	57,600円	44,400円

◆ 高額療養費の支給要件

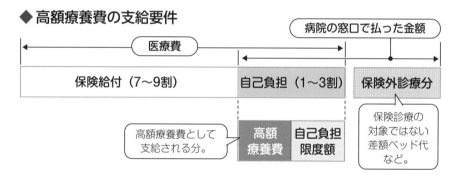

🔜 家族の負担額を合計 〜世帯合算制度

　同じ月に自己負担が21,000円以上の家族が2人以上いる場合、それぞれの自己負担額を合算して自己負担限度額を超えた額が高額療養費として支給されます。これを世帯合算制度といいます。

Check! ▶ 「限度額適用認定証」で窓口での支払額が自己負担限度額内に

　払い戻しは診療月から3か月以上かかります。医療費が高額になることが事前にわかっていたら「健康保険 限度額適用認定申請書」であらかじめ手続きしておくとよいでしょう。申請によって交付された「限度額適用認定証」を窓口で提示すると自己負担限度額内の支払いで済みます。

マイナンバーの取り扱い

- 保険・税金の手続きの際に記載が必要。
- 従業員には使用目的を伝えてから取得すること。

各種事務手続きをスムーズに

　マイナンバーとは、住民票を有する国民一人ひとりに割り当てられた12桁の番号のことです。番号漏洩などで不正使用の危険がある場合を除いて、マイナンバーは一生変更されることはありません。

　マイナンバー制度は「公平・公正は社会の実現」「行政の効率化」「国民の利便性の向上」を目的としており、マイナンバーを照会することで市区町村役場、税務署、年金事務所、協会けんぽ、ハローワークなど複数の機関が保有する情報が同一人物のものであると確認することができます。

　従業員の各種保険、税金などの手続きをするときにマイナンバーの記載を求められますが、マイナンバーは個人の重要な情報と紐付けされているのでその取り扱いには十分な注意が必要です。

　従業員のマイナンバーを集める際には利用目的を明記した「個人番号利用届出書」を提出してもらってください。

◆ マイナンバー記載が必要な主な書類

健康保険・厚生年金保険	従業員を採用したとき	「被保険者資格取得届」（268ページ）／「70歳以上被用者該当届」（269ページ）
	従業員の被扶養者に異動があったとき	「被扶養者（異動）届」（248ページ）／「第3号被保険者関係届」（271ページ）
	従業員が育児休業を取得したとき	「育児休業等取得者申出書（新規・延長／終了届」（243ページ）
	従業員が産前産後休業を取得したとき	「産前産後休業取得者申出書／変更（終了）届」（247ページ）

POINT **マイナンバーカードと健康保険証の一本化**：令和6（2024）年12月2日以降、健康保険証が廃止され、マイナンバーカードに一本化されることになった（271ページ）。

雇用保険	従業員を採用したとき	「雇用保険被保険者資格取得届」(272ページ)
	従業員が離職・死亡したとき	「雇用保険被保険者資格喪失届」(282ページ)
	従業員が介護休業給付金を受けるとき	「介護休業給付金支給申請書」(236ページ)

税金	扶養控除の手続き	「給与所得者の扶養控除等（異動）申告書」(148ページ)
	保険料控除の手続き	「給与所得者の保険料控除申告書」(160ページ)
	退職手当の支払いを受けたとき	「退職所得の受給に関する申告書」(287ページ)

◆ 個人番号利用届出書の例

令和 ○ 年 5 月 10 日

西口物産株式会社

個人番号利用届出書

次の目的で利用するため、被保険者および被扶養者の個人番号を会社に提供します。

【利用目的】
①給与所得・退職所得の源泉徴収票作成事務
②健康保険・厚生年金保険届出事務
③雇用保険届出事務
④労働者災害補償保険法に基づく請求に関する事務
⑤今後の法律の改正に伴い個人番号が必要となる届出事務

<氏　　名> 小川 花
<個人番号> 12345678

【身元確認書類】
番号確認と身元確認書類として次のいずれかのコピーを添付します。
　①個人番号カード（マイナンバーカード）
　②写真付き身元確認書類（運転免許証・パスポート・在留カードなど）
　③健康保険被保険者証
　④年金手帳、または基礎年金番号通知書

マイナンバーを集める際に従業員の本人確認に必要なもの。雇用関係などから本人に相違ないことが明らかに判断できる場合は身元確認書類不要。

【被扶養者の個人番号】
　被扶養者の番号確認と身元確認をおこなったうえで会社に提供します。

<氏　　名>　　　　　　　　　　（続柄）
<個人番号>

<氏　　名>　　　　　　　　　　（続柄）
<個人番号>

<氏　　名>　　　　　　　　　　（続柄）
<個人番号>

⮞ マイナンバーの管理と廃棄

　マイナンバーは従業員の個人情報に直結する重要なものなので、慎重に取り扱わねばなりません。

┃マイナンバーの取り扱い上の注意点

- マイナンバーを取り扱える担当者を決め、担当者以外は閲覧等できないようにする。
- マイナンバーを記入した書類は鍵付きの棚などに保管する。
- パソコンにマイナンバーを保存する場合はセキュリティ対策を万全にする。
- 退職や契約終了などで従業員が提出したマイナンバーが不要になったときはシュレッダーにかけるなどして確実に廃棄する。パソコンのデータも削除する。

⮞ マイナンバーの提供を従業員が拒否したら？

　マイナンバーは重要な情報であるため、会社に提供することに不安を感じる従業員がいるかもしれません。

　しかし、法令の定めによって税や保険の手続きの際にはマイナンバーが必要です。また、管理にあたっては担当者を決め、保管・廃棄にも注意を払うことを説明して不安を払拭し、納得のうえで提供してもらいましょう。

　それでも提供を拒否された場合は、マイナンバーがない状態でどのように手続きを進めればよいのか、関係機関の指示を受けてください。このとき、会社側の義務違反ではないことを示すために、従業員にどのような説明をしたのか経過を記録しておき、届出書類には「本人事由によりマイナンバー届出不可」と記載しましょう。

7章

入社・退社の手続き

入社の手続き ～社内編

- 新入社員を迎えるときに必要な業務の全体像を把握する。
- まず新入社員から回収する書類や社内的な作業を進める。

新入社員を迎える準備

　新たな人材を会社に迎え入れたら、社会保険・労働保険、税金関連の手続きが必要です。

　社内的にも交通費の確認、法定三帳簿の作成、マイナンバー収集などさまざまな作業が発生します。また、入社後にお互い気持ちよく仕事ができるように労働条件についてもきちんと文書で伝えておくことも重要です。

　入社時に必要な業務を把握して、漏れなく進めていきましょう。

採用が決まったら労働条件を明示し雇用契約を

　雇用が決まったら労働条件を明示し、採用後の業務について納得してもらったうえで雇用契約を結びます。

　労働条件は「労働条件通知書」を、雇用契約は「雇用契約書」をそれぞれ作成してもよいのですが、労働条件通知書のなかに署名欄などを加えた「労働条件通知書 兼 雇用契約書」を用いることもできます。

　採用時には次の労働条件を明示しなくてはいけません。

採用時に明示すべき労働条件

① 契約期間 (契約期間がある場合は更新の有無)
② 仕事をする場所・内容 (雇入れ直後と変更の範囲の両方を記載)
③ 始業終業時間、残業の有無、休憩時間、休日・休暇、交代制勤務のローテーション等
④ 給与の決定、計算と支払方法、締め日と支払日等
⑤ 退職・解雇に関する取り決め

 労働条件通知書の交付：書面または電子メール等で交付するよう義務付けられており、違反した場合は30万円以下の罰金。雇用契約書は交付しなくても罰則規定はない。

令和6（2024）年4月より、雇入れ直後の就業場所・業務内容に加え、配置転換の範囲（就業場所・業務内容など）も示すことが義務化されました。

◆ 入社時に必要な業務

社内的な作業	「労働条件通知書 兼 雇用契約書」（264ページ）で労働条件を明示し、雇用契約を結ぶ。	雇用時
	「身元保証書」（266ページ）の回収。	雇用時
	「通勤手当・通勤経路確認書」（267ページ）の回収。	雇用後
	「給与振込口座申請書」（267ページ）の回収。	雇用後
	「個人番号利用届出書」（259ページ）の回収。	雇用後
	法定三帳簿（22ページ）の作成。	雇用後
社会保険	「健康保険 厚生年金保険 被保険者資格取得届」（268ページ）を提出。	資格取得日から5日以内
	「健康保険 被扶養者（異動）届」（248ページ）を提出。	資格取得日から5日以内
	「国民年金第3号被保険者関係届」を提出（271ページ）。	資格取得日から5日以内
雇用保険	「雇用保険被保険者資格取得届」（272ページ）を提出。	翌月10日まで
所得税	「給与所得者の扶養控除等（異動）申告書」を回収（148ページ）。	最初の給与計算日まで
	前職の「源泉徴収票」（180ページ）を回収。	雇用後
住民税	「給与所得者異動申告書」（274ページ）の提出。	雇用後

中途採用が増えた結果、
入社手続きは「不定期に発生する業務」となりました。
その都度、作業を確認しながら慎重に進めてください。

◆「労働条件通知書 兼 雇用契約書」

労働条件通知書 兼 雇用契約書

野田 一 殿

〒160-0000　　　　　　　　　通知日 令和○ 年 ○ 月 ○ 日
西口物産株式会社　新宿区○○一○
代表取締役　山田 一

契約期間	○期間の定めなし・期間の定めあり（ 年 月 日～ 年 月 日） ※以下は、「契約期間」について「期間の定めあり」とした場合に記入 1　契約の更新の有無 　[自動的に更新する・更新する場合があり得る・契約の更新はしない・その他（ 　 ）] 2　契約の更新は次により判断する。 　・契約期間満了時の業務量　・勤務成績、態度　　・能力 　・会社の経営状況　・従事している業務の進捗状況 　・その他（ 　 ）

① 契約期間
（契約期間がある場合は更新の有無）

② 仕事をする場所・内容
（将来的に変更する可能性がある場合、その場所・内容も記載）

就業の場所	新宿区○○一○、自宅（在宅ワークの場合）
従事すべき業務の内容	（雇入れ直後）営業、（変更の範囲）経理を除く当社業務全般

始業、終業の時刻、休憩時間、就業時転換(1)～(5)のうち該当するもの一つに○を付けること。)、所定時間外労働の有無に関する事項	1　始業・終業の時刻等 (1) 始業（ 9 時 00 分）　終業（ 17 時 00 分） 【以下のような制度が労働者に適用される場合】 (2) 変形労働時間制等；（ ）単位の変形労働時間制・交替制として、次の勤務時間の組み合わせによる。 　┌ 始業（ 時 分）終業（ 時 分） 　├ 始業（ 時 分）終業（ 時 分） 　└ 始業（ 時 分）終業（ 時 分） (3) フレックスタイム制；始業及び終業の時刻は労働者の決定に委ねる。 　　（ただし、フ... ） (4) 事業場外みなし労働時間制... (5) 裁量労働制；始業（ 時 分）...る。 2　休憩時間（ 60 ）分 3　所定時間外労働の有無（ ）

④ 給与の決定、計算と支払方法、締め日と支払日等

賃　金	1　基本賃金　イ　月給（180,000 円）、ロ　日給（ 円） 　　　　　　　ハ　時間給（ 円）、 　　　　　　　ニ　出来高給（基本単価 円、保障給 円） 　　　　　　　ホ　その他（ 円） 　　　　　　　ヘ　就業規則に規定されている賃金等級等 　　　　　　　[　] 2　諸手当の額又は計算方法 　　イ（ 手当 円 ／計算方法： ） 　　ロ（ 手当 円 ／計算方法： ） 　　ハ（ 手当 円 ／計算方法： ） 　　ニ（ 手当 円 ／計算方法： ） 3　所定時間外、休日又は深夜労働に対して支払われる割増賃金率 　　イ　所定時間外、法定超 月60時間以内（ 25 ）% 　　　　　　　　　　　　　月60時間超　（ 50 ）% 　　ロ　休日　法定休日（ 35 ）%、法定外休日（ 25 ）% 　　ハ　深夜（ 25 ）% 4　賃金締切日　毎月10日 5　賃金支払日　毎月25日 6　賃金の支払方法（ 　 ） 7　労使協定に基づく賃金支払時の控除（無・有（ ）） 8　昇給（時期等　適宜 ） 9　賞与（有（時期、金額等 7月、12月 ），無 ） 10　退職金（有（時期、金額等 ），無 ）

③ 始業終業時間、残業の有無、休憩時間、休日・休暇、交代制勤務のローテーション等

休　日	・定例日；毎週 曜日、国民の祝日... ・非定例日；週・月当たり ...日... ・1年単位の変形労働時間制...
休　暇	1　年次有給休暇　6か月継続勤務した... 　　継続勤務... 　　→ か月... 　　時間単位年休... 2　代替休暇（有・無） 3　その他の休暇　有給（ ） 　　　　　　　　　無給（ ）

退職に関する事項	1　定年制　（有（ 65 歳），無 ） 2　継続雇用制度（有（ 歳まで），無 ） 3　自己都合退職の手続（退職する 30 日以上前に届け出ること） 4　解雇の事由及び手続 　[　]
その他	・社会保険の加入状況（厚生年金・健康保険・厚生年金基金・その他（ ）） ・雇用保険の適用（有，無 ） ・その他

以上のほかは、当社就業規則による。
本契約書は2通作成し、双方が各1通を保管する。

⑤ 退職・解雇に関する取り決め

労働者記入欄

上記労働条件および費...　...勤務いたします。

令和○ 年 ○ 月 ○ 日

〒165-0000
住所　中野区○○一○

氏名　野田一　　　　㊞

署名捺印してもらうことで雇用契約書の役割を果たす

POINT　**電子メールでの交付：**労働条件の明示は原則書面だったが、従業員が希望し出力できる場合は電子メールやWebメールサービスなども認められる。

⟫ 「身元保証書」 の保証人には損害賠償の責任がある

　一般的な「身元保証書」には、入社予定の人材とその保証人の署名捺印の欄があり、身元がはっきりしていることを示すほか、その人材が会社に損害を与えた場合に損害を賠償する人物を定めるものでもあります。

　令和2（2020）年より「個人保証人の保護強化」を目的に、賠償額の上限が定められていない保証契約は無効とされることになりました。入社時の「身元保証書」では賠償額が曖昧なことが多かったのですが、現在は賠償額の上限を定めなくてはいけません。

　上限額は会社が決められるのですが、あまり高額だと保証人のなり手がいないでしょうし、現実的な上限額だとしても金額を明示されると保証人に心理的な負担がかかってしまうことが予想できます。

　企業によっては「身元保証書」は緊急時の連絡先の把握という側面が大きく、損害賠償については形骸化していることもあります。そこで、「身元保証書」を廃止して「緊急連絡先報告書」に切り替える企業もあります。

　「身元保証書」の記載にあたっては、その効力を理解してもらうために身元保証人に以下の内容を文書で伝えてください。

▌身元保証人に知らせるべき内容

● **身元保証書の意味**
　➡従業員が会社に損害を与えた場合に、保証人が連帯して保証する契約書であるということ。

● **賠償が発生するケース**
　➡横領、セクハラ、パワハラなどの法令違反や就業規則違反をしたとき。個人情報や顧客情報を故意に破損したり、または漏洩したとき。会社の信用を失墜させる行為などがあったとき。

● **賠償額と期間**
　➡上限額と保証期間。

● **問い合わせ先**
　➡不明点の問い合わせ、契約解除の申し入れ、身元保証人の住所・電話番号の変更届等。

◆「身元保証書」の例

身元保証書

西口物産株式会社
代表取締役　山田一殿

現住所　〒739-0000 東広島市○○-○
氏　名　尾崎　一

　使用者　山田　一　を甲、被用者を乙、身元保証者を丙とし、甲丙間において次のとおり契約する。

第1条　乙が甲乙間の雇用契約に違反し、または故意若しくは過失によって万一甲に、金銭上はもちろん業務上信用上損害を被らしめたときは、丙は直ちに乙と連帯して甲に対して、●●万円まで損害額を賠償するものとする。

第2条　本契約の存続期間は本契約成立の日から5年間とする。

第3条　甲は次の場合においては遅滞なくこれを丙に通知しなければならない。
　　　①乙は業務上不適任または不誠実な事跡があって、これのために丙の責任を引き起こす恐れがあることを知ったとき。
　　　②乙の任務または任地を変更し、これのために丙の責任を加重しまたはその監督を困難ならしめるとき。

　上記契約を証するため、本証書3通を作成し、署名押印の上、各自その1通を所持する。

○○年　○　月　○　日

使用者（甲）　住所　〒160-0000
　　　　　　　商号　西口物産株式会社
　　　　　　　代表者　山田　一　　㊞

被用者（乙）　住所　〒165-0000 中野区○○-○
　　　　　　　氏名　野田　一　　㊞

身元保証人（丙）住所　〒739-0000 東広島市○○-○
　　　　　　　氏名　尾崎　一　　㊞

⤷ マイナンバーの収集も忘れずに

　通勤経路や必要な交通費を示した「通勤手当・通勤経路確認書」を提出してもらいますが、これは交通費の支給だけでなく、通勤時に事故等に巻き込まれたときの労災申請にも関係する情報となります。

　給与の振込先を確認するための「給与振込口座申請書」（次ページ）、各種届に必要なマイナンバーの把握のため「個人番号利用届出書」（259ページ）も提出してもらってください。

　こうした情報は法定三帳簿（22ページ）にまとめておきます。

POINT　**自宅から最寄り駅までの道順が複雑な場合：** ネットからダウンロードした地図を添付してもよい。

◆「通勤手当・通勤経路確認書」の例

○○ 年○ 月○ 日

通勤手当・通勤経路確認書

所　　属	営業部
氏　　名	野田　一
住　　所	〒165-0000 中野区○○―○
申 請 理 由	(新規) ・　通勤経路変更　・　運賃変更　・　その他（　　　　　）
適用年月日	○○年○月○日より

交通機関	乗車区間	運賃			
		往復運賃	定期代		
			1か月	3か月	6か月
新バス	中野1　～　中野2	00	0000		
JR 東日本	中野　～　新宿	00	0000		
	～				
	～				
	～				
合計					

自宅から最寄り駅までの道順

自宅

バス停中野1　　中野2

中野駅

◆「給与振込口座申請書」の例

給与振込口座申請書

○○ 年○ 月○ 日

西口物産
（会社名）株式会社　御中

所　　属	営業
氏　　名	野田　一

私は、給与および賞与の振込支給に同意し、下記の口座を振込先として届け出ます。

金融機関の名称	新星	(銀行)	中野	
		信託銀行		本店
		信用金庫		(支店)
		信用組合		出張所
		その他		
	金融機関コード	12	本支店コード	345
	※金融機関・本支店コードは、確認できる場合のみ記入してください。			

口座番号 （普通）	1	2	3	4	5	6	7

フリガナ	ノダ　ハジメ
口座名義 （本人）	野田　一

※以下、担当者記入欄

備考		確認印

社会保険の資格取得届

- 社会保険の手続きは被扶養者の有無に注意。
- 70歳以上の新入社員は原則的に健康保険のみに加入。

健康保険・厚生年金の手続き

　健康保険と厚生年金の手続きをする際に注意が必要なのは、パート・アルバイトの扱い、被保険者の年齢、配偶者の有無です。

　個々の手続きについて説明していきます。

パート・アルバイトも条件によっては被保険者

　常時使用される人であれば、性別や賃金、国籍にかかわらず健康保険・厚生年金保険の被保険者となるので、「健康保険 厚生年金保険 被保険者資格取得届」（270ページ）を年金事務所に届け出ます。

　このとき、被保険者に被扶養者がいる場合は、「健康保険被扶養者（異動）届」（248ページ）も一緒に提出しましょう。

　パート・アルバイトは以下の要件に該当すると被保険者となるので、同様に手続きをしてください。

パート・アルバイトが被保険者となる要件

- 1週間の所定労働時間が一般社員の4分の3以上。
- 1か月の所定労働日数が一般社員の4分の3以上。

両方に該当するなら被保険者。

> ただし

所定労働日数が4分の3未満であっても、次の要件をすべて満たしたら被保険者となる。

① 週の所定労働時間が20時間以上。
② 雇用期間が2か月超見込まれる。
③ 賃金の月額が8.8万円以上である。

常時使用される人：健康保険・厚生年金保険の適用事業所で、常用的に働いて給与を得ている人のこと。雇用契約書を交わしているかどうかは関係ない。

④ 学生（夜間、通信、定時制の学生を除く）でない。

⑤ 従業員数51人以上の企業※。

※令和6（2024）年10月から。

70歳以上の人材を雇用するとき

新たに迎える人材が70歳以上の場合は、在職老齢年金制度が適用されるため、「厚生年金保険 70歳以上被用者該当届」を年金事務所に提出します。

届出用紙は「健康保険 厚生年金保険 被保険者資格取得届」と同一ですが、原則的に70歳以上は健康保険のみの加入となります。

在職老齢年金制度は65歳以上70歳未満に適用されますが、70歳以降も厚生年金適用事業所に勤務すると制度の対象となります。

「70歳以上被用者該当届」の提出が必要な人

● 70歳以上の人。

● 過去に厚生年金保険の被保険者期間を有する人。　など

Check! 在職老齢年金制度とは？

年金を支給されている高齢者が、会社などで働き「一定の収入」があると年金の金額が減額される制度があります。これを「在職老齢年金制度」といいます。この制度は令和4（2022）年に改正されました。それまでは、60歳以上〜65歳未満の人と、65歳以上の人を比べると、65歳未満の方に不利な制度でしたが、この差をなくす改正です。年金が減額される「年金＋給与」の額について、基準が同じになっています。

人生100年時代といわれているなか、高齢者が働くことを推進するための改正になっています。

◆「健康保険 厚生年金保険 被保険者資格取得届」

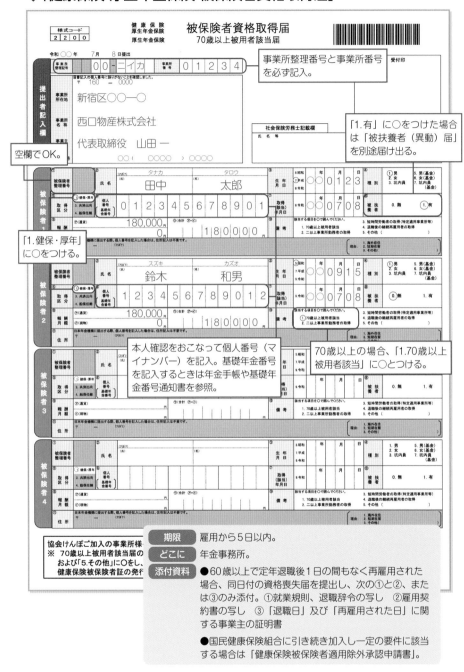

協会けんぽご加入の事業所様へ
※ 70歳以上被用者該当届の…
および「5.その他」に〇をし、…
健康保険被保険者証の発行…

期限	雇用から5日以内。
どこに	年金事務所。
添付資料	●60歳以上で定年退職後1日の間もなく再雇用された場合、同日付の資格喪失届を提出し、次の①と②、または③のみ添付。①就業規則、退職辞令の写し ②雇用契約書の写し ③「退職日」及び「再雇用された日」に関する事業主の証明書

●国民健康保険組合に引き続き加入し一定の要件に該当する場合は「健康保険被保険者適用除外承認申請書」。

POINT **被扶養者の収入が上がったら:**第3号被保険者である配偶者の年間収入が130万円以上になったら、「被扶養者（異動）届（削除）」を提出して被扶養者から外す。

270

➡ 被保険者に扶養されている人の年金手続き

年金の被保険者には以下のような第1号から第3号までの種類があります。従業員は第2号被保険者にあたるので、その配偶者は第3号被保険者になります。

第3号被保険者は国民年金の保険料を負担することなく、老後基礎年金を受けとることができるという大きなメリットがあります。従業員の配偶者が第3号被保険者に該当する場合は「国民年金第3号被保険者関係届」という書類を年金事務所に提出して手続きをしましょう。様式は「健康保険被扶養者（異動）届」（248ページ）と同一です。

◆ 被保険者の概要

被保険者の種類	対象	保険の種類	備考
第1号 被保険者	日本に住む20歳以上60歳未満の人のうち自営業者、農業者、漁業者、学生、無職の人およびその配偶者など。	国民年金	強制加入。
第2号 被保険者	民間企業の従業員や公務員など。	厚生年金、共済組合（※）	75歳未満の従業員（週30時間以上勤務）は年金受給資格の有無にかかわらず社会保険加入は義務。
第3号 被保険者	厚生年金、共済組合に加入している第2号被保険者に扶養されている20歳以上60歳未満の配偶者。	厚生年金、共済組合	年収130万円未満。

（※）共済組合とは、公務員や私立学校教職員を対象とした社会保険組合。

Check! マイナンバーカードを健康保険証として利用する

令和6（2024）年12月2日以降、健康保険証が廃止され、マイナンバーカードに一本化されることになりました。そのため、健康保険証が配布されないことを伝える必要があります。

マイナンバーカードを健康保険証として使用するには「登録」が必要になりますので、その旨もあわせて従業員に告知しましょう。

雇用保険の手続き

- 入社の翌月10日までに雇用保険の手続きを済ませること。
- 労災保険は会社が加入していれば従業員個々の手続きは不要。

⊙ 交付された書類は会社と従業員それぞれが保管

　労働保険のうち労災保険は、会社が加入していれば従業員ごとに手続きをする必要はありません。一方、雇用保険は従業員ごとの手続きが必要です。

　従業員が雇用保険の対象者（112ページ）であるなら、雇い入れた日の翌月10日までに「雇用保険被保険者資格取得届」をハローワークに提出します。

　雇用保険被保険者番号を持たない人材を複数人雇うときは、1枚の用紙に5人まで記載できる「雇用保険被保険者資格取得届（連記式）個人別票」という書類と事業所情報を記載した「雇用保険被保険者資格取得届（連記式）総括票」という書類を一緒に提出することで記入の手間を省略できます。

　手続き後、以下のものが交付されるので、会社と従業員でそれぞれ保管してください。

▌交付される書類

会社で保管するもの
「雇用保険被保険者資格取得等確認通知書（事業主通知用）」
「雇用保険被保険者資格喪失届氏名変更届」

従業員に渡すもの
「雇用保険被保険者資格取得等確認通知書（被保険者通知用）」
「雇用保険被保険者証」
「被保険者のしおり」

 雇用保険被保険者証：紛失防止のために会社が預かることもある。その場合は退職時に離職票と一緒に本人へ渡す。

◆「雇用保険被保険者資格取得届」（中途入社の場合）

従業員の前の職場から従業員に交付された「雇用保険被保険者資格喪失確認通知書（被保険者通知用）」から被保険者番号を転記。

被保険者資格取得届

帳票種別　1 9 1 0 1

1. 個人番号　1 2 3 4 5 6 7 8 9 0 1 2

新卒など過去に雇用保険に入っていない、最後に雇用保険に入って7年以上経過している→「1 新規」
過去に雇用保険に入っていた→「2 再取得」

2. 被保険者番号　1 2 3 4 － 5 6 7 8 9 0 － 1

3. 取得区分　2　1 新規／2 再取得

4. 被保険者氏名　小野太郎

フリガナ（カタカナ）　オノ　タロウ

「雇用保険適用事業所設置届事業主控」の事業所番号を転記。

5. 変更後の氏名　フリガナ（カタカナ）

6. 性別　1（1 男／2 女）

7. 生年月日　3 － ○ ○ 0 8 1 1　元号 年 月 日
2 大正／3 昭和／4 平成／5 令和

8. 事業所番号　1 2 3 4 － 5 6 7 8 9 0 － 1

9. 被保険者となったことの原因　2
1 新規（新卒）雇用（学卒）／2 新規（その他）雇用／3 日雇からの切替／4 その他／8 出向元への復帰等（65歳以上）

10. 賃金（支払の態様－賃金月額：単位千円）　1 － 2 5 0
1 月給 2 週給 3 日給／4 時間給 5 その他

11. 資格取得年月日　5 － ○ ○ 0 9 0 1　元号 年 月 日
4 平成／5 令和

雇い入れの初日を記入。試用期間、研修期間を含む。

12. 雇用形態　7
1 日雇／2 派遣／3 パートタイム／4 有期契約労働者／5 季節的雇用／6 船員／7 その他

13. 職種　0 2　（01～11）第2面参照

14. 就職経路　1 安定所紹介／2 自己就職／3 民間紹介／4 把握していない

15.1 週間の所定労働時間　4 0 0 0　時間 分

用紙の裏面に記されている職種から該当番号を記入。

16. 契約期間の　2　1 有　契約期間
一般従業員は「7 その他」に該当。

元号 年 月 日 まで（和）
契約更新条項の有　1 有 2 無

事業所名　西口物産株式会社　**備考**

17欄から23欄までは、被保険者が外国人の場合のみ記入してください。

臨時の賃金、残業手当を除いた毎月決まって支払う額を記入。

17. 被保険者氏名（ローマ字）

被保険者氏名〔続き（ローマ字）〕

18. 在留カードの番号（在留カードの右上に記載されている12桁の英数字）

19. 在留期間　まで　西暦 年 月 日

20. 資格外活動の許可の有無　1 有／2 無

21. 派遣・請負就労区分　1 派遣・請負労働者として主として当該事業所以外で就労する場合／2 1に該当しない場合

22. 国籍・地域（　）　**23. 在留資格**

※公安職業安定所記載欄

24. 取得時被保険者種類　1 一般／2 短期常態／3 季節／11 高年齢被保険者（65歳以上）

25. 番号複数取得チェック不要　チェック・リストが出力されたが、調査の結果、同一人でなかった場合に「1」を記入。

26. 国籍・地域コード　22欄に対応するコードを記入

27. 在留資格コード　23欄に対応するコードを記入

雇用保険法施行規則第6条第1項の規定により上記のとおり届けます。

住　所　新宿区○○－○

令和 ○○ 年　9 月　2 日

事業主　氏　名　西口物産株式会社　代表取締役　山田 一

電話番号　03－0000－0000

公共職業安定所長　殿

※備

社会保険労務士記載欄　作成年月日・提出代行者・事務代理者の表示　氏　名　電話番号

※所長　次長　課長

期限	資格取得年月日の属する月の翌月10日。
どこに	ハローワーク。
添付資料	賃金台帳、労働者名簿、出勤簿が必要なこともある。

7 章　入社・退社の手続き

273

入社した社員の税金

- 源泉所得税は扶養親族等の有無を必ず確認。
- 住民税は状況によって手続きが異なる点に注意。

⟫ 源泉所得税 〜扶養親族等を把握

　源泉所得税は、扶養親族等の数を正しく把握しないと適切な控除が受けられません。最初の給与支払日までに、「給与所得者の扶養控除等（異動）申告書」（148ページ）を提出してもらいます。

　扶養親族等がいない場合も必ず提出してもらいましょう。この申告書がなければ、高額な税額が適用されてしまうからです。また、年末調整（4章）もできず、入社した社員自身で確定申告をしなくてはいけません。

　前職があるなら、退職時に「源泉徴収票」（180ページ）を受けとっているはずです。年末調整で給与から控除された所得税や社会保険料を確認するために必要なので、会社に提出してもらいましょう。

⟫ 住民税 〜新入社員の状況に応じた対応を

　住民税は、前年1月から12月までの所得で税額が決定し、6月から翌年5月に渡って給与から控除します。

　入社した従業員が新卒の大学生などで前年に所得がない場合は、入社時に住民税に関して手続きをする必要はありません。

　中途入社などで前年度に所得がある場合は、状況に応じて手続きが異なります。

　前職を退職した際に、翌年5月までに納めるべき住民税を一括納付している場合は、入社時に住民税の手続きは必要ありません。翌年6月の給与から住民税の控除をします。

　前職を辞めて1か月以内に入社してきた場合は、前職から送付された「給与所得者異動届出書」という書類を退職の翌月10日までに従業員が居住する市区町村に届け出ましょう。最初の給与から届出書の税額を控除しま

特別徴収への切替申請書：普通徴収の納付書の添付が必要。普通徴収の納期が過ぎていると特別徴収への切り替えが認められない。

す。

　前職を退職する際に、自分で住民税を納付する普通徴収に切り替えている場合、入社後に会社が**「特別徴収への切替申請書」**という書類を市区町村に提出して、特別徴収に戻す必要があります。

　申請書提出後に「特別徴収税額の決定・変更通知書」という書類が届くので、通知書記載の月の給与から住民税を控除します。

◆ 入社した社員の住民税の手続き

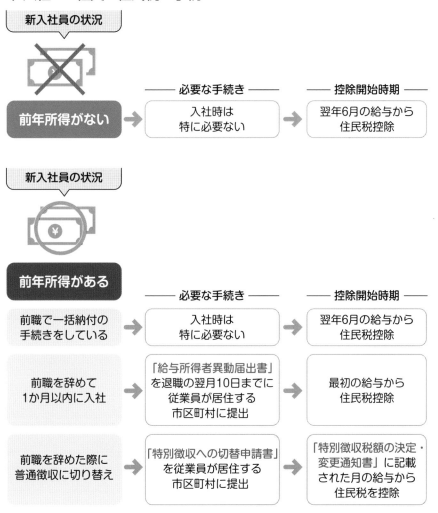

退職の手続き ～社内編

- 「退職届」を受けとることから、退職の処理はスタート。
- 従業員が出社している間に精算などの作業を進めておく。

⊙ 「退職届」を受けとる

　入社と同様、退職にあたっても保険・税金、社内処理とさまざまな手続きが必要です。退職後の生活に支障が出ないように、作業を把握して滞りなく進めていきましょう。

　従業員から「退職したい」という意思表示があった場合、口頭のやりとりだけで済ませずに「退職届」を提出してもらいます。これによって退職の時期や自己都合の退職であることがはっきりするからです。

◆ 退職時に必要な業務

社内的な作業	「退職届（退職届および機密保持誓約書）」（次ページ）を受けとる。	就業規則の定めによる（通常退職1か月前まで）
	仮払金や貸付金の精算（278ページ）。	退職までに
	「財産形成貯蓄の退職等に関する通知書」を財形を取り扱う金融機関に提出（278ページ）。	退職後6か月以内
	退職金の手続き（286ページ）。	退職までに
社会保険	「健康保険被保険者証」（配布している場合）を回収し、「健康保険　厚生年金保険　被保険者資格喪失届」（281ページ）を提出。	退職から5日以内
雇用保険	「雇用保険被保険者資格喪失届」（283ページ）を提出。	退職翌日から10日以内
	「雇用保険被保険者離職証明書」（284ページ）を提出。	
	交付された「離職票」を退職者に送付（282ページ）。	速やかに
所得税	「源泉徴収票」の発行（286ページ）。	退職後速やかに
住民税	「給与所得者異動届出書」を作成（288ページ）。	翌月10日まで

 誓約書：絶対的な法的拘束力があるわけではない。従業員にとって不利になるような一方的な内容は無効となる。

従業員氏名、会社代表氏名、退職理由、日時などの必要事項が記載されていて押印があれば、従業員が独自に作成した「退職届」で問題はないのですが、退職後の機密保持誓約書も兼ねたフォーマットを準備しておいてもよいでしょう。

　民法では退職希望日の2週間前に退職を申告すればよいことになっていますが、2週間でさまざま処理を進めるとなるとかなり慌ただしくなってしまいます。退職希望日の1か月前には届出を提出するよう就業規則で定めておくと安心です。

　1か月前に退職届を提出したとしても、残った有給休暇を消化するため出勤日数が少なくなることもあります。スムーズに引き継ぎが進むように退職予定者と日程を調整しましょう。

◆「退職届および機密保持誓約書」

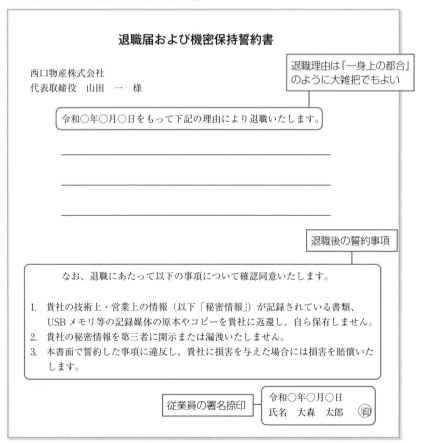

277

仮払金などの精算

　仮払金、退去までの社宅の家賃（修繕が発生した場合はその費用も）、貸付金などを退職日までに精算しておきましょう。

　退職日以降も通勤定期の有効期限が残っている場合、交通機関によっては1か月単位で通勤定期代金の払い戻しが可能ですが、定期代の払い戻し手続きをして会社に返金させるのなら、その旨を就業規則で定めておきましょう。

　一方、退職日前に定期が切れてしまうこともあるでしょう。その場合は交通費の実費を精算してください。

　さて、退職日まで有給休暇をとり、ちょうど定期が切れている場合、交通費を支給すべきでしょうか？

　就業規則で「有給休暇中も交通費を支給する」と定めていたら支払わなくてはいけません。退職前に有給休暇を消化する場合の交通費の取り扱いについて、就業規則で「出勤した日数分だけ支払う」等明記しておくとよいでしょう。

財形貯蓄について

　財形貯蓄は会社を通じて金融機関と従業員が契約を結ぶもので、利子等への非課税措置、財形持家融資が利用できるといったメリットがあります。財形貯蓄の種類は、勤労者財産形成貯蓄（一般財形貯蓄）、勤労者財産形成年金貯蓄（財形年金貯蓄）、勤労者財産形成住宅貯蓄（財形住宅貯蓄）の3つです。

　財形年金貯蓄と財形住宅貯蓄あわせて元本550万円までの利子が非課税という優遇措置がありますが、目的以外の理由で払い出すと解約扱いになり、直近5年間の利子に対して課税されてしまいます。

　財形貯蓄をしている従業員が退職する場合は、退職した日の6か月以内に「財産形成貯蓄の退職等に関する通知書」という書類を金融機関に提出します。金融機関ごとにフォーマットが異なるのでよく確認してください。

　退職後の財形貯蓄の扱いは、次ページのようにケースによって異なります。

POINT **財形貯蓄の会社側のメリット**：従業員の勤労意欲向上につながり、結果的に従業員の定着性が高まるため、優秀な人材確保につながる。

退職後の財形貯蓄の扱い

●従業員が2年以内に転職した
➡転職先に財形制度があれば手続きを経て積み立てを継続可能。2年間は利子非課税の状態。

●従業員が2年以内に転職しなかった
➡再就職しなかった場合は直近5年間の利子が課税対象となる。

●従業員が2年以内に転職したが財形制度がなかった
➡退職から2年を経て直近5年間の利子が課税対象となる。

◆ 財形貯蓄の種類

種類	契約期間・契約数	目的	年齢制限
勤労者財産形成貯蓄 （一般財形貯蓄）	3年以上の期間・ 複数契約可	目的問わず	なし
勤労者財産形成年金貯蓄 （財形年金貯蓄）	5年以上の期間・ 1人1契約	60歳以降から5年以上の期間にわたって年金として支払いを受ける	55歳未満
勤労者財産形成住宅貯蓄 （財形住宅貯蓄）	5年以上の期間・ 1人1契約	持家取得	55歳未満

Check! 返却物を忘れずに

名刺、社員証、入館証、貸与していたもの（文房具、パソコン、制服等）も漏れなく返却してもらいましょう。
パソコンはパスワードがかかっていないか確認し、必要であれば初期化します。退職者が使っていたメールのアカウントも速やかに削除しましょう。

社会保険の資格喪失届

- 資格喪失届には健康保険被保険者証を添付する。
- 退職のタイミングで給与から控除する保険料が異なる。

「保険証」は本人・被扶養者分を返却

退職によって社会保険の被保険者である資格が失われますので、社会保険の資格喪失日（退職日の翌日）から5日以内に「健康保険 厚生年金保険 被保険者資格喪失届」を年金事務所か健康保険組合に提出します。

提出の際は、従業員やその家族（被扶養者）に交付された健康保険被保険者証をすべて回収して添付してください。もしも被保険者証が回収できなかった場合は、「健康保険 被保険者証回収不能届」という書類を記入して添付します。

退職日と保険料

社会保険料は一般的に、前月分を当月の給与から控除し、月単位で保険料がかかるので日割りで控除することはありません。

例えば、給与が末締め翌10日払いの会社なら、従業員の退職日によって保険料の控除は次のように変わります。

月末退職→最後の給与から1か月分の保険料控除

25日退職→最後の給与から控除なし

重要なのは退職日の翌日が資格喪失日ということです。つまり、喪失日のある月は保険料はかからないのです。

一見、月中に退職したほうが従業員にとっては得なように見えます。

しかし、会社員だから加入できた社会保険から脱退したら、国民健康保険・国民年金に速やかに切り替えて個人で保険料を納付しなくてはいけないので、保険料を負担することに変わりはありません。

POINT **社会保険の切り替え：**退職日から14日以内に従業員個人が手続きする。会社員時代は会社と折半だった保険料が全額自己負担になる。

◆ 退職月と給与からの保険料控除

25日締め月末払いの会社

●月末（8月31日）退職した場合の社会保険料の控除

8月の給与の時点でまだ資格喪失していないので、前月と当月の2か月分を控除する。

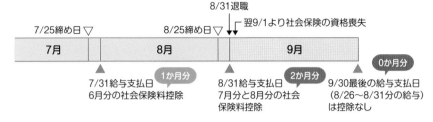

●月中（8月20日）に退職した場合の社会保険料の控除

最後の給与の時点で資格喪失しているので控除するのは前月分のみ。

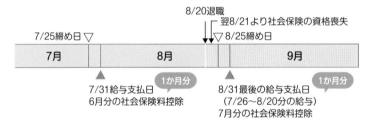

◆「健康保険 厚生年金保険 被保険者資格喪失届」

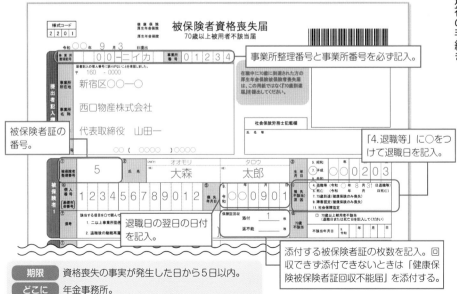

期限 資格喪失の事実が発生した日から5日以内。

どこに 年金事務所。

添付資料 健康保険被保険者証（本人および被扶養者分）。

281

7章 入社・退社の手続き

雇用保険の資格喪失届

- 「資格喪失届」のほかに、退職者が「離職票」を希望する場合は「離職証明書」も提出。
- 離職理由は退職者に確認すること。

⇒ 退職後に失業給付金の申請をするなら「離職票」が必要

　雇用保険も社会保険と同様に資格喪失届の手続きが必要です。

　被保険者でなくなった日の翌日（退職日の翌日）から10日以内にハローワークに「雇用保険被保険者資格喪失届」（以下「資格喪失届」）を提出します。

　一方、労災保険は会社だけが保険料を負うものなので、入社と同様、従業員ごとに手続きをする必要はありません。

　従業員が退職後に**失業給付金**を申請するとき必要になるのが「雇用保険被保険者離職票」（以下「離職票」）です。

　退職にあたって「離職票」の交付を希望する（失業給付金の申請をする）か従業員に確認をとってください。

　従業員が希望するのなら「資格喪失届」に「雇用保険被保険者離職証明書」（以下「離職証明書」）を添付してハローワークに提出します。

　従業員が「離職票」を希望しないのであれば、「離職証明書」の添付は不要です。

　ハローワークに「資格喪失届」「離職証明書」を提出すると「離職票」が発行されるので、速やかに退職者に送付します。

　「離職証明書」には「離職理由」の欄があり、その内容によって失業給付金の支給額・期間が異なります。退職者の考える離職理由と会社側の見解が異なっているとトラブルに発展するおそれもあるので、退職前にしっかりと確認をしておきましょう。トラブル回避のためにも「退職届」（277ページ）を受けとっておくことは重要です。

WORD **失業給付金：**原則、雇用保険加入期間が離職の日以前2年間に12か月以上ある人が、退職後ハローワークで求職申込みをすることで支給される。

◆「雇用保険被保険者資格喪失届」

■ 様式第4号（第7条関係）（第1面）（移行処理用）

雇用保険被保険者資格喪失届

標準字体 ⟦0 1 2 3 4 5 6 7 8 9⟧
（必ず第2面の注意事項を読んでから記載してください。）

（この用紙は、このまま機械で処理しますので、汚さないようにしてください。）

帳票種別
⟦1 7 9 1⟧

1. 個人番号
⟦1 2 3 4 5 6 7 8 9 0 1 2⟧

2. 被保険者番号
⟦1 2 3 4 - 5 6 7 8 9 0 - 1⟧

3. 事業所番号
⟦4 2 3 1 - 0 9 8 7 6 5 - 1⟧

4. 資格取得年月日
⟦4 - ◯ ◯ 0 4 0 1⟧
3 昭和　4 平成　5 令和
元号

5. 離職等年月日
⟦5 - ◯ ◯ 0 9 0 1⟧

6. 喪失原因
⟦2⟧
1 離職以外の理由
2 3以外の離職
3 事業主の都合による離職

> 「6.喪失原因」は「資格喪失届」裏面に記載された退職理由から該当する番号を記入。

7. 離職票交付希望
⟦1⟧
1 有　2 無

> 退職者が「離職票交付希望」なら1と記入。

8. 1週間の所定労働時間
⟦4 0 0 0⟧ 時間　分

9. 補充採用予定の有無
⟦空白 無⟧　1 有

10. 新氏名
フリガナ（カタカナ）
⟦　　　　　　　　　　⟧

公共職業安定所欄　11. 喪失時被保険者種類
⟦　⟧（3 季節）

12. 国籍・地域コード
⟦　⟧ 18欄に対応するコードを記入

13. 在留資格コード
⟦　⟧ 19欄に対応するコードを記入

14欄から19欄までは、被保険者が外国人の場合のみ記入してください。

14. 被保険者氏名（ローマ字）又は新氏名（ローマ字）（アルファベット大文字で記入してください。）
⟦　　　　　　　　　　　　　　　　　　　⟧

被保険者氏名（ローマ字）又は新氏名（ローマ字）（続き）
⟦　　　　　　　　　　⟧

15. 在留カードの番号（在留カードの右上に記載されている12桁の英数字）
⟦　　　　　　　　　　　　⟧

16. 在留期間 ⟦　　　　　⟧ まで
西暦　　年　　月　　日

17. 派遣・請負就労区分 ⟦　⟧
1 派遣・請負労働者として主として当該事業所以外で就労していた場合
2 1に該当しない場合

18. 国籍・地域（　　　　　　　）

19. 在留資格（　　　　　　　）

20.（フリガナ）	オオモリ タロウ	21. 性別	22. 生年月日
被保険者氏名	大森太郎	男・女	大正 昭和 平成 令和 ◯◯年 2月 3日

23. 被保険者の住所又は居所	渋谷区◯◯ー◯

24. 事業所名称	西口物産株式会社	25. 氏名変更年月日	令和　　年　月　日

26. 被保険者でなくなったことの原因	転職希望による自己都合退職

> 「退職届」と齟齬がないように。

雇用保険法施行規則第7条第1項の規定により、上記のとおり届けます。

令和◯◯年 9月 2日

住　所　新宿区◯◯ー◯

事業主　氏　名　西口物産株式会社
　　　　　　　　代表取締役　山田 一

電話番号　03ー0000ー0000

公共職業安定所長　殿

社会保険労務士記載欄	作成年月日・提出代行者・事務代理者の表示	氏名	電話番号	安定所

※ 所長　次長　課長

期限 被保険者でなくなった日の翌日から10日以内。

どこに ハローワーク。

添付資料
・離職票交付なしの場合：添付資料なし。
・離職票交付ありの場合：労働者名簿・出勤簿（タイムカード）・賃金台帳、退職理由を確認できる書類など。

雇用保険被保険者離職証明書（安定所提出用）

様式第5号

① 被保険者番号	1234－567890－1	③ フリガナ	オオモリ タロウ	④ 離職 年月日	令和	年 ○	月 9	日 1
② 事業所番号	4321－098765－1	離職者氏名	大森太郎					

⑤	名称	西口物産株式会社	⑥ 離職者の 住所又は居所	〒151-0000 渋谷区○○－○
事業所	所在地	新宿区○○－○		
	電話番号	03－0000－0000		電話番号（ ○○ ）0000－0000

この証明書の記載は、事実に相違ないことを証明します。
※離職票交付 令和 年 月 日
（交付番号 番）

事業主	住所 新宿区○○－○
	西口物産株式会社
	氏名 代表取締役 山田 一 ㊞

離受
職領
票印

離 職 の 日 以 前 の 賃 金 支 払 状 況 等

⑧ 被保険者期間算定対象期間		⑨ ⑧の期間における賃金支払基礎日数	⑩ 賃金支払対象期間	⑪ ⑩の基礎日数	⑫ 賃 金 額			⑬ 備 考
④ 一般被保険者等	Ⓑ 短期雇用特例被保険者				Ⓐ	Ⓑ	計	
離職日の翌日 9月2日								
8月2日～離職日	離職月	31日	8月26日～離職日	7日	未計算		未計算	
7月2日～8月1日	月	31日	7月26日～8月25日	31日	210,0000		210,0000	
6月2日～7月1日	月	30日	6月26日～7月25日	30日	210,0000		210,0000	
5月2日～6月1日	月	31日	5月26日～6月25日	31日	210,0000		210,0000	
4月2日～5月1日	月	30日	4月26日～5月25日	30日	210,0000		210,0000	
3月2日～4月1日	月	31日	3月26日～4月25日	31日	210,0000		210,0000	
2月2日～3月1日	月	28日	2月26日～3月25日	28日	210,0000		210,0000	
1月2日～2月1日	月	31日	1月26日～2月25日	31日	210,0000		210,0000	
12月2日～1月1日	月	31日	12月26日～1月25日	31日	210,0000		210,0000	
11月2日～12月1日	月	30日	11月26日～12月25日	30日	210,0000		210,0000	
10月2日～11月1日	月	31日	10月26日～11月25日	31日	210,0000		210,0000	
9月2日～10月1日	月	30日	9月26日～10月25日	30日	210,0000		210,0000	
8月2日～9月1日	月	31日	8月26日～9月25日	31日	210,0000		210,0000	

⑭ 賃金に		⑮この証明書の記載内容（⑦欄を除く）は相違ないと認めます。 （記名押印又は自筆による署名）
		（離職者 氏名） 大森太郎 ㊞

退職日より前の1か月ごとの日付を記入。・無

賃金の締切日ごとに記入。

退職者本人の署名押印。本人の署名押印がもらえない場合は事業主印で代用可能。

| 共職業安定所記載欄 | ⑯欄の記載 | 有・無 |
| | 資・聴 | |

本手続きは電子申請による申請も可能です。本手続きについて、電子申請により行う場合には、被保険者が離職証明書の内容について確認したことを証明することができるものを本離職証明書の提出と併せて送信することをもって、当該被保険者の電子署名に代えることができます。
また、本手続きについて、社会保険労務士が電子申請による本届書の提出に関する手続を事業主に代わって行う場合には、当該社会保険労務士が当該事業主の提出代行者であることを証明することができるものを本届書の提出と併せて送信することをもって、当該事業主の電子署名に代えることができます。

社会保険労務士	作成年月日・提出代行者・事務代理者の表示	氏 名	電話番号	※	所長	次長	課長	係長	係	備

期限 被保険者でなくなった日の翌日から10日以内。

どこに ハローワーク。

添付資料 離職理由によって異なる。

284

⑦離職理由欄…事業主の方は、離職者の主たる離職理由が該当する理由を1つ選択し、左の事業主記入欄の□の中に○印を記入の上、下の具体的事情記載欄に具体的事情を記載してください。

【離職理由は所定給付日数・給付制限の有無に影響を与える場合があり、適正に記載してください。】

事業主記入欄	離　職　理　由	※離職区分
□	**1　事業所の倒産等によるもの** （1）倒産手続開始、手形取引停止による離職	1 A
□	（2）事業所の廃止又は事業活動停止後事業再開の見込みがないため離職	1 B
□	**2　定年によるもの** 定年による離職（定年　　歳）	
	定年後の継続雇用を {を希望していた（以下のaからcまでのいずれかを1つ選択してください）/を希望していなかった}	
	a　就業規則に定める解雇事由又は退職事由（年齢に係るものを除く。以下同じ。）に該当したため （解雇事由又は退職事由と同一の事由として就業規則又は労使協定に定める「継続雇用しないことができる事由」に該当して離職した場合も含む。）	2 A
	b　平成25年3月31日以前に労使協定により定めた継続雇用制度の対象となる高年齢者に係る基準に該当しなかったため	2 B
	c　その他（具体的理由：　　　　　　　　　　　　　　　　　　　）	
□	**3　労働契約期間満了等によるもの** （1）採用又は定年後の再雇用時等にあらかじめ定められた雇用期限到来による離職 （1回の契約期間　　箇月、通算契約期間　　箇月、契約更新回数　　回） （当初の契約締結後に契約期間や更新回数の上限を短縮し、その上限到来による離職に該当　する・しない） （当初の契約締結後に契約期間や更新回数の上限を設け、その上限到来による離職に該当　する・しない） （定年後の再雇用時にあらかじめ定められた雇用期限到来による離職で　ある・ない） （4年6箇月以上5年以下の通算契約期間の上限が定められ、この上限到来による離職で　ある・ない） →ある場合（同一事業所の有期雇用労働者に一様に4年6箇月以上5年以下の通算契約期間の上限が平成24年8月10日前から定められて　いた・いなかった）	2 C 2 D 2 E
□	（2）労働契約期間満了による離職 ①　下記②以外の労働者 （1回の契約期間　　箇月、通算契約期間　　箇月、契約更新回数　　回） （契約を更新又は延長することの確約・合意の　有・無（更新又は延長しない旨の明示の　有・無）） （直前の契約更新時に雇止め通知の　有・無） （当初の契約締結時の不更新条項の追加が　ある・ない） 労働者から契約の更新又は延長を {を希望する旨の申出があった/を希望しない旨の申出があった/の希望に関する申出はなかった}	3 A 3 B 3 C 3 D
	②　労働者派遣事業に雇用される派遣労働者のうち常時雇用される労働者以外の者 （1回の契約期間　　箇月、通算契約期間　　箇月、契約更新回数　　回） （契約を更新又は延長することの確約・合意の　有・無（更新又は延長しない旨の明示の　有・無）） 労働者から契約の更新又は延長を {を希望する旨の申出があった/を希望しない旨の申出があった/の希望に関する申出はなかった} a　労働者が適用基準に該当する派遣就業の指示を拒否したことによる場合 b　事業主が適用基準に該当する派遣就業の指示を行わなかったことによる場合（指示した派遣就業が取りやめになったことによる場合を含む。） （aに該当する場合は、更に下記の5のうち、該当する主たる離職理由を更に1つ選択し、○印を記入してください。該当するものがない場合は下記の6に○印を記入した上、具体的な理由を記載してください。）	4 D 5 E
□	（3）早期退職優遇制度、選択定年制度等により離職	
□	（4）移籍出向	
□	**4　事業主からの働きかけによるもの** （1）解雇（重責解雇を除く。）	
□	（2）重責解雇（労働者の責めに帰すべき重大な理由による解雇）	
	（3）希望退職の募集又は退職勧奨	
□	①　事業の縮小又は一部休廃止に伴う人員整理を行うためのもの	
□	②　その他（理由を具体的に　　　　　　　　　　　　　　　　）	
	5　労働者の判断によるもの （1）職場における事情による離職	
□	①　労働条件に係る問題（賃金低下、賃金遅配、時間外労働、採用条件との相違等）があったと 　労働者が判断したため	
□	②　事業主又は他の労働者から就業環境が著しく害されるような言動（故意の排斥、嫌がらせ等）を 　受けたと労働者が判断したため	
□	③　妊娠、出産、育児休業、介護休業等に係る問題（休業等の申出拒否、妊娠、出産、休業等を理由とする 　不利益取扱い）があったと労働者が判断したため	
□	④　事業所での大規模な人員整理があったことを考慮したため	
□	⑤　職種転換等に適応することが困難であったため（教育訓練の　有・無）	
□	⑥　事業所移転により通勤困難となった（なる）ため（旧（新）所在地：　　　　　）	
□	⑦　その他（理由を具体的に　　　　　　　　　　　　　　　）	
○	（2）労働者の個人的な事情による離職（一身上の都合、転職希望等）	

> 該当する「離職理由」に○をする。

□	**6　その他（1－5のいずれにも該当しない場合）** （理由を具体的に　　　　　　　　　　　　　　　　　）	

具体的事情記載欄（事業主用）　　転職希望による自己都合退職

⑯離職者本人の判断（○で囲むこと）
事業主が○を付けた離職理由に異議　有り・無し

記名押印又は自筆による署名（離職者氏名）　大森太郎　⑳

7章

入社・退社の手続き

退職者への源泉徴収票

- 最後の給与が確定したら年末調整の作業をして「源泉徴収票」を交付する。
- 退職金の税金は優遇措置がとられている。

⊘ 退職者には「源泉徴収票」を交付

　従業員に対しては、年末にその年の所得税などを確定し、従業員の代わりに納税しなければなりません。その手続きのことを年末調整（4章）といいます。死亡による退職を除き、年の途中で退職した人については、会社で年末調整をおこないません。

　しかし、個人としては、その年の所得税などを納税する必要があります。納税するには、退職者自身が確定申告をするか、転職先の新しい会社で年末調整をすることになります。

　確定申告や新しい会社で年末調整をするためには、退職する前までの給与額や源泉所得税額などを記した「源泉徴収票」（181ページ）が必要です。

　会社は、退職前までの給与や賞与、源泉所得税額や社会保険料などを算出し、その結果を記した「源泉徴収票」を、退職する従業員に交付するようにしてください。

⊘ 退職金だけの「源泉徴収票」も必要

　退職金にも所得税や住民税がかかりますが、給与や賞与とは異なるお得な計算方法になっています。退職金は長年勤めたことに対する報償の意味合いがあり、さらには老後の生活を支える大事な財産であることから、税負担が軽くなるように配慮がなされているといえるでしょう。

　退職金の税額を算出するまえに、従業員本人が「退職所得の受給に関する申告」という書類を会社に提出する必要があります。この書類がないと、退職金の税額を計算する「退職所得控除額」の額が変わるからです。

　この書類の提出を受け、その後、退職金の税額を計算していきます。

POINT　**源泉徴収票の交付**：所得税法によって源泉徴収票は通常は翌年の1月31日までに、退職者に対しては退職日から1か月以内に交付するよう定められている。

◆ 退職金の所得税の計算

●「退職所得の受給に関する申告書」が提出されている場合の計算

表1　退職所得控除額の計算式

勤続年数	退職所得控除額の計算式
20年以下	40万円×勤続年数（80万円未満は80万円）
20年超	70万円×（勤続年数－20年）＋800万円

※勤続年数1年未満の端数は切り上げ。

STEP1　課税退職所得金額を求める。

$$（退職金の額 － 退職所得控除額）× 1／2 ＝ 課税退職所得金額$$

STEP2　課税退職所得金額を「退職所得の源泉徴収税額の速算表」に当てはめて「源泉徴収税額」を求める。

表2　退職所得の源泉徴収税額の速算表

課税退職所得金額(A)		所得税率(B)	控除額(C)	税額＝（(A)×(B)-(C)）×102.1%
	195万円以下	5%	0円	((A)×5%) × 102.1%
195万円超	330万円以下	10%	97,500円	((A)×10%－97,500円) × 102.1%
330万円超	695万円以下	20%	427,500円	((A)×20%－427,500円) × 102.1%
695万円超	900万円以下	23%	636,000円	((A)×23%－636,000円) × 102.1%
900万円超	1,800万円以下	33%	1,536,000円	((A)×33%－1,536,000円) × 102.1%
1,800万円超	4,000万円以下	40%	2,796,000円	((A)×40%－2,796,000円) × 102.1%
4,000万円超		45%	4,796,000円	((A)×45%－4,796,000円) × 102.1%

●「退職所得の受給に関する申告書」が提出されていない場合の計算

$$退職金の総額 ×20.42\% ＝ 税額$$

住民税は次の手順で計算し、退職金から控除します。

｜退職金の住民税の計算

① （退職金の総額 － 退職所得控除額（上の表1））× 1／2
　　＝ 住民税の課税退職所得金額

② ①× 税率6％ ＝ 市区町村税

③ ①× 税率4％ ＝ 都道府県民税

住民税の手続き

- •「給与所得者異動届出書」を作成。
- • 退職時期で住民税の納付方法が変わる。

住民税の納付が滞らないように

　住民税は1月1日から12月31日までの所得に対して課税され、翌年の1月1日時点で住んでいる市区町村に、6月から翌5月にかけて給与から天引きして納付します（特別徴収）。

　特別徴収は会社が納付作業を代行するものですが、会社員ではない場合は市区町村から届く納付書を使って、個人で金融機関やコンビニ、口座振替などで住民税を納めることになります（普通徴収）。

　退職後の住民税の納付が滞ることがないよう、従業員が退職した際は「給与所得者異動届出書」を市区町村へ送付します。

　転職先が決まっている場合は従業員経由で転職先へ「給与所得者異動届」を渡し、転職先から市区町村へ提出してもらいます。

　これによって特別徴収・普通徴収の引き継ぎや切り替えの手続きとなり、住民税の納付が滞ることがありません。

退職時期に注意

　右ページの表で示したように、住民税の納付方法は退職時期や転職先の有無によって異なります。

　ただし、住民税を一括徴収されると手取り額がかなり減ってしまうという場合は普通徴収に切り替えることもできます。従業員の意向を確認しておきましょう。

POINT **住民税の延滞**：延滞金が課されるほか、度々の督促に応じないままでいると財産の差押えなどの処置をとられる場合もある。

◆ 退職時期と住民税の手続き

退職時期	住民税の納付方法	「給与所得者異動届出書」は？
6月1日～ 12月31日に退職 （①～③のいずれか）	①翌年5月分までを給与（または退職金）から一括徴収。	一括徴収後に市区町村に送付。
	②退職月は特別徴収、それ以降は普通徴収（自分で納付）。	異動のあった日の翌月10日までに市区町村に送付。
	③転職先で特別徴収。	本人経由で転職先へ。
1月1日～5月31日 に退職	5月分までを退職月の給与（または退職金）から一括徴収。	一括徴収後に市区町村に送付。

※一括徴収の額が給与（または退職金）を超えるときはおこなえない。

◆「給与所得者異動届出書」（上記表の③の場合）

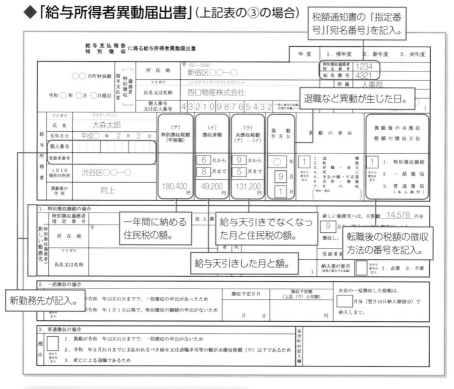

期限	退職時期によって異なる。上記表参照。
どこに	市区町村。
添付資料	なし。

外国人を雇用するときの手続き

- 採用から採用後の待遇、各種保険も日本人従業員と同様に。
- 負担感が大きい保険加入はていねいな説明で理解を得る。

日本人従業員と同様に

　外国人を雇う場合は、募集や採用、待遇や労働条件など、日本人従業員と同等にする必要があります。

　社会保険・労働保険に関しても日本人従業員と同じ扱いになりますが、制度に馴染みがない外国人の従業員に対してはていねいな説明を心がけてください。

雇用保険の手続き

　右ページの表で示した「就労可能なカテゴリー」に当てはまる外国人であれば雇用することができます。どのカテゴリーに該当するか在留カード等で確認してください。該当しないようなら雇用することはできません。

　雇うことが決まったら、ハローワークに「雇用保険被保険者資格取得届」（272ページ）を提出します。雇用保険の被保険者に該当しない場合は「外国人雇用状況届出書」という書類を提出してください（特別永住者は不要）。

社会保険の手続き

　健康保険と厚生年金は国籍を問わず加入手続きが必要です。

　社会保険料の負担は軽いものではありませんし、母国の社会保険との兼ね合いから日本での加入をいやがる従業員もいるかもしれません。

　外国人従業員の出身国と日本が社会保障協定を結んでる場合、両国の取り決めによって、保険料の二重払いや将来的な年金額で加入者が不利益を被らないようになっています。

　また、外国人従業員が会社を辞めて帰国することになったら、納付した保険料の額に応じて一定額が返金される「脱退一時金」があります。厚生

EPA：Economic Partnership Agreement の略で、経済連携協定のこと。その一環にインドネシア、フィリピン、ベトナムからの看護師・介護福祉士候補者を受け入れる制度がある。

年金が掛け捨てで加入したくないという従業員に対しては、この制度を説明するとよいでしょう。

◆ 就労が可能なカテゴリー

●就労目的で在留が認められる者 （「専門的・技術的分野」に該当する主な在留資格）

在留資格	具体例
教授	ポイント制による高度人材
経営・管理	企業等の経営者・管理者
法律・会計業務	弁護士、公認会計士等
医療	医師、歯科医師、看護師
研究	政府関係機関や私企業等の研究者
教育	中学校・高等学校等の語学教師等
技術・人文知識・国際業務	機械工学等の技術者、通訳、デザイナー、私企業の語学教師、マーケティング業務従事者等
企業内転勤	外国の事業所からの転勤者
介護	介護福祉士
技能	外国料理の調理師、スポーツ指導者、航空機の操縦者、貴金属等の加工職人等

●身分に基づき在留する者

「定住者」（主に日系人）、「永住者」、「日本人の配偶者等」等。これらの在留資格は在留中の活動に制限がないため、様々な分野で報酬を受ける活動が可能。

●技能実習

開発途上国への国際協力が目的。

●特定活動

ＥＰＡに基づく外国人看護師・介護福祉士候補者、ワーキングホリデー、外国人建設就労者、外国人造船就労者等。「特定活動」の在留資格で我が国に在留する外国人は、個々の許可の内容により報酬を受ける活動の可否が決定。

●資格外活動（留学生、家族滞在などのアルバイト等）

本来の在留資格の活動を阻害しない範囲内（1週28時間以内等）で報酬を受ける活動が可能。資格外活動許可が必要。

従業員の副業

　年々、副業を積極的に認める企業が増えています。

　とはいえ、秘密保持や業務上のノウハウ流出などの不安はあるでしょう。法的には従業員の副業を禁じることはできませんが、次のような場合は副業を禁止したり、処分を下すこともできます。

・本職と時間が重なる　・長時間労働などで本職に影響が出る
・競業他社の仕事　　　・会社の品位を落とす

●副業を許可制にするメリット

　副業への不安はぬぐえませんが、隠れて副業をされるよりは、副業の内容を把握することでトラブル回避になるほか、副業による本業へのフィードバックも期待でき、会社にとっても従業員にとってもメリットがあるといえるでしょう。労災保険の扱いなども、世の中の実体にあわせ、年々変わってきています。

　また、副業を認めることで「自由な社風」が醸成され、それが優秀な人材確保につながる可能性もあります。

　届出制は従業員から副業の届出があれば自動的に副業可となります。一方、認可制は会社が定めた条件に合致したら副業を認めることになります。認可制の条件には次のようなものがあります。

①**入社年数を制限**…「副業は入社○年目以降」と決めている企業もあります。本業の業務に慣れていれば副業とのバランスもとりやすいからです。

②**スキルアップにつながる**…人脈の拡がりや社外での経験によって新たなビジネスチャンスの創造を期待するものです。

③**副業内容をオープンにする**…副業で得た知識や経験を社内で報告する場をつくり、情報を広く共有することで社内業務の活性化を目指します。

スムーズな業務のための
チェック事項一覧

給与計算や社会保険の手続きは、複雑なうえにミスが許されません。

毎月、決まった作業を進めるように見える給与計算でも、実際には従業員の休職や給与額の変更などイレギュラーな要素に影響を受けます。

また、年末調整は作業が複雑なうえに年に一回しかないので、作業段取りを覚えるのは難しいことでしょう。限られた時間のなかで正確に作業を進めるためには、事前に手順を把握しておくことです。

以下の作業ごとにチェック事項をまとめたので、ぜひご活用ください。

給与計算（2章・3章）のチェック事項

チェック	内容	期日
	入社または退職する従業員がいるか	給与締め日前まで
	休業中の従業員がいるか	給与締め日前まで
	給与額を変更した従業員がいるか	給与締め日前まで
	結婚または離婚した従業員がいるか	給与締め日前まで
	住所が変わった従業員がいるか	給与締め日前まで
	有給休暇を取得した従業員がいるか	給与締め日前まで
	タイムカード等を集計し勤怠状況を集計	給与締め日後すぐ
	勤怠欄の作成	給与締め日後すぐ
	支給欄の作成	給与締め日後すぐ
	控除欄の作成	給与締め日後すぐ
	個人マスター台帳の変更	変更あればすぐ
	給与支払準備（銀行振込の手続きまたは手渡しの現金の準備）	給与支払日前まで
	社会保険料の納付	当月末日または 翌月10日まで
	源泉所得税の納付	翌月10日まで （または7月10日、 1月20日まで）
	住民税の納付	翌月10日まで （または6月10日、 12月10日まで）

年末調整（4章）のチェック事項

チェック	内容	期日
	「給与所得者の扶養控除等（異動）申告書」を回収したか	11月中
	「給与所得者の配偶者控除等申告書」を回収したか	11月中
	「給与所得者の保険料控除申告書」を回収したか	11月中
	「給与所得者の（特定増改築等）住宅借入金等特別控除申告書」を回収したか	11月中
	途中入社の社員から前職の「源泉徴収票」を回収したか	11月中
	年末調整の計算	12月中
	「源泉徴収票」の作成	1月中
	税金の過納額の還付、または不足額の徴収処理	12月または1月の給与
	源泉所得税納税資金を準備	翌年1月10日 納付期限 （または1月20日）
	「源泉徴収票」を従業員に交付	翌年1月31日まで
	「法定調書合計表」を税務署に提出	翌年1月31日まで
	「給与支払報告書」を市区町村に提出	翌年1月31日まで

定時決定（算定基礎届・5章）のチェック事項

チェック	内容	期日
	被保険者の確認	6月中
	「労働者名簿」の整理	6月中
	「賃金台帳」の整理	6月中
	「出勤簿」の整理	6月中
	4・5・6月に実際に支払われた報酬の確認	6月中
	報酬月額を算出する	6月中
	「算定基礎届」を年金事務所または健康保険組合に提出	7月1日〜10日

随時改定（月額変更届・5章）のチェック事項

チェック	内容	期日
	随時改定の3つの要件を満たしている	毎月の給与計算時
	「健康保険 厚生年金保険 被保険者報酬月額変更届 70歳以上被用者月額変更届」を年金事務所または健康保険組合に提出	固定的賃金に変動または賃金体系に変更があった月から4か月目

労働保険の年度更新（5章）のチェック事項

チェック	内容	期日
	送付されてきた「申告書」に印字された社名等の情報が正しいか確認	5月末頃
	労災保険の対象者を確認	5月〜6月
	雇用保険の対象者を確認	5月〜6月
	「確定保険料・一般拠出金算定基礎賃金集計表」の作成	6月中
	「労働保険概算・確定保険料申告書」の作成	6月中
	「労働保険概算・確定保険料申告書」を所轄の労働基準監督署または都道府県労働局、金融機関に保険料等を添えて提出	6月1日〜7月10日

入社時（7章）のチェック事項

チェック	内容	期日
	「労働条件通知書 兼 雇用契約書」で雇用契約を結ぶ	雇用時
	「身元保証書」の回収	雇用時
	「通勤手当・通勤経路確認書」の回収	雇用後
	「給与振込口座申請書」の回収	雇用後
	「個人番号利用届出書」の回収	雇用後
	法定三帳簿の作成	雇用後
	前職の「源泉徴収票」を回収	雇用後
	「給与所得者異動申告書」を市区町村に提出	雇用後
	「健康保険 厚生年金保険被 保険者資格取得届」を年金事務所に提出	資格取得から5日以内
	「健康保険被扶養者（異動）届」を年金事務所または健康保険組合に提出	資格取得から5日以内
	「国民年金第3号被保険者関係届」を年金事務所に提出	資格取得から5日以内
	「雇用保険被保険者資格取得届」をハローワークに提出	翌月10日まで
	「給与所得者の扶養控除等（異動）申告書」を回収	最初の給与計算の前

退職時（7章）のチェック事項

チェック	内容	期日
	「退職届（退職届および機密保持誓約書）」の回収	就業規則の定めによる
	仮払金などの精算	退職までに
	退職金の手続き	退職までに
	「財産形成貯蓄の退職等に関する通知書」を金融機関に提出	退職から6か月以内
	「健康保険被保険者証」を回収、年金事務所に提出。紛失等の場合は「健康保険 被保険者証回収不能届」を提出。	退職から5日以内
	「健康保険 厚生年金保険 被保険者資格喪失届」を年金事務所に提出	退職から5日以内
	「雇用保険被保険者資格喪失届」をハローワークに提出	退職翌日から10日以内
	「雇用保険被保険者離職証明書」をハローワークに提出	退職翌日から10日以内
	「離職票」を退職者に送付	速やかに
	「源泉徴収票」の発行	最後の給与確定後速やかに
	「給与所得者異動届出書」を市区町村に提出	翌月10日まで

索引

監修紹介

関根 俊輔（せきね しゅんすけ）

税理士。
中央大学法学部法律学科卒。
平成19年に、共同で税理士法人ゼニックス・コンサルティングを設立。
学生時代から培った「リーガルマインド」を原点に、企業に内在する会計・人事・社内コンプライアンス等の諸問題を横断的に解決する専門家として活躍している。著書、監修書に『個人事業と株式会社のメリット・デメリットがぜんぶわかる本』『図解わかる 小さな会社の総務・労務・経理』（いずれも新星出版社）などがある。

関根 圭一（せきね けいいち）

社会保険労務士、行政書士。
30年を超えるキャリアのなか、就業規則の作成、労使紛争の解決、給与計算実務や社会保険についての手続き、アドバイスをおこなう専門家。健康保険、労災保険、遺族年金の請求等、数千件の実務に対応した実績を持つ。監修書に『大切な家族が亡くなった後の手続き・届け出がすべてわかる本』（新星出版社）がある。

本書の内容に関するお問い合わせは、**書名、発行年月日、該当ページを明記**の上、書面、FAX、お問い合わせフォームにて、当社編集部宛にお送りください。**電話によるお問い合わせはお受けしておりません。**
また、本書の範囲を超えるご質問等にもお答えできませんので、あらかじめご了承ください。
　FAX：03-3831-0902
　お問い合わせフォーム：https://www.shin-sei.co.jp/np/contact.html

落丁・乱丁のあった場合は、送料当社負担でお取替えいたします。当社営業部宛にお送りください。
本書の複写、複製を希望される場合は、そのつど事前に、出版者著作権管理機構（電話：03-5244-5088、FAX：03-5244-5089、e-mail：info@jcopy.or.jp）の許諾を得てください。
JCOPY ＜出版者著作権管理機構 委託出版物＞

図解わかる　小さな会社の給与計算と社会保険

2024年9月15日　初版発行

監 修 者　　関根俊輔／関根圭一
発 行 者　　富　永　靖　弘
印 刷 所　　今家印刷株式会社

発行所　東京都台東区　株式　新星出版社
　　　　台東2丁目24　会社
　　　　〒110-0016　☎03(3831)0743

© SHINSEI Publishing Co., Ltd.　　　　Printed in Japan

ISBN978-4-405-10447-1